BARBARA VEIGA

SETE ANOS
EM SETE MARES

minha jornada ao redor do mundo
em defesa do meio ambiente

SEOMAN

Copyright © 2019, Barbara Veiga
Copyright do projeto © 2019, Editora Pensamento-Cultrix Ltda.
Publicado mediante acordo com a Agência Riff.
Texto de acordo com as novas regras ortográficas da língua portuguesa.

1ª edição 2019.

Todos os direitos reservados. Nenhuma parte deste livro pode ser reproduzida ou usada de qualquer forma ou por qualquer meio, eletrônico ou mecânico, inclusive fotocópias, gravações ou sistema de armazenamento em banco de dados, sem permissão por escrito, exceto nos casos de trechos curtos citados em resenhas críticas ou artigos de revistas.

A Editora Seoman não se responsabiliza por eventuais mudanças ocorridas nos endereços convencionais ou eletrônicos citados neste livro.

Coordenação editorial: Manoel Lauand

Capa e projeto gráfico: Gabriela Guenther

Todas as fotos deste livro são do arquivo pessoal da autora, Barbara Veiga, e foram gentilmente cedidas por ela para esta edição.

DADOS INTERNACIONAIS DE CATALOGAÇÃO NA PUBLICAÇÃO (CIP)
(CÂMARA BRASILEIRA DO LIVRO, SP, BRASIL)

Veiga, Barbara
Sete anos em sete mares / Barbara Veiga. -- 1. ed. -- São Paulo : Seoman, 2019.

ISBN 978-85-5503-087-1

1. Jornalistas - Brasil - Memórias I. Título.

18-23035   CDD-079.092

Índices para catálogo sistemático:
1. Jornalistas : Memórias autobiográficas 079.092
Iolanda Rodrigues Biode - Bibliotecária - CRB-8/10014

Seoman é um selo editorial da Pensamento-Cultrix.

EDITORA PENSAMENTO-CULTRIX LTDA.
R. Dr. Mário Vicente, 368 – 04270-000 – São Paulo, SP
Fone: (11) 2066-9000 – Fax: (11) 2066-9008
E-mail: atendimento@editoraseoman.com.br
http://www.editoraseoman.com.br
Foi feito o depósito legal.

"Fazer o que faço é tão simples quanto caminhar. Você coloca um pé na frente do outro, para se assegurar de que o solo está firme, e avança sempre em direção à estrela polar."

Joe McPhee, saxofonista norte-americano

ÍNDICE

Ao improvável, o horizonte 9

CAP 01 11

CAP 02 45

CAP 03 65

CAP 04 109

CAP 05 159

CAP 06 213

CAP 07 251

Agradecimentos 285

CARIBE

BRASIL

 ANTÁRTICA

AO IMPROVÁVEL, O HORIZONTE

"Se você quiser influenciar a história e ajudar a garantir o futuro de tudo aquilo que é importante para você, é preciso estar vivo agora", foi a resposta que a grande cientista, ambientalista e inspiração para boa parte das mulheres que lutam pelo meio ambiente, Dra. Sylvia Earle, deu ao também grande fotógrafo Joel Sartore, quando este perguntou como ela mantinha a esperança.

Este diálogo está na abertura do livro *A Terra é Azul: Por que o destino dos oceanos e o nosso é um só?*, e me veio à memória quando soube do livro de Barbara Veiga e do que conhecia de sua trajetória no fotoativismo.

Há muitos anos tinha entrevistado a então jovem, recém-saída de uma das muitas expedições que ela conta com riqueza e sabores neste livro. Nossa conversa pelo rádio era sobre sua vida a bordo e as imagens captadas em uma dessas viagens. Nos primeiros momentos da entrevista a paixão de Barbara pelo que ela estava fazendo, pelo objetivo que a levou a estar lá, me impressionou.

O que levaria uma jovem mulher a viver em um barco, por vezes na linha de frente da contestação ao que ela considera errado, colocando-a em situações impensáveis para a maioria das pessoas?

Estar viva e permanentemente atuante. Documentar tudo. Desde os 12 anos, Barbara passa seu tempo contando histórias a partir das imagens, mas foi no ativismo que ela encontrou sua forma máxima de expressão. A excelência na fotografia ela já havia demonstrado, mas o ativismo deu a lapidação necessária para encontrar uma rota traçada palmo a palmo, baía por baía, nestes sete mares narrados em sete anos.

Sempre me intrigou e me encantou a fotografia pela possibilidade de captar em um instante algo que pode mudar tudo. Como uma lupa no estampido da onda. Como o respiro antes do primeiro mergulho na água fria.

E para nos imaginarmos lá, presentes, encontramos aqui um relato intenso e corajoso como ela. Talvez a melhor expressão neste caso seja "realização", que combina o oceano interno da fotógrafa e sua descrição em diversas situações limite. Muitos desses momentos representando grandes organizações ambientalistas, outras de sua própria narrativa.

Este livro é uma inspiração (ou ânimo, Dra. Earle?) para os tempos em que o Planeta precisa de mais ação do que apenas pretensão.

E se do futuro nada sabemos, o horizonte sempre estará lá.

Bons ventos!

Paulina Chamorro, jornalista

CAP 01

SANTARÉM

Por cerca de meia hora, um homem me mantém imobilizada no chão, o rosto colado ao solo. É um funcionário da Cargill, multinacional envolvida no desmatamento da floresta amazônica para a produção de soja. Momentos atrás, ele atirou a minha mochila do alto do prédio da empresa. E agora se preocupa em garantir que eu seja presa, junto com os meus companheiros ativistas.

A reação rápida e truculenta dos sojeiros inviabilizou a nossa missão: escalar o edifício da fábrica — construída ilegalmente às margens do Rio Tapajós — para pendurar *banners* do Greenpeace, denunciando os crimes ambientais da Cargill no coração da Amazônia.

Há semanas nos preparamos para a missão, a bordo do Arctic Sunrise, navio que conduziu a nossa equipe ao Pará. Fomos orientados por membros experientes do Greenpeace vindos de diversas partes do mundo especialmente para esta ação. Fizemos treinamentos de segurança e de escalada, com simulações que já previam uma possível intervenção policial, usando botes ou até o mastro do navio. Num dos treinamentos, tentávamos sair do bote através de uma escada de emergência feita de alumínio, conectada ao Arctic Sunrise. Tínhamos que voltar a bordo com o navio em movimento.

Sim, esperávamos uma recepção hostil em Santarém. Tivemos uma reunião com o advogado responsável pela campanha, que nos explicou sobre as grandes chances de sermos presos. Escalar um edifício para anexar cartazes não autorizados pode ser considerado violação de patrimônio. Além disso, a filial paraense da Cargill conta com a simpatia dos fazendeiros de soja na região, mas sobretudo dos funcionários da empresa e seus familiares, que encontram ali uma rara oportunidade de emprego digno na cidade. Pessoas com uma necessidade imediata de trabalho e renda podem ter dificuldades para compreender a importância ecológica da conservação da Amazônia. A região abriga cerca de 50% da biodiversidade mundial e tem um papel fundamental para amenizar os efeitos drásticos do aquecimento global. Além de causarem um desequilíbrio ambiental, o cultivo, o processamento e o transporte de soja promovem o desmatamento de extensas áreas da floresta. Mas essas questões parecem distantes para quem está mais preocupado em garantir, dia após dia, a sua subsistência e a de seus entes queridos.

A chegada do Arctic Sunrise provocou rebuliço na região, onde existe uma forte propaganda contra a ONG. Semana passada, um jornal local divulgou a suposta notícia: "Greenpeace defende o aborto" — diante da qual, evidentemente, ficamos perplexos. Desde que ancoramos no porto, há nove dias, não fomos autorizados a deixar o navio para visitar a cidade em nenhum momento. Até que chegou o tão esperado dia.

Fomos dormir tensos, às duas da manhã, terminando de arrumar o material necessário para a ação: mochilas, capacetes, muitas cordas e carabinas de escalada, além do kit médico e de barrinhas de cereal para termos o que comer caso se confirmasse a hipótese da prisão. Às cinco da manhã, tomamos o bote rumo ao prédio da Cargill. Fui designada para o time B, junto com Agnaldo (coordenador do grupo local do Greenpeace em Manaus), Mário (meu namorado) e duas escaladoras norte-americanas. O plano era abrir um grande *banner* principal e outros adicionais. Mas logo fomos interceptados por um intenso jato de água que atingiu fortemente um dos escaladores. Enquanto ainda pendia entre as cordas de escalada, ele também foi fisicamente agredido com socos. As escaladoras do meu time tampouco conseguiram concluir a subida. Uma delas, no auge do estresse, torceu o pé. No fim, Agnaldo, Mário e eu só conseguimos abrir os *banners* adicionais no topo da torre.

Pouco tempo depois, estamos a caminho da delegacia, onde permanecemos entre as nove da manhã e oito da noite. Ao sair de lá, percebo na porta um enorme grupo de sojeiros fazendo passeata com suas *pick-ups*, nos ameaçando em voz alta: "Fora, Greenpeace! Fora, gringos!" É possível escutar fogos, buzinas. Que caos. Precisamos ser transportados por blindados providenciados pelo Greenpeace, com medo de represálias no caminho.

Finalmente embarcamos de volta no Arctic Sunrise para testemunhar uma cena desoladora: o navio fora arrombado por policiais e saqueado pelos sojeiros. Todos os camarotes estão revirados, inclusive o número 15, que divido com Mário, minhas plantinhas e meus dois peixes dourados — Mike e Mallory, batizados em homenagem ao filme *Assassinos por Natureza*, do Oliver Stone.

Verificando as minhas coisas, percebo que perdi alguns dólares e pertences. O capitão Waldemar diz para eu não me preocupar. Garante que serei ressarcida pelo Greenpeace. Mesmo assim, fica um sentimento estranho de invasão, nesse espaço que tem sido a minha casa nos últimos meses. Meses de dedicação e luta pela floresta amazônica.

Respiro fundo. Organizo como posso o que ainda me resta. Tomo um banho quente para me fortalecer e descansar esta noite.

PORTO ALEGRE

Faz sete semanas que pisei pela primeira vez no Arctic Sunrise, em abril de 2006. O navio estava atracado em Porto Alegre, onde eu embarcaria para trabalhar como voluntária na campanha Cidade Amiga da Amazônia. A proposta é viajar por diferentes cidades, do sul ao norte da costa brasileira, buscando negociar com governos locais para que se comprometam a utilizar apenas madeira extraída legalmente, evitando o desmatamento ilícito da floresta amazônica. É um programa desafiador, mas estamos todos unidos para fazer com que tudo dê certo, como esperado.

Ansiosa, mal consegui dormir na véspera. Cheguei cedo ao porto. Com frio na barriga, subi a bordo e fui muito bem recebida pelo pessoal do Greenpeace em Porto Alegre e por alguns tripulantes do navio — um grupo de totais desconhecidos com quem, nos meses seguintes, eu me lançaria numa jornada em defesa da Amazônia. Uau!

No dia a dia de um navio, tudo é novo e interessante. Eu já trabalhava para o Greenpeace como voluntária desde 2004, participando de diversas atividades, reuniões e ações, mas sempre em terra. Embarcar muda tudo. O Arctic Sunrise é um mundo à parte, com muitos detalhes técnicos, curiosidades e segredos. Construído em 1975, é um navio quebra-gelo (que tem a proa adaptada para navegar em regiões de temperaturas muito baixas), e pesa 949 toneladas. Dali em diante, eu dividiria aquela área de 570 metros quadrados com trinta pessoas dos mais diferentes estilos e nacionalidades, unidas em prol do ativismo ecológico.

Nessa primeira navegação junto ao Greenpeace, aos 22 anos de idade, eu estava prestes a fazer uma descoberta que mudou a minha vida: descobri que, no mar, sinto uma paz inexplicável. A imensidão, o cheiro de sal, os animais que nos acompanham pela água ou pelo ar, tudo isso me toca profundamente. Navegando me sinto em conexão com a mãe natureza, pela qual decidi lutar, disposta inclusive a arriscar o meu conforto e, por vezes, a minha segurança.

No primeiro dia a bordo do Arctic Sunrise, fui obrigada a conter minhas expectativas. Como a troca da tripulação só ocorreria na parada seguinte, em Santos, ainda não havia espaço para eu dormir no barco. Logo me deparei com um aspecto comum no universo da navegação: apesar de haver muito planejamento, nem sempre as coisas acontecem como o planejado.

A coordenadora da campanha me pediu desculpas. Aproveitei o tempo livre para visitar Porto Alegre. E passei a noite na casa de outro voluntário, na zona norte da cidade.

Acabei embarcando num avião com destino a São Paulo. Ao chegar no aeroporto, percebi que dividiria o voo com colegas que já conhecia de missões anteriores. E este doce reencontro me fez sentir em casa.

SÃO PAULO

No escritório de São Paulo, existem pessoas que trabalham há mais de quinze anos com o Greenpeace. Decidi visitar o local e fazer uma pequena pesquisa para a minha monografia. Minha matrícula na faculdade de jornalismo, no Rio de Janeiro, está trancada. Mas agora falta muito pouco para eu me formar. A essa altura da minha vida, não tenho mais dúvidas de que o Greenpeace será tema do meu projeto final.

Pesquisei *clippings* sobre a ONG, de quatro anos atrás até os dias de hoje. Meu objetivo é analisar as estratégias de divulgação do Greenpeace e sua relação com a mídia, fazendo com que as notícias sejam bem colocadas e adotando o chamado marketing de guerrilha. Minha orientadora Sandra Almada, excelente jornalista e ativista ligada a questões raciais, tem sido uma grande aliada, mesmo à distância.

Além de produtiva, a minha breve estadia em São Paulo, essa deliciosa Meca cultural que adoro, foi também muito prazerosa. Perambulei pela Avenida Paulista. Visitei exposições. Folheei livros interessantes na Fnac. Passei a noite na casa de amigos que não via há algum tempo. Mas a ansiedade continuava no ar.

No dia seguinte, chegou a hora de me despedir das benesses da vida urbana. Abri mão, por exemplo, do meu telefone celular. A bordo do Arctic Sunrise, temos um sistema de envio e recebimento de *e-mails*, então não ficamos totalmente isolados em alto-mar. O único problema é que todos esses *e-mails* são conferidos pelo operador de rádio, pessoa que cuida da segurança do sistema de comunicação. Não me sinto completamente confortável em escrever detalhes da minha vida pessoal sabendo que outras pessoas podem ter acesso a eles. De toda forma, entendo que esse procedimento é necessário. Pelo menos não estamos ilhados.

Antes de deixar São Paulo, passei mais uma vez no escritório do Greenpeace para finalizar a minha pesquisa, tirar cópias do material que havia separado e me despedir dos amigos. Uma hora e vinte minutos até Santos, a bordo de uma simpática Kombi — esta seria a última viagem por terra que eu faria dentro dos próximos meses.

SANTOS

Ver o Arctic Sunrise em movimento, chegando ao porto de Santos, foi ainda mais emocionante do que o encontrar imóvel e atracado em Porto Alegre. Desta vez, tive o prazer de conhecê-lo de forma mais completa: as regras do navio, os horários da rotina de trabalho, o acesso à água, comida, ao espaço onde eu poderia lavar e secar minhas roupas, entre muitos outros detalhes. Depois de um pequeno *tour*, fui direcionada ao camarote número 13 — meu novo lar.

Na mesma noite em que cheguei, fiz a minha primeira vigília — o chamado *watch*. Este é um dos procedimentos mais importantes para a segurança de um barco, esteja ele ancorado, em alto-mar ou mesmo parado no porto, e deve ser feito por 24 horas, num rodízio de blocos de quatro horas. A responsabilidade é enorme. De hora em hora, é preciso fazer uma ronda por todo o navio, verificando a sala de máquinas e outros pontos de possível risco na embarcação. Checamos se há algo fora do lugar, vazamentos, faíscas, fogo ou qualquer situação incomum. Como estávamos no porto, o procedimento incluía também observar o fluxo de pessoas entrando e saindo do Arctic Sunrise. É necessário se certificar de que não há estranhos a bordo, para que os demais tripulantes possam descansar tranquilos.

Na ponte de comando, há vários livros sobre navegação — um assunto ainda pouco conhecido por mim, mas que me intriga bastante. Peguei alguns emprestados, para ir me familiarizando, enquanto via essas horas de trabalho a bordo passarem com excitação e agradecimento.

A madrugada foi calma. Vi o dia nascer ao som de Pink Floyd. Um dia importante para a campanha Cidade Amiga da Amazônia, que inclui ações de divulgação do trabalho do Greenpeace em Santos.

Nesse dia, preparamos o *open boat* — uma visita guiada pelo navio, aberta ao público interessado em conhecer a atuação da ONG. A cada cidade em que paramos, montamos uma exposição de fotos da campanha, com textos explicativos sobre crimes ambientais na floresta amazônica. Em grande parte, são fotos de ações do Greenpeace ao longo dos últimos anos. Um grupo de voluntários (como eu) se distribui em diferentes partes do navio, para fornecer explicações sobre a Organização e a campanha. O visitante pode fazer perguntas, tirar dúvidas e, se quiser, fazer uma doação ao final do *tour*. Muitos visitantes demonstram interesse sobre o navio e a vida a bordo. Por isso, tenho estudado a história dos três navios do Greenpeace — o Arctic Sunrise, o Rainbow Warrior e o Esperanza.

Apesar de a campanha se passar no Brasil, e de haver brasileiros a bordo, falamos inglês entre nós, devido à multiplicidade de nacionalidades no navio. Nas reuniões de tripulação, exploramos em detalhes o roteiro da viagem, as paradas e as estratégias pensadas para a campanha. Aos poucos, fui me entrosando com a tripulação, a partir da nossa convivência e das necessidades exigidas pelo trabalho em momentos diferentes.

O Madalena é o nosso líder, mas também coloca a mão na massa. Levanta estacas de madeira, martela pregos, carrega peso... Ele é muito querido pelos tripulantes. Nos meus anos de Greenpeace, se tornou um bom amigo.

O chefe dos marinheiros, o Flávio, é um paulista típico e duro na queda, mas tem prazer de ensinar a quem quer aprender de verdade. Ele já viajou o mundo inteiro com o Greenpeace, em campanhas variadas, e entende tudo sobre o navio. É ele quem determina as minhas funções ao longo do dia.

O Waldemar, nosso capitão, é argentino. Desde o primeiro dia foi muito receptivo comigo. Perguntou sobre a minha entrada na ONG e sobre o meu interesse de trabalhar embarcada. Nas respostas eu só conseguia transparecer euforia. Sabe aquela sensação de estar no lugar certo, com as pessoas certas?

O contrato de um voluntário a bordo tem a duração média de três meses. Mas esse tempo pode ser menor ou maior, dependendo do desempenho do tripulante. Depois da experiência nessa campanha, posso conseguir uma contratação fixa, como funcionária. Por isso, a princípio, receberei uma quantia simbólica de 80 euros por mês; mas um *deckhand* (marinheiro) pode ganhar cerca de 2 mil euros por mês. Na verdade, eu nem esperava uma remuneração. Decidi embarcar por amor à causa, pela experiência que iria adquirir e por interesse em explorar meu país pelo mar. Mas, sinceramente, a chance de me lançar numa carreira embarcada me parece muito bacana. Nesse momento da minha vida, tudo é possível. Nada me prende a lugar algum. Tenho vontade de quebrar todas as fronteiras e de estar mais conectada com o trabalho do Greenpeace. Meu sonho é rodar o mundo, conhecer novas culturas e espalhar a ideia da preservação ambiental.

A comida a bordo me parece ótima e bem variada, inclusive para os vegetarianos. O trabalho no navio é tão duro quanto qualquer outro. São longas horas no sol, lidando com muitas pessoas o tempo inteiro. Um corre-corre danado.

Acordamos às 6h30. Temos intervalos de duas em duas horas, que duram trinta minutos cada, exceto para o almoço, que dura uma hora. Às 17h finalizamos o dia de trabalho. Às vezes passamos desse horário, quando precisamos adiantar projetos ou terminar aquilo que começamos. Por exemplo, uma pintura no convés ou a retirada da ferrugem do aço. Ajudamos com absolutamente tudo, desde a limpeza até a navegação. Colaboro com a faxina e com a manutenção do navio, além da separação e organização do lixo. Dividimos o lixo orgânico — que é lançado ao mar — do lixo reciclável, que inclui papel, metais, óleo, plástico e vidro (cada tipo é direcionado ao seu devido depósito, na chegada a cada porto). Existe uma escala para que não façamos sempre as mesmas atividades. Isso evita que se crie uma rotina muito chata de trabalho. Assim aprendemos um pouco de tudo, e as tarefas se dividem de forma democrática.

No *open boat* de Santos, o fluxo de visitação foi muito intenso. Fazíamos intervalos somente para o almoço, revezando uns com os outros. Em geral, recebi grupos de vinte a trinta visitantes. Mostrava a exposição e a ponte de comando, falando sobre a função de certos equipamentos e sobre alguns procedimentos de segurança a bordo. Também explicava o porquê da nossa presença ali, além de ressaltar a importância da colaboração das pessoas, já que o Greenpeace não aceita dinheiro de empresas, governos ou partidos políticos.

No primeiro dia de visitação, fui convidada para sair e me distrair com alguns tripulantes. Apesar de eu mesma bancar meus gastos com turismo e lazer, convites coletivos como esse eventualmente são custeados pelo capitão ou por oficiais a bordo, quando querem motivar a tripulação após um longo dia de trabalho. Fomos a um bar próximo ao porto, onde tocava um samba rock bastante animado. Eu estava mesmo precisando dançar. Boas risadas. Boa gente.

Dois dias depois, desmontamos a exposição e começamos os preparativos para a próxima parada do Arctic Sunrise: Salvador.

A cada deslocamento, o material da campanha precisa ser bem estocado e bem amarrado, para que nada se quebre ou saia do lugar com o movimento do barco. Enquanto trabalhava na organização, uma mistura de sentimentos fervia dentro de mim. Enfim, teria início a minha jornada no mar! Uma grande oportunidade para quem nunca tinha navegado antes. Eu conseguiria aguentar o tranco? Ficaria enjoada? Faria amigos? Com fé em Netuno, acreditei que ele me daria mostras do meu verdadeiro sangue de navegadora.

SANTOS-SALVADOR

Dia 10 de abril de 2006, pela manhã, partimos com destino a Salvador. Com uma alegria incomensurável, lancei cordas e vi o porto de Santos se afastando.

Ali já comecei a me sentir completa. Mais próxima do que queria. Fiquei fascinada com a vastidão do céu, pipocado de nuvens. O que mais me encantava era estar longe da cidade grande. Quando a lua e as estrelas despontaram na minha primeira noite em alto-mar, senti a paz e a felicidade que procuro nas coisas mais simples (e ao mesmo tempo grandiosas) com que a natureza sabe nos presentear.

Muitos pássaros nos visitam durante as navegadas. É interessante observar como eles se comunicam, a trajetória que seguem e a liberdade que os acompanha.

Nunca pensei que teria tanta intimidade com ferramentas náuticas, madeiras e tintas. Aprendi todo processo de como pintar um barco, depois jogar areia para dar firmeza, e aí mais uma camada de tinta. Estou desenvolvendo habilidades manuais. O que vejo que não está funcionando, quero consertar. O que está fora do lugar, quero arrumar. Tenho motivação e disciplina para o trabalho. Nos momentos de lazer, escuto música ou leio sobre navegação, a minha mais nova cachaça. Desenvolvi um profundo respeito pelos antigos navegadores da história da humanidade.

Aprendo bastante com Flávio. Ele é o tipo de pessoa dedicada, sincera, que não se importa em esclarecer dúvidas e dar dicas extras. Achei divertido quando eu estava trabalhando no sol, removendo ferrugem do barco com uma tritadeira, e ele me dirigiu preciosas palavras de incentivo.

Nas primeiras semanas no Arctic Sunrise, dividi o camarote com a Meredith, uma canadense meio maluquinha. Ela é muito simpática, mas tão bagunceira que me dá nos nervos. Sempre gostei de organizar bem meu espaço. Ok, assumo que sou uma virginiana chata pra caramba. Se você tira um objeto do lugar e o coloca 2 cm para o lado, vou perceber imediatamente. Mas convenhamos: é preciso ser cauteloso para dividir um ambiente tão pequeno com dignidade, sem invadir o espaço do outro. O que me deixava louca era o estranho hábito da Med de jogar calcinhas molhadas no chão, além de deixar outras peças de roupa espalhadas pelo camarote. Procurava me esforçar para ser flexível e conter a minha indignação. Afinal, cada pessoa tem o seu jeito de ser. E como se trata de uma pisciana, possivelmente esse sempre será o jeito dela, para todo o sempre!

Tivemos um treinamento sobre barcos infláveis com o mecânico argentino Jorge, que em seu tempo fora do navio é um cineasta. Ele destrinchou cada item que compõe um bote: as baterias, o motor, o kit de primeiros socorros etc. Depois dirigiu um dos infláveis mais rápidos, nos ensinando um pouco sobre manipulação e velocidade. Ao vislumbrar o Arctic Sunrise de longe, a bordo do bote, me dei conta de que eu estava lá de verdade, vivendo aquele momento. Feliz.

O operador de rádio, o canadense Texas, nos mostrou todo o equipamento e o sistema do rádio que usamos para a comunicação durante as atividades no barco (como o *open boat*) e também explicou sua utilização durante as ações. Nesse mesmo dia, assisti ao pôr do sol ao lado do marinheiro Mário, que desde o início me chamou a atenção pela fala mansa e pelos belos olhos verdes.

Em outro treinamento, foi usada uma boneca confeccionada pela Meredith em tamanho humano, apelidada de Suzana. Na simulação, a pobre Suzy caía ao mar, e nossa missão era resgatá-la do oceano. Depois que ela foi jogada na água, todos ficamos impressionados como rapidamente a perdemos de vista. Foi acionado o toque de emergência para "homem ao mar", e passamos cerca de dois minutos sem conseguir visualizá-la. Senti um aperto enorme quando imaginei que essa situação poderia se passar comigo ou qualquer outro tripulante. Fomos orientados a nos manter atentos sempre que estivermos no convés, buscando apoio nos corrimãos e evitando sair durante tempestades. Ao mesmo tempo em que é deslumbrante e encantador, o mar também pode ser cruel e impiedoso. É capaz de engolir uma pessoa viva.

SALVADOR

Depois de quatro dias navegando, avistei o litoral de Salvador. Eu já tinha visitado a capital baiana de ônibus e avião. E descobri que chegar a uma cidade pelo mar é muito mais emocionante.

— Aproveitem a cobertura telefônica para contatar amigos e familiares — recomendou Flávio. Mas eu só queria mesmo curtir o cheiro da terra se aproximando.

Ao atracar no porto de Salvador, fomos saudados por uma bela apresentação de dança de índios nativos. Mais uma vez me emocionei, sonhando com o momento de tocar os rios da Amazônia e reverenciar a rica cultura indígena local. Senti vergonha por conhecer tão pouco sobre o tupi-guarani.

Cordas atadas e navio seguro, partimos para nosso objetivo principal. Montamos a exposição fotográfica e depois relaxamos. Era o aniversário da holandesa Hettie, então comemoramos com bolo de coco e caipirinhas. Alguns tripulantes saíram à noite para explorar o Pelourinho, outros ficaram a bordo para fazer a vigília. Há um revezamento para distribuir os dias de folga da tripulação, quando é possível decidir entre descansar no navio ou explorar a localidade onde estamos atracados.

Salvador é uma capital animada, mas existe muita pobreza e crianças pedintes nas ruas, o que me dá uma tristeza inconsolável. Ainda assim, me diverti ao caminhar pela cidade com outros tripulantes do navio. Visitei lugares onde senti uma ótima energia, como Itapuã, Rio Vermelho e Pituba. Jantei num restaurante simples, mas muito simpático, chamado Mão Dupla, que serve uma comida caseira bastante saborosa. Gostei de conhecer os voluntários e chefes de campanha do grupo local do Greenpeace. Que sotaque bonitinho!

Tivemos três dias agitados de *open boat*, com mais de 2 mil visitantes. Preparamos o navio inclusive para receber autoridades, torcendo para que assinassem o acordo que torna Salvador uma Cidade Amiga da Amazônia.

No meio de tanta agitação, eu tinha mais uma preocupação em mente: os meus sentimentos pelo marinheiro Mário, dos belos olhos verdes. Logo que nos conhecemos, tentei relutar, mas rapidamente me apaixonei. Por que os seres humanos são tão complicados? É tão simples dizer diretamente o que queremos um do outro. Fato é que nos tornamos muito próximos, mesmo sem saber que futuro nos aguardava dentro do navio ou fora dele, depois da campanha.

Ele fala do desejo de se estabelecer em Manaus por um tempo e trabalhar junto ao escritório local do Greenpeace. Quanto a mim, fui convidada pelo capitão Waldemar para seguir a bordo do Arctic Sunrise após a ação final desta campanha na Amazônia, com destino a uma nova campanha no Mediterrâneo, contra a pesca predatória do atum. Como sonho conhecer a Europa, confesso que o plano me agrada muitíssimo. Ainda assim, pedi ao Waldemar um tempo para pensar antes de confirmar a minha presença. Uma coisa é certa: não pretendo voltar ao Rio de Janeiro tão cedo.

Com o cair da nossa última tarde na Bahia, a tripulação organizou uma pequena festa de despedida, com todos que fizeram parte desse *open boat*. Mário e eu subimos até a parte mais alta do navio, chamada *monkey island*. Lá de cima, tivemos uma vista esplêndida de toda a enseada. A lua cheia. O porto iluminado. Acho que esse foi o momento mais doce que tivemos juntos. Ali não era possível esconder um do outro os nossos sentimentos. O nosso envolvimento. Diante daquele espetáculo incrível, conversamos, rimos e inevitavelmente nos amamos.

SALVADOR-RECIFE

Cordas soltas, mar avante novamente!
Como é bom poder mudar de lugar pelo mar... Meu encantamento não tem fim.
Por outro lado, a vida num navio tem suas complicações. Tudo acontece muito rápido. As experiências são intensas. E é difícil evitar comentários sobre a vida alheia.
A Isabel, marinheira voluntária como eu, é namorada do Giggio, meu amigo do Greenpeace em Salvador, mas ficou com o Mapinha, e os ventos disseram que saiu também com o Madalena. Já o Eddie, coordenador local do grupo baiano, pulou a cerca no momento em que deixou a namorada em terra firme: logo que embarcou, se agarrou com a Lizzy.
Outras fofocas que circulam a bordo são mais sérias do que essas pequenas intrigas pessoais. Na travessia entre Salvador e Recife, fiquei chocada quando participei de um mutirão para verificar a validade dos alimentos estocados a bordo: uma quantidade enorme de produtos estava vencida, quantia suficiente para encher uma grande mala de viagem e simplesmente descartar. Alguns alimentos estavam vencidos por mais de três anos. Como os cozinheiros não se deram conta disso antes? Por que não fazem um controle mais efetivo, para usar primeiro os produtos prestes a vencer? Dividi minha inquietação com outras pessoas a bordo, mas o resultado foi nulo. Principalmente quando me aproximei do cozinheiro Jim, propondo a criação de um método de controle alternativo dos prazos de validade. Jim não só rejeitou a minha proposta como foi grosseiro comigo. Talvez tenha nascido nesse momento a antipatia confessa que ele sente por mim: Jim já admitiu a terceiros que se irrita com o meu jeito alegre e com a minha mania de cantarolar durante o trabalho.

Problemas interpessoais à parte, achei um absurdo tamanho desperdício de comida, num navio envolvido com o ativismo ambiental. Tivemos sorte que essa história não chegou ao conhecimento do jornalista da revista *Trip*, embarcado conosco na travessia. Seria um verdadeiro furo de reportagem. Um escândalo capaz de prejudicar toda a campanha na Amazônia.

Também me entristece quando vejo pessoas a bordo consumindo alimentos transgênicos. Uma contradição inadmissível. Questões como essas me enchem de dúvidas. Durmo mal à noite. Então me pergunto: será que estou mesmo no lugar certo, com as pessoas certas?

RECIFE

Chegamos no Recife. Que terrinha gostosa!
Achei tudo diferente do que já tinha visitado. A estrutura das casas, a arquitetura antiga e charmosa, os prédios pontiagudos, rachados, cheios de detalhes. Tirei fotografias despretensiosas para documentar a minha estadia.

À noite, Mário e eu demos um passeio até cairmos num forró, numa rua cheia de ambulantes. Parecia uma programação local, não muito turística. Quando fui ao banheiro, achei engraçado ler plaquinhas indicando "macho" e "fêmea". Só não pude ficar até tarde porque era minha vez de fazer vigília no porto, da meia-noite às quatro. Mesmo assim, é sempre bom sair um pouco do navio depois de alguns dias embarcada. Socializar, relaxar e ver novas cores.

Quem faz a vigília de madrugada tem direito à manhã livre para dormir. Só precisa trabalhar de novo na parte da tarde. Não sei de onde tiro tanta energia, mas muitas vezes prefiro abrir mão do descanso para poder aproveitar as primeiras horas do dia. Então acabei emendando um passeio sozinha após a vigília. Descobri pelas redondezas do porto um mercadinho onde se vendiam peixes de todos os tipos. Decidi trazer novos tripulantes a bordo para me fazer companhia. Foi assim que adotei os meus queridos peixinhos dourados, Mike e Mallory, além de dois vasos de lavanda. Adoro o cheiro dessa planta. E levei tudo para o meu novo camarote, que passei a dividir com o Mário.

Depois de trabalhar à tarde, visitamos um *pub* bacana em Olinda, completamente rústico e ao ar livre, junto com alguns tripulantes. A decoração *vintage* expunha telefones de disco, quadros feitos de colagens e fotos antigas da família da dona do bar. Uma noite estrelada com muita música, dança e caipirinhas, ao lado dos companheiros já bem mais relaxados.

Tive o privilégio de passear um pouco mais no dia seguinte, meu dia de folga. Mário e eu fizemos uma curta viagem a Porto de Galinhas, onde curtimos um bom tempo juntos. Passeamos de jangada. Nadamos no mar cristalino. Jantamos uma comidinha saudável. E eu ainda tentando prever o que aconteceria a nós dois, depois da chegada em Manaus. O capitão Waldemar já tinha deixado claro que as portas estariam abertas para mim na próxima campanha do Greenpeace no Mediterrâneo. Mas admito que ficaria balançada se o Mário me pedisse para ficar com ele em Manaus. Sentiria ele também o mesmo desejo de permanecer ao meu lado? Estaríamos prontos para trilhar esse caminho juntos? Apesar da necessidade de escutar essas respostas da boca dele, não tive coragem de perguntar.

Resolvi simplesmente curtir as nossas risadas e boas conversas, sem alimentar muitas perguntas na minha cabeça. Simplesmente me entregar de verdade aos nossos longos beijos. E escutar as histórias de quando ele morava na Nova Zelândia. Mário também adora viajar. Sempre falou em morar na Amazônia, para se aprofundar na cultura local e fazer mais pela floresta.

Dramas pessoais à parte, a campanha prosseguia com o *open boat* no porto do Recife, onde recebemos mais de 6 mil pessoas. Para a nossa sorte, os momentos de trabalho duro vinham intercalados por momentos de descontração. Numa das noites da campanha, comemos uma deliciosa moqueca de camarão com farofa, feita por um voluntário baiano para toda a tripulação. Para quebrar a rotina, o jantar não foi servido no *mess room* — área de lazer onde geralmente fazemos refeições e temos acesso a filmes, livros etc. —, e sim no *hold* — parte aberta do navio que serve para treinamentos e estocagem de materiais. Ali contamos com um espaço maior, onde improvisamos uma discoteca e dançamos à vontade. Esticamos a noite até um *pub* chamado Downtown, onde Mário e eu nos acabamos de dançar.

No dia seguinte, continuamos recebendo visitantes no Arctic Sunrise, apesar da chuva torrencial que caiu o dia inteiro. Num dado momento, a jornalista Rebeca Lerer, coordenadora da campanha da Amazônia desde São Paulo, me falou da oportunidade de trabalhar com ela na assessoria de imprensa do Greenpeace. Fiquei animada com a expectativa de atuar na minha área de formação sem estar presa numa redação, cercada de paredes e computadores. Ela prometeu mais detalhes quando chegarmos ao nosso próximo destino: Fortaleza.

RECIFE-FORTALEZA

O mar estava mexido. Oscilei entre Buena Vista Social Club e Billie Holiday.

Descobri o porquê do atraso da nossa partida. Nas duas últimas noites no Recife, houve um vazamento de óleo e um problema no guindaste. Mas conseguimos resolver tudo a tempo de partir quase na hora do almoço.

Não quis almoçar. Preferi colocar as leituras em dia. Nossa biblioteca é generosa, com muitos exemplares estrangeiros e livros de arte. Entre outros títulos, li *The Greenpeace Book of Antarctica*, de John May, e me apaixonei pelas imagens dessa parte do mundo, tão imensa e rica em cores e vida. Sonho um dia poder conhecê-la, apesar de saber que o acesso é difícil e longínquo.

Passei a fazer vigílias entre 4h e 11h da manhã, o que desregulou meu relógio biológico e começou a atrapalhar um bocado o meu sono, me deixando mais cansada do que o habitual. Com medo de me atrasar, me levantava várias vezes antes da hora. Ainda assim, precisava estar pronta para atividades de manutenção no navio, como a pintura do convés ou treinamentos bastante puxados.

Fizemos uma simulação bem realista de uma situação grave: como proceder diante da necessidade de abandonar a embarcação. A preparação começou desde que escutamos a sirene apropriada para esse tipo de emergência. Colocamos as vestes especiais que nos mantêm boiando: uma espécie de macacão flutuante, muito incômodo. Tivemos que saltar do navio, nos lançando completamente em alto-mar. Havia uma corda para que pudéssemos nos agarrar e retornar a bordo em segurança. Seria bastante perigoso fazer a simulação com o Arctic Sunrise em movimento, e não teria sentido colocar vidas em risco num treinamento, então todo o procedimento ocorreu com o navio parado. Mesmo assim, senti um arrepio só de imaginar essa situação acontecendo de fato.

Precisamos ser fortes. Estamos numa embarcação, sujeitos a inúmeras adversidades. Se necessário, quero aprender como lidar com elas da melhor maneira possível. Algumas pessoas entraram em pânico por não conseguirem respirar e se movimentar livremente com o macacão, o que gerou estresse e ansiedade. Procurei não me contagiar pelo clima de pavor. "Não há o que temer", pensei. "Tenho que aprender com essa experiência."

Situações como essa me fazem pensar no valor da vida. E no valor dessa vida que escolhi para mim. Riscos existem em qualquer lugar. Mas há riscos que realmente valem a pena.

FORTALEZA

Reconheci Fortaleza ao longe, quando avistei seus lindos cata-ventos. Viva a energia eólica!

Seria maravilhoso encontrar pelo país mais exemplos como este, de exploração de energia limpa e alternativa. Por outro lado, eu sabia que Fortaleza enfrentava sérios problemas sociais e educacionais, porque tinha visitado a cidade no ano anterior, a turismo, com amigos. Sabia também que é delicioso surfar impulsionada pelos ventos da Praia do Futuro. Então, depois do trabalho, Mário e eu, acompanhados pelo marinheiro Dani, fomos curtir um fim de tarde espetacular na praia — sempre conectados com a força e a beleza do mar, mesmo em terra.

Depois da vigília, aproveitei o tempo livre para limpar o camarote. Troquei lençóis. Passei aspirador de pó. Cuidei do meu espaço e também de mim — costurei algumas roupas, ao som do querido Moacir Santos, e me deliciei com novos livros que peguei emprestados no *lounge* do navio.

Recebi a notícia de que o Arctic Sunrise não seguiria para o Mediterrâneo após a última parada da campanha na Amazônia: antes disso, foi prevista uma ida ao Caribe, com uma ação local de combate à caça baleeira. Mais uma vez, tive uma noite de sono inquieta, repleta de reflexões sobre o futuro. Apesar de envolvida com o Mário, reconheci que ele parecia desejar apenas uma companheira de aventura — não uma companheira de vida.

Felizmente, novas surpresas ventilaram a minha rotina de trabalho. Fui chamada a colaborar na cozinha com o Mapinha. Sabe por que ele tem esse apelido? Depois de ter sofrido um acidente de carro, ele passou meses em coma. Levou anos para se recuperar por completo. O que restou dessa experiência de quase morte foram cicatrizes enormes na cabeça. Hoje, ele raspa o cabelo com máquina zero e exibe — com certo orgulho irônico — as marcas no couro cabeludo, que delineiam o formato de um mapa. Acho incrível a forma que ele ri de uma história tão difícil e traumática. O Mapinha é voluntário como eu, contando pouco mais de um ano de experiência a bordo. Começou colaborando no escritório de São Paulo e conseguiu a oportunidade de ser chamado para o navio, participando de toda campanha da Amazônia.

Vários voluntários vão e vêm nas embarcações do Greenpeace, à medida que passamos por cidades diferentes. Mas realmente acompanhar uma campanha inteira, morar a bordo, é um privilégio de poucos. Há uma fila enorme de pessoas do mundo inteiro esperando por essa experiência.

Ajudei principalmente com as saladas e a sobremesa do almoço. Colocamos bastante alho, cebola, limão e uma pimentinha arretada. O *chef* Jim que me desculpe, mas nada como a cozinha brasileira e seus temperos! Achei recompensador receber os elogios da tripulação à nossa comida. Apesar de adorar a arte da culinária, confesso que prefiro trabalhar na ponte de comando, auxiliando na navegação, ou no convés, consertando alguma coisa. Gosto mesmo é de olhar para o horizonte, consultar o mapa, desvendar o sextante... Ainda assim, tenho respeito pelo trabalho na cozinha. Uma boa refeição levanta a nossa moral nos dias difíceis. Se estamos cansados por trabalhar ao sol, ou por passar do horário para concluir uma tarefa, um prato de comida harmonioso, cheiroso e bem feito deixa qualquer um mais feliz. E disposto para seguir adiante.

O pessoal da cozinha também tem um papel especial na celebração dos aniversários a bordo. Em Fortaleza, foi a vez do Robin, nosso adorável eletricista, completar quase 80 anos de idade. Como de praxe, providenciaram um bolinho para ele, claro. Aliás, a minha *ex-roommate*, Meredith, e a nossa primeira oficial, Hettie, prepararam uma cobertura especial para o bolo: o desenho de uma mulher nua, fumando maconha. A cara do Robin! Ele é uma figura caricata, superdespojada, com um bom humor invejável. "Bem que o *chef* Jim poderia aprender isso com o Robin", pensei em voz alta. Ele está sempre rabugento.

Tive outras oportunidades de colaborar na cozinha, e de receber mais elogios pelos pratos saborosos que ajudei a preparar. Cozinhar para 30 pessoas de diferentes nacionalidades é um grande desafio! Cada um tem seu paladar distinto e particular. É preciso ser muito competente e criativo para agradar a tanta gente.

Existem três refeições principais no navio: café da manhã, almoço e jantar. Mas existem também lanches ao longo do dia. Se o cozinheiro é sensível, ele percebe as necessidades da tripulação a cada momento. Se faz muito calor, ele aparece no convés com melancias ou um suco refrescante. Se faz frio, ele inventa uma sopinha extra. Se a tripulação está assistindo a um filme, ele propõe um balde de pipocas. São pequenos gestos que constroem o carisma de qualquer mestre-cuca a bordo. O Mapinha sempre tem esse tipo de iniciativa. Daí a minha admiração por ele.

A minha admiração também se volta para os espetáculos que tenho o privilégio de testemunhar desde que embarquei no Arctic Sunrise. Durante a estadia em Fortaleza, vi o dia amanhecer colorido por um arco-íris que tomava o céu de ponta a ponta.

Mário e eu, com minhas plantinhas e meus dois peixes dourados, nos mudamos para o camarote número 15, mais arejado e mais distante do motor do navio, portanto mais silencioso. Nossa vizinha Chrysnna costumava elogiar o meu cuidado com o espaço, à base de incensos perfumados e músicas relaxantes:

— É a cabine mais cheirosa, romântica e arrumada deste navio! — brincou ela, certa vez.

Ainda em Fortaleza, Mário e eu decidimos passar uma noite fora do navio, numa pousada na região do Cumbuco. Pouco a pouco comecei a me despedir dele, mesmo sem entender por que não podíamos conciliar nossos planos. Choveu bastante por toda a noite. Adorei pegar aquele temporal. Deixei sem medo que os meus cabelos se molhassem até se encharcar. Caminhei pela lama. Permiti que a água caísse com força sobre as minhas costas. Ri de mim mesma: apesar de tudo, me permiti uma alegria comum.

Tive direito a um café da manhã na cama, ao som de "Love Should", do Moby. Depois de me deliciar, me joguei no mar. Água morninha, como eu adoro. O montante de areia fina criava incríveis dunas na bela extensão da praia, que estava vazia. Aproveitei a presença do meu novo (e velho) amor, sem pensar na dor que eu já previa sentir no momento da despedida. Ao entardecer, passamos por Iracema para assistir a uma apresentação sensacional de maracatu com flauta, no meio das ruas do centro cultural Dragão do Mar. Foi um dia de folga realmente iluminado: recarreguei as energias para retomar o trabalho no navio com força total. Agora, rumo a Belém.

FORTALEZA-BELÉM

O capitão Waldemar convocou uma reunião sobre a nossa chegada ao Pará. Lembrou que podemos nos deparar com agressões nessa região de desmatamento, onde a violência impera. Desde a saída de Fortaleza, esperávamos uma recepção bem diferente da que tivemos nos *open boats* das cidades costeiras, com visitantes curiosos e interessados, que aplaudiam de pé as ações do Greenpeace.

Tivemos outra reunião com o Flávio, que nos orientou sobre medidas de segurança na Amazônia. Atenção redobrada. Não fomos autorizados a sair do navio sozinhos, nem a usar qualquer acessório que nos denunciasse como tripulantes do Arctic Sunrise ou como membros do Greenpeace. Não era apenas paranoia. Conversando com Mário, ele me disse que esse clima de tensão deveria se intensificar à medida que o navio se aproximava da floresta amazônica.

A aproximação da Amazônia também impôs a necessidade do horário tropical de trabalho, com um intervalo de três horas após o almoço. O calor nessa hora do dia é simplesmente insuportável, chegando aos 42 graus, com uma alta taxa de umidade do ar. Um clima que torna inviáveis certas tarefas, como os reparos de manutenção do convés.

Dani, nossa doutora, veio me fazer perguntas sobre meu relacionamento com Mário. Falou que era apenas uma rotina médica, para avaliar se a tripulação estava se cuidando como deveria. Depois vim a saber que havia dois casais a bordo com suspeita de gravidez: Flávio e Annette (coordenadora da campanha), Texas e Patrícia (jornalista embarcada). Uau! Só então entendi por que os navios do Greenpeace têm a fama de *The Love Boat* — nome de uma série norte-americana dos anos 1980.

No meio de tanta confusão, às vezes sentia necessidade de me dedicar espiritualmente. Praticava mantras que aprendi quando frequentava um templo Hare Krishna em Teresópolis, numa das minhas buscas religiosas. Nunca adotei totalmente uma religião, mas a meditação me traz tranquilidade. Na verdade, o que mais me proporciona paz espiritual é o mar. Acredito que todo ensinamento que propague o amor tem seu valor. Mas aqui — longe da poluição e do caos da cidade grande — me sinto muito mais conectada com Deus do que em qualquer templo.

BELÉM

Dia 4 de maio de 2006, chegamos à tão esperada Amazônia. Agora era oficial: ninguém mais estava autorizado a usar camisas ou bonés do Greenpeace, por medida de segurança.

No porto de Belém do Pará, a água é barrenta, diferente de todas as cores de mares que eu tinha visto até então. Chovia como nunca. Fortes e altos trovões deixavam a cidade silenciosa. Levamos mais de duas horas para atracar. Depois de muitas cordas para lá e para cá, e duas tentativas de estacionar o barco, finalmente conseguimos.

Troquei a água dos meus bravos peixinhos, Mike e Mallory, e reguei minhas adoráveis lavandas, que seguiam comigo firmes e fortes após meses de campanha, decorando e colorindo o camarote que divido com Mário.

Recebemos novos tripulantes a bordo. A maioria eram chefões do Greenpeace. Apesar do clima de apreensão, foi decidido que montaríamos um *open boat*. Debaixo de fortes chuvas, a repercussão não foi a mesma que tivemos em outras paradas.

Tivemos permissão para deixar o navio com cautela, contanto que seguíssemos o protocolo de segurança. Andei pelas ruas da cidade me guiando por um mapa. Belém é muito charmosa. Desfrutei do privilégio de provar gelados da Cairu, uma sorveteria tradicional na região. Nossa, que maravilha! Meu sabor favorito foi de açaí com tapioca. De um orelhão, liguei para as amigas Laura e Fernanda. Alguns amigos que deixei em terra estão no topo da lista de coisas de que mais sinto falta a bordo. Comprei bombons regionais e um livro. Uma biografia de Mahatma Gandhi. Um exemplo inspirador para nossas ações de desobediência civil e resistência pacífica, estratégias frequentemente usadas pelo Greenpeace.

Mário me acompanhou até uma cachaçaria incrível, chamada Água Doce. Ao som de um blues que tocava ao fundo, degustamos aguardentes locais e tapiocas de todos os tipos. Gostei muito da de queijo. Mário quis provar a de pato no tucupi. Tivemos uma noite leve. Rimos bastante, adorando estar juntos.

Também visitamos uma basílica maravilhosa. Eu podia respirar toda a história que ela guardava. Sempre me deslumbro com lugares carregados de história. Reparo em todos os detalhes, todas as cores. Volto no tempo, imaginando as pessoas que frequentavam o local. Como elas se vestiam. Quais eram os seus pecados — que hoje, possivelmente, não seriam mais considerados pecados.

Na véspera de um domingo, aproveitei a madrugada de vigília para escutar jazz e colocar a leitura em dia. Dormi apenas duas horas durante a noite. Queria aproveitar a folga do dia seguinte para fazer uma visita, com outros tripulantes, à Ilha do Inácio. Queria me sentir de fato em território amazonense. Fizemos um passeio de barco interessante, com direito a açaí e nado no rio entre matas fechadas cheias de bichos exóticos. Bichos lindos: desde cobras até pássaros de que eu nunca tinha ouvido falar. Havia uma banda animada a bordo. Entrei na dança. Cheguei a cantar umas três músicas. Foi divertido.

Antes de partirmos para Santarém, soube que o famoso e resmungão *chef* Jim deixaria o navio. Ele foi substituído pela Iracema, cozinheira que trabalhava no Greenpeace de Manaus. Confesso que senti alívio: apesar de adorar as culinárias italiana e francesa, nada me parece mais delicioso do que um bom feijãozinho brasileiro, com bastante alho! Nada contra o Jim. "Espero que ele consiga encontrar a felicidade", pensei, honestamente, embora esse pensamento tenha me ocorrido com uma pitada de ironia. No momento da despedida, dei um abraço nele e perguntei, a fim de fazer as pazes:

— Estamos numa boa?

— Claro, Babs, tranquilo — ele confirmou, antes que eu lhe desejasse uma boa viagem para casa.

BELÉM-SANTARÉM

Antes de deixar o porto de Belém, trabalhamos muito para organizar o navio. Seguimos toda a rotina de faxina pesada do Arctic Sunrise, e me engajei também na limpeza do *freezer*. Deixamos a cidade à noite, às 21h. Nunca havíamos saído tão tarde de algum lugar, então cheguei a me perguntar se seria uma decisão estratégica para não chamar a atenção de alguém suspeito.

A lua crescente me deixava reflexiva, mais uma vez, quanto ao destino que me aguardava após a campanha. Seguir embarcada numa próxima missão do Greenpeace ou morar com Mário em Manaus por uns tempos. Percebia uma lacuna na nossa relação, algo difícil de explicar. Tínhamos momentos de muita intensidade e entrega, e outros de distanciamento e vazio. Gostaria que fosse diferente, mas a verdade é que, já nesse momento, eu começava a perder as esperanças de que teria um futuro ao lado dele.

Na travessia entre Belém e Santarém, tivemos uma reunião de tripulação com Ulrich, um membro do Greenpeace Internacional, responsável por todos os navios da Organização. Foi confirmado que o Arctic Sunrise não seguiria da Amazônia diretamente para o Mediterrâneo. Antes disso, passaria pelo Caribe, a serviço de uma campanha contra a caça predatória das baleias.

Também ao longo da travessia, Mário e eu completamos um mês de relacionamento. Mas ele não se deu conta disso. Estava mais preocupado com uma noite complicada que viveu, estressado e paranoico, desabafando comigo sobre a dificuldade de não poder confiar 100% em ninguém dentro de um navio. Confesso que fiquei um pouco assustada com esse desabafo. Sim, a vida num navio pode ser árdua, tentei compreender. As emoções afloram. É muita pressão. O tempo é outro. Só fiquei chateada por não termos celebrado juntos nosso aniversário de namoro. Terminei a noite com uma barra de chocolate, escutando música.

SANTARÉM (2)

Assim como saímos de Belém na surdina da noite, chegamos em Santarém na surdina da madrugada. Foi uma viagem curta, mas cheia de cautela. A princípio, não sabíamos onde estacionar o navio, o que naturalmente gerou uma tensão temporária entre a tripulação. Ficamos à deriva por alguns momentos, antes de finalmente ancorarmos no porto. De onde estávamos, via-se bem a enorme fábrica da Cargill, alvo da ação que planejávamos contra o desmatamento da floresta amazônica.

Autoridades locais visitaram o navio para a habitual inspeção, em mais um dia de chuva torrencial, que nos fez trabalhar apenas no interior do navio. Arrumamos, limpamos, o de sempre. Junto com a voluntária Bel, dei início à pintura do *focsle*, uma espécie de porão localizado na proa da embarcação. Fazia um calor terrível. Nossos olhos ardiam. Mal conseguíamos respirar, mesmo protegidas por máscaras. De vez em quando, precisávamos nos revezar para sair um pouco, respirar ar puro e beber água.

Com seu bom humor contagiante, Flávio me ensinou alguns nós de navegação. Aprendi a fazer o *bowline* direto na mão. E me empolguei para aplicar a tática a qualquer oportunidade: para prender o aquário do Mike a da Mallory, para prender as minhas lavandas, e tudo que precisava estar seguro ao longo das navegações.

No final de um dia de trabalho, gosto de passar o tempo no *lounge* do Arctic Sunrise, lendo um livro ou assistindo a um filme. Assisti, por exemplo, a *O Balconista*, de Kevin Smith, em preto e branco, com seus diálogos engraçados. Um roteiro de tirar o chapéu. Para completar, a voluntária Ana preparou um delicioso brigadeiro para a tripulação.

— Caramba, nem acredito que conseguimos assaltar a geladeira do Arctic pela primeira vez — eu disse, olhando para ela e me saboreando. Terminamos a noite às gargalhadas.

No dia seguinte, retornei à rotina interminável de pintura no *focsle*. Mas tive uma alegria extra para me estimular a prosseguir nessa árdua tarefa: recebi um telefonema do meu irmão, Marquinhos. Temos números internacionais que funcionam via satélite no Arctic Sunrise. Fiquei feliz com a consideração dele. Sobretudo porque as ligações custam caro para nós, da tripulação: são quase dois dólares por minuto. Embora pense que a minha opção por esse trabalho é uma grande loucura, dizendo que jamais permitiria que eu embarcasse se fosse filha dele, Marquinhos teve a delicadeza de me ligar e desejar boa missão.

Enquanto não chegava o momento da ação propriamente dita, nos preparávamos cuidadosamente para ela. Durante um dia inteiro, por exemplo, meu trabalho se resumiu a tentar sintonizar, via rádio, qualquer comunicação ou conspiração entre fazendeiros, ou quaisquer informações comprometedoras que pudessem nos prejudicar. Achei interessante colaborar com essa tarefa de comunicação e investigação, brincando de Babs Bond. Quem nunca sonhou viver um dia na pele do agente 007?

Outra tarefa que executei com prazer foi pilotar o bote Marmaid, junto com Mário e outro marinheiro, Joslei — mais conhecido como Leizinho. Adorei sentir o vento nos cabelos. E adorei ter a chance de aprender um pouco mais sobre barcos. Nosso mecânico da Tunísia, Mehdi, foi quem nos orientou o tempo todo. Fiz amizade com ele. Quem sabe, um dia, vou visitá-lo na África?

Mais uma reunião: Flávio e Hettie informaram a tripulação sobre a ação prestes a acontecer. O plano era alocar projetores em botes para transmitir um minidocumentário na fachada do prédio da Cargill, com imagens denunciando os crimes ambientais da empresa na última década.

Nossos companheiros conseguiram executar tudo como previsto, além de instalarem uma bandeira no prédio principal, com a mensagem "100% Crime". No momento da ação, havia no navio uma enorme mistura de policiais, agentes e tripulantes. Sojeiros lançaram fogos de artifício. Outros barcos vieram rapidamente na nossa direção, tentando impedir a projeção. Não foi tarefa simples. Mas me pareceu eficaz. Além disso, sabíamos que uma ação mais efetiva, e muito mais arriscada, ainda estava por vir.

SANTARÉM-MANAUS (1)

Sob forte calor, esperávamos pelo nosso Dia D em Santarém. Por precaução, foi decidido que faríamos uma pequena viagem a Manaus, para despistar os fazendeiros.

Flávio instalou um chuveiro no convés, o que nos salvou do sufoco. Estávamos no outono, maio de 2006, mas parecia o auge do verão. Todos tivemos a chance de nos refrescar com a água puxada do mar, expelida pelo chuveiro com alta pressão. São ideias simples (e brilhantes) como esta que tornam um pouco mais suaves os nossos dias a bordo.

Como se não bastasse o chuveiro, esse grande presente para toda a tripulação, Flávio me presenteou pessoalmente com uma sensacional garrafa de espumante sul-africano. Ao que tudo indica, tenho feito meu trabalho muito bem. E ele é de fato uma pessoa generosa.

Quis aproveitar para comemorar com Mário. Mas comemorar o quê? Foram meses intensos juntos. Posso dizer que o amei, e nesse momento ainda o amava, embora já estivesse ciente de que a separação se aproximava. Começávamos a falar abertamente sobre essa possibilidade, ainda sem saber se a distância seria temporária ou definitiva. Meus olhos se encheram d'água. Quando amo, não consigo esconder.

Preferi me isolar um pouco, reflexiva. Selecionei algumas canções de jazz no iPod. Acabei degustando o espumante sozinha, com o gosto amargo da tristeza que me rondava naquela noite.

À medida que o tempo passava, crescia a tensão a bordo. A ação planejada consistia em escalarmos o prédio da Cargill não só para pendurarmos os *banners*, mas também para nos acorrentarmos no ponto mais alto da fábrica. Outra estratégia previa que interceptássemos um navio repleto de soja transgênica e madeira ilegal, dois alvos importantes da campanha. Ajudei minha antiga companheira de camarote, a canadense Meredith, a estampar *banners* com os dizeres "100% Crime", "Paz na Floresta" e "Viva Dorothy! Viva a Amazônia!". Este último, uma homenagem à ativista Dorothy Stang, freira norte-americana naturalizada brasileira, que, por décadas, travou uma incansável luta socioambiental no interior do Pará, provocando o descontentamento de muitos fazendeiros na região. No ano passado, no dia 12 de fevereiro de 2005, um deles mandou matá-la. Aos 73 anos de idade, Irmã Dorothy foi assassinada com seis tiros. Um na cabeça e cinco ao redor do corpo.

SANTARÉM (3)

Retornamos a Santarém, ao mesmo porto onde estávamos dois dias antes, desta vez bem mais perto do nosso alvo: o prédio da Cargill.

Ansiosa, acordei antes do *wake up call* — um procedimento conduzido pelo responsável da vigília ao final da madrugada, que bate às portas, de cabine em cabine, no horário estipulado para o início da jornada de trabalho, geralmente às 6h30.

A holandesa Hettie e o escocês Frank nos convocaram para acertarmos os últimos detalhes da grande ação planejada para este dia. E aquele frio na barriga retornou. Foi a minha primeira ação a bordo de um bote. Fomos encarregados a transportar um imenso *banner*, que dizia "Fora, Cargill, *Out!*".

Mário, Jorge e eu seguimos no bote Novi I, enquanto Leizinho, Luiz e Bel seguiam no bote Novi II. Bel e eu segurávamos as cordas, Mário e Leizinho seguravam os mastros que erguiam os *banners*. De repente, vários barcos de pesca começaram a nos cercar, gritando palavras extremamente agressivas — nos xingavam de vagabundos, entre outras ofensas piores. Por medida de segurança, a missão foi interrompida imediatamente. Mas foi possível registrar o protesto, graças aos esforços do cinegrafista Todd, que gravou cerca de dez minutos de ação.

Apesar de breve, e de rapidamente sufocada, nossa manifestação foi celebrada como um passo importante num ambiente tão hostil a qualquer iniciativa a favor da preservação da floresta amazônica. Para comemorar, o capitão nos presenteou com um *swim stop* — uma merecida parada para mergulho — em águas amazônicas. Evidentemente, para desfrutarmos do presente, tivemos que mover o Arctic Sunrise para um ponto distante do porto de Santarém. E da animosidade dos sojeiros, a quem nossa presença parece tão ameaçadora.

Foi no dia seguinte que aconteceu nossa ação principal, a mais ousada, que resultou na minha prisão, e na de outros companheiros.

Até agora me impressiono com a força e a violência com que fomos recebidos em Santarém. Não houve qualquer tentativa de diálogo ou negociação. Fomos ameaçados, agredidos, presos e roubados. E todas as nossas ações foram rapidamente sufocadas.

Outras pessoas, além de mim, tiveram objetos e bens furtados no navio, inclusive equipamentos caros de filmagem e fotografia. Nosso capitão Waldemar ressarciu nosso prejuízo com dinheiro da Organização, o que nos pareceu justo.

Depois de tantas adversidades, me coube o privilégio de partilhar uma noite de vigília com o canadense Texas, que toca violino divinamente. Conversamos bastante sobre o Canadá, instigando a minha sede de conhecimento por novas culturas, para além das fronteiras brasileiras. Aproveito para admirar sua habilidade musical. E para desfrutar da bela energia desse instrumento a bordo.

Antes de deixar Santarém, insistimos na nossa tarefa de disseminar a mensagem de preservação da Amazônia. Organizamos uma passeata que contou não só com a presença do Greenpeace, como também de outras organizações, partidos políticos e comunidades locais que não apoiam as atividades da Cargill na região. Contamos com um carro de som, além de comida e água, que foram distribuídas entre os que estavam se manifestando conosco nas ruas. Após a passeata, ainda preocupados com a segurança de todos, em vez de retornarmos diretamente ao Arctic Sunrise, seguimos para o Hotel Amazon, onde outros membros e funcionários do Greenpeace que não fazem parte da tripulação estão hospedados. Passamos a tarde ali, para retornar ao navio somente às 21h.

Exausta, retorno ao meu camarote. Acendo um incenso. E recebo a confirmação de que Mário decidiu morar na Amazônia por três meses.

SANTARÉM-MANAUS (2)

Foi um pouco traumático sentir na pele a agressividade dos sojeiros. Mas seguimos nosso caminho com as cabeças erguidas, certos de que fizemos o melhor pela nossa missão.

Ao deixarmos o porto de Santarém, há uma catarse coletiva: os meninos mostram as bundas para a fábrica da Cargill, enquanto abrimos o *banner* "Fora, Cargill, *Out!*".

A viagem a Manaus é a rota final da campanha. É também o momento de concluir o meu longo trabalho de pintura do *focsle*. Para terminá-lo, contei com a ajuda do Mário e da Bel. Ao final, Flávio vem elogiar meu esforço:

— Se dependesse de mim, você já estaria escalada para a nossa próxima campanha.

Imediatamente, sinto que não me restam mais dúvidas quanto ao convite do capitão Waldemar, para que eu permaneça a bordo depois de Manaus. Mário quer explorar a Amazônia. Eu quero explorar o mundo. E o meu primeiro passo será justamente a próxima campanha do Greenpeace, de proteção às baleias no Caribe.

Antes de chegar a Manaus, recebemos mais um treinamento de escalada do Bagre, que veio do Rio de Janeiro para a missão em Santarém. O objetivo é tornar a tripulação mais familiarizada com equipamentos como mosquetões e cordas, além dos nós mais utilizados em diferentes tipos de escalada. Depois de divididos em duas equipes, passamos o dia escalando no *hold*, o mesmo espaço que usamos para eventuais festinhas a bordo. Para variar, fiquei na equipe do Mário.

Depois do treinamento, passo alguns minutos com o cinegrafista Todd, gravando um depoimento sobre o que vivi junto ao funcionário da Cargill que agrediu a mim e a outros escaladores durante a ação em Santarém. Ainda tenho as manchas roxas que ele deixou nos meus braços e pernas. Recordo em detalhes como ele me abordou, atirou a minha mochila do alto do prédio e enfiou o meu rosto na terra, aos socos, berrando:

— Vocês, gringos, acham que podem vir para cá e acabar com o nosso trabalho?

Tentei responder, com a cara estatelada no chão e os braços puxados para trás:

— Senhor, sou brasileira e não quero acabar com o seu trabalho. Faço parte do Greenpeace. Vim em missão pacífica para alertar o que essa empresa tem feito na floresta amazônica.

É uma triste ironia que nos xinguem de gringos, enquanto defendem uma das maiores multinacionais do mundo no setor alimentício. Uma multinacional que obtém grande parte do seu lucro produzindo soja transgênica na Amazônia para alimentar os frangos que viram *nuggets* em McDonald's europeus — como o Greenpeace descobriu num trabalho investigativo que resultou no relatório *Eating Up the Amazon* (Comendo a Amazônia), divulgado nesse mesmo ano de 2006. A situação dessas pessoas é realmente delicada. Compactuam com a Cargill porque os governos municipal, estadual e federal não são capazes de gerar melhores oportunidades de trabalho e sobrevivência para elas, nem mesmo de educação, para que compreendessem a gravidade da devastação da floresta amazônica.

— Tenho filhos para criar. Deixem de ser vagabundos! Vão trabalhar!

Até esse momento, eu estava sozinha tentando dialogar com o homem que me agredia. No calor da confusão, talvez ele nem tenha se dado conta de que eu era uma mulher. Em posição fetal, procurando me defender como podia, finalmente avistei, a uma distância de aproximadamente cem metros, outros dois ativistas e um policial se aproximando. Ao vê-los, o funcionário me largou e correu para o interior do prédio da Cargill, conseguindo escapar de qualquer repressão.

Não sabemos exatamente qual será a repercussão da nossa ação em Santarém. Depois de alguma divulgação na mídia, recebemos com alegria a notícia de que a filial paraense da Cargill será fechada. Mas por apenas dois meses.

MANAUS

Atracamos em Manaus. Os tripulantes do Arctic Sunrise são recebidos com uma grande festa na casa do Paulo Adário, líder das campanhas da Amazônia em terra por muitos anos. Piscina, churrasco, risadas. Revemos os vídeos das ações e relembramos juntos os momentos mais importantes da campanha.

No dia seguinte, folga para toda a tripulação. Aproveito para curtir os prazeres da civilização. Vou a um *cyber* café para enviar mensagens aos amigos sobre a minha ansiedade diante dos novos desafios que já posso prever na viagem ao Caribe. Aproveito também para curtir o escurinho do cinema com alguns tripulantes, depois de meses afastada de um telão: assistimos ao *Código Da Vinci* — bastante comercial, mas interessante.

Finalmente conheço o escritório do Greenpeace em Manaus. Fico encantada com o clima familiar. Plantas por todo lado. Muito espaço entre as mesas. Nada semelhante a um escritório convencional. Chego a pensar que até gostaria de morar no Amazonas por um tempo — quem sabe no futuro?

Meu coração volta a balançar numa oportunidade maravilhosa de sobrevoar a Amazônia, num jatinho doado para o Greenpeace alguns anos atrás. Do alto do céu, avisto a beleza do Rio Negro. E vislumbro a magnitude da nossa floresta tão linda e, ao mesmo tempo, tão abandonada. Vejo lacunas de desmatamento que me fazem chorar.

Montamos um *open boat* em Manaus. Mais um dia de muito trabalho e dedicação. À noite, a tripulação sai para um bar chamado Armando. Um artista *hippie*, que faz bijuteria com pedaços de arame, nos aborda na rua e fala sobre sua vida de andanças pelo Brasil, ao melhor estilo *beatnik*. Pago uma cerveja para ele. Em troca, ele me oferece um anel montado na hora. Nosso grupo vai aumentando a cada minuto, com essas figuras que aparecem. Vou conhecer o deslumbrante Teatro Municipal. Mas aquelas imagens aéreas da floresta não me saem da cabeça. Entre brindes e gargalhadas, só consigo pensar na importância da nossa missão.

No último dia de visitas ao Arctic Sunrise, recebo o público na ponte de comando, explicando sobre nossos equipamentos náuticos e contando detalhes da rotina a bordo. Em clima de final de campanha, temos mais uma festa na casa da Annette. Mário vem conversar comigo, reafirmando sua decisão de morar em Manaus nos próximos meses, trabalhando com Agnaldo, coordenador de campanhas, no escritório do Greenpeace. Ele me deixa de presente alguns CDs que ouvimos juntos durante a campanha da Amazônia. Apesar da tristeza, só posso desejar que ele seja feliz com a escolha dele, e que eu seja feliz com a minha. Que mais posso fazer? Noite fria. Coração massacrado.

Felizmente, o dia seguinte é a minha folga. Passeio até o belíssimo Palácio do Rio Negro. Tenho a sorte de presenciar uma fabulosa apresentação de música erudita, além de uma bela exposição de arte. Depois de jantar a bordo, vou com alguns tripulantes à casa de shows Almirante, onde dançamos *reggae*, numa grande área aberta com barraquinhas servindo bebidas e aperitivos.

Apesar dos momentos de alegria e descontração, sinto o aperto da despedida do Mário. Dói demais vê-lo sair da cabine do qual cuidamos juntos com tanto carinho nesses últimos meses no Arctic Sunrise, levando embora todas as coisas dele. Levando embora meu sonho de construir uma relação de amor com alguém que partilhasse dos mesmos objetivos que eu. Nos olhamos de maneira profunda. Não precisamos falar muito. Tudo se passa como num curta-metragem. As nossas angústias e descobertas. Os nossos anseios. Os momentos de fraqueza, de felicidade, de vitória. A intimidade do nosso camarote. Algumas pessoas que torciam por nós custam a acreditar na nossa separação. Não há possibilidade de um adeus fácil. Realmente parece difícil de aceitar a indefinição desse relacionamento de agora em diante. Mesmo que nunca mais consiga revê-lo, nossa conexão ficará eternizada em mim.

No meu último dia de folga em Manaus, prefiro fugir. Viajo sozinha até Presidente Figueiredo, a 110 km dali. Visito uma famosa cachoeira chamada Santuário, cujo caminho está marcado por uma trilha que facilita o acesso dos visitantes. Encontro hospedagem na pousada Berro d'Água, onde há uma incrível cachoeira — lugar ideal para meditar por algumas horas, sentindo o cheiro de terra molhada. Sem me preocupar com horários, ouvindo apenas o barulho dos bichinhos noturnos, me sinto completa e preparada para uma nova batalha.

Deixo para trás a cabine 13 e toda aquela história tão especial ao lado do Mário. Vou dividir a cabine 11 com Ana. Ela anda um pouco triste por ver desembarcar o capitão Waldemar, por quem nutriu um romântico *love affair*, mas costuma ser gente boa. Além de nós duas, Leisinho e Veronika são os outros brasileiros presentes na campanha do Caribe. Apesar das saudades daqueles que partiram, tento me aproximar da nova tripulação. Começo uma amizade com o chefe dos marinheiros, Phil, e com o segundo oficial, Adrian, além do marinheiro belga Tom, que trabalha para o Greenpeace há nove anos.

Daniel é o nosso novo capitão: argentino como Waldemar, aprendeu a falar bem português, depois de morar algum tempo no sul do Brasil para surfar. Logo no primeiro encontro, ele me pergunta se eu gostaria mesmo de partir com o Arctic Sunrise na travessia até a Europa, depois do Caribe. Reafirmo o meu interesse sem pensar duas vezes.

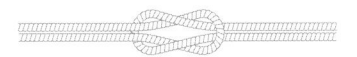

MANAUS-CARIBE

Depois de tomar meu último café da manhã em terras brasileiras, compro uma camisa do Brasil para torcer pela seleção na Copa da Alemanha, que terá início dentro de poucos dias, mesmo sem saber se poderemos acompanhar os jogos pelo rádio do navio.

A intuição me diz que este será um grande momento na minha vida, o que me enche de ânimo. Nos minutos derradeiros com Mário, cantarolo mentalmente a canção sarcástica de Chico Buarque: "Olhos nos olhos / quero ver o que você faz / ao sentir que sem você / eu passo bem demais...". Apesar da frustração, nos desejamos bem. Queremos ser felizes. E pensamos até em nos reencontrar. Talvez. Quando puxo as cordas do Arctic Sunrise, deixo cair duas lágrimas ao vê-lo ficar para trás.

O capitão Daniel prevê dez dias de navegação até São Cristóvão. Aparentemente, é uma daquelas ilhas paradisíacas no Caribe. Mas nossa viagem tem uma motivação nada paradisíaca: planejamos uma ação incisiva para frear o massacre de baleias promovido por navios japoneses todos os anos.

Após a primeira noite navegando, aproveitamos a água de uma manhã chuvosa para lavar o convés. À tarde, passamos horas a fio recortando pedaços de papelão sob a forma de enormes rabos de baleia, que serão usados na ação em São Cristóvão. Trabalhamos no *hold*, ouvindo música, até o fim do expediente, às 18h30. À noite, vou descansar no *mess room*, onde Adrian mostra para mim e Ana algumas fotos de viagens anteriores. Depois de algum tempo, prefiro sair para uma pequena caminhada no convés. Reflito sobre os dois meses que passei a bordo do Arctic Sunrise. Meses de tanta intensidade que parecem uma vida inteira.

No dia seguinte, me despeço do Rio Amazonas antes de entrarmos em mar aberto. Escuto música e termino de ler a biografia de Gandhi que comprei em Belém, além de folhear outros dois livros: *Eastern Caribbean* e *101 movies you must see before you die*. Seguindo a onda cultural, assisto a um excelente documentário sobre o surfe na pororoca amazônica — uma prática esportiva impressionante, que atrai surfistas do mundo inteiro, mas ao mesmo tempo causa destruição em certas regiões. Depois de uma conversa com o marinheiro Tom, dono de opiniões políticas e religiosas bastante extremadas, ele me presenteia com um livro sobre socialismo, anarquismo e mídia. Penso no Mário com fortes saudades. Imagino o que ele estaria fazendo agora.

Quando atravessamos a Linha do Equador, sou vítima de um trote no navio, junto com outros novatos que, como eu, nunca tinham feito essa simbólica travessia entre os dois hemisférios terrestres: Ana, Leisinho, Veronika, Adrian e Daniel — não o nosso experiente capitão, claro, mas seu xará, o nosso simpático cozinheiro mexicano. É uma espécie de tradição entre os navegadores. Uma cerimônia de iniciação, que converte os novatos (chamados *pollywogs*) em veteranos (chamados *shell backs*). Nos prendem, vendam os nossos olhos, nos obrigam a mergulhar num contêiner fétido de lixo orgânico, às gargalhadas. Nos fazem segurar mensagens engraçadas. E tiram fotos divertidas do nosso batismo marítimo.

Até ameaçam cortar os cabelos das meninas. Mas, felizmente, não passa de uma ameaça. Ufa!

Findada a brincadeira, nos lavamos com capricho no chuveiro do convés, antes de uma reunião especial com o capitão. Ele nos dá as coordenadas da nova campanha e entrega certificados aos que cruzaram pela primeira vez a Linha do Equador. Somos agraciados com espumante. É preciso celebrar! Brindamos e nos deleitamos com um delicioso churrasco no convés. Sobre as nossas cabeças, brilha um céu inacreditavelmente pontilhado, do tipo que temos a sorte de testemunhar em alto-mar, a muitos quilômetros das luzes urbanas que ofuscam a beleza autêntica das estrelas.

Upon the day 03 June 06
On the good vessel
                    Arctic Sunrise
The Pollywog named
            Barbara Chagas da Veiga
Has crossed my most hallowed Li[ne]
Having confessed her crimes bef[ore]
Me, I hereby grant her the
Freedom of my Oceans and give
Her the name
I hereby declare you a trusty
Shellback of the Raging Main

Neptune

CAP 02

SÃO CRISTÓVÃO

Tudo que consigo escutar são barulhos de almas indignadas. Um homem fardado abre a pequena janela da cela, quase de hora em hora, para dizer que ficarei aqui para sempre. Ouço rastejos de ratos e baratas, nesse cubículo de cimento, de aproximadamente dois metros quadrados, repleto de rachaduras. O ambiente é escuro. Meu corpo continua sujo de sal e areia. Ainda não pude ligar para um advogado nem para qualquer outra pessoa. O que mais me aflige é não saber onde estão meus colegas do navio. Se foram encarcerados juntos. Se também estão em solitárias. Se foram submetidos a qualquer tipo de abuso ou tortura.

Ninguém me responde quando peço para ir ao banheiro ou beber água. A fome aperta. A ansiedade também. Muitos pensamentos tomam espaço na minha cabeça. É claro que eu já considerava a possibilidade de ser presa. E, apesar de me encontrar numa situação verdadeiramente horrível, estou disposta a me colocar em risco para dar voz às baleias, criaturas que têm sido mortas por tantas gerações sem a menor compaixão. Numa situação de extrema injustiça, meu coração diz que é preciso fazer uma aposta igualmente extrema. Esse é o meu chamado.

Nossa briga é pelo respeito aos acordos firmados pela Comissão Baleeira Internacional. Respeito que infelizmente não existe. Mas acredito que uma mudança é possível. É por isso que estou aqui, buscando forças para suportar essa situação, e para superar qualquer obstáculo político, social ou econômico aos nossos objetivos.

Deixei o Brasil há pouco mais de uma semana, a bordo do Arctic Sunrise, saindo de Manaus com destino à ilha caribenha de São Cristóvão, onde estamos agora. A cada dia em alto-mar, entre uma tempestade e outra, recortamos e preparamos 865 rabos de baleia, feitos de papelão pintado de preto, com a inscrição *R. I. P.* (*Rest in Peace*, ou Descanse em Paz). Este foi o número de baleias mortas no ano passado pela frota baleeira japonesa sob o pretexto de pesquisa científica. Na ausência de uma fiscalização efetiva, a carne dessas baleias acaba sendo amplamente industrializada e comercializada.

A confecção e exibição dos rabos de baleia tinha um propósito: promover a conscientização sobre esse massacre brutal e desnecessário. A ideia era cravar as 865 lápides de papelão nas areias da praia em frente ao Hotel Marriott, onde a Comissão Baleeira Internacional está reunida no momento. Com essa estratégia, conseguiríamos maior visibilidade para o problema, a fim de inseri-lo na pauta das reuniões de 2006.

Desde 1946, a Comissão reúne representantes de diversos países e ONGs internacionais, definindo quantas baleias podem ou não ser caçadas para a tal "pesquisa científica", defendida a unhas e dentes por aqueles que extraem lucro desse subterfúgio. Coincidência ou não, neste ano de 2006 a Comissão se reúne em São Cristóvão, ilha que tem a economia dependente de acordos internacionais com o Japão — país que está no topo da lista de responsáveis pela matança no santuário baleeiro, na Antártica. Há muitas perguntas que permanecem sem resposta. Que "pesquisa científica" é essa? Por que tantas baleias são mortas a cada ano, em benefício desse trabalho? Precisamos realmente causar tamanha matança para um bem da humanidade? E que bem maior é esse, que arrisca o próprio equilíbrio ambiental de que nós, humanos, também precisamos para sobreviver? Não existem outras medidas menos agressivas? Com a redução maciça das baleias no planeta, qual será o impacto sobre toda uma cadeia ecológica, a longo prazo?

Eu me preocupo com o futuro. Estar aqui, nessa cela imunda, me sentindo esquecida, moralmente agredida, sem saber o que vai acontecer comigo e com meus companheiros, faz parte da nossa luta contra essa loucura que testemunhamos no mundo. Alguém precisa travar essa luta. Apesar de toda a dificuldade que estou passando, ainda acredito que valerá a pena. Mesmo sem saber ao certo se sairei dessa ilha um dia. Ou se ficarei aqui "para sempre", como esse guarda insiste em repetir.

Os ruídos que escuto dos outros presos, ao longe, se intensificam. Não entendo exatamente o que está acontecendo lá fora. Começo a ficar apavorada com tamanha solidão. O relógio que não tenho parece passar lentamente. Aumenta o barulho do que me soa como uma revolta de presos. Ao ficar nervosa, preciso com urgência ir ao banheiro. Grito por assistência, junto a presos de celas vizinhas, mas não somos ouvidos. Tenho os pés encolhidos, próximos ao corpo. Fico agachada num canto um pouco mais elevado que o chão. Pode ser o espaço destinado para uma cama, que talvez nunca exista neste lugar.

Finalmente urino em mim mesma. Me sinto ainda mais suja. Completamente entregue à minha fragilidade radical. Mais uma vez, o guarda abre a janela da cela para entoar seu mantra da infelicidade. Procuro me consolar com a pequenina visão que tenho do mar e de tudo que ele representa para mim.

Não foi à toa que deixei o Rio de Janeiro, minha terra natal. Não foi à toa que renunciei ao meu conforto e à companhia das pessoas que amo. Não foi à toa que me mudei para aquele navio. Ainda molhada da água do mar, e da minha própria urina, sentindo sede, fome e muito calor, repito para mim mesma: "Aguenta firme. Vai dar tudo certo."

Desde o primeiro dia em São Cristóvão, sabíamos que não seríamos bem-vindos. Tivemos dificuldades para obter a autorização necessária para desembarcar na praia, pois as autoridades locais já desconfiavam que o Greenpeace viria até aqui com o intuito de questionar e problematizar o trabalho da Comissão. A caminho da ilha, tentamos contato diversas vezes. Silêncio. Até que recebemos a confirmação: não poderíamos pisar em terra.

Da nossa parte, nada mudou. O capitão Daniel dividiu sua decisão com os que estavam junto dele, na ponte de comando:

— Vamos para lá mesmo assim.

Depois de muita conversa sobre como fazer essa delicada operação acontecer, o escocês Mike, líder da campanha, perguntou quem estaria disposto a se arriscar na missão. Levantei o braço, com absoluta certeza de que queria participar. E fui selecionada para integrar o grupo que levaria à praia os 865 rabos de baleia.

Foi assim que desembarquei. Nervosa. Não autorizada. Correndo o risco de ser presa ou deportada. Mas totalmente convicta do que deveria fazer.

Rossano, um marinheiro italiano, ficou responsável de nos levar até a ilha a bordo de um bote inflável, dotado de um motor Yamaha capaz de aguentar as idas e vindas dos robustos 865 rabos de baleia, além dos tripulantes — dez ativistas das nacionalidades mais variadas, determinados a bagunçar a formalidade da Comissão e a denunciar a ausência de um pulso firme de seus integrantes a favor das baleias.

Tudo aconteceu muito rápido. Fomos transportados até a ilha, mas não até a beira da praia, para evitar que o bote fosse retido. Então, com a água do mar pouco acima da cintura, pulamos do bote e nos dividimos em grupos. Uns transportavam os rabos de baleia. Outros faziam uma espécie de corrente. Assim conseguimos chegar até a areia com todo o material necessário para o protesto.

Havia algumas pessoas em terra, à nossa espera. Jornalistas, já avisados da operação, que nos ajudariam a documentá-la. Quando começamos a fincar os rabos de baleia de frente para o Hotel Marriott, fomos rapidamente abordados por policiais à paisana, que portavam armas. Mal conseguíamos compreender o que falavam, num inglês distorcido por um forte sotaque. Mas captamos a agressividade no tom de voz deles.

Mike logo propôs que lançássemos mão de uma estratégia frequentemente usada pelo Greenpeace nesse tipo de situação. Uma estratégia de resistência pacífica. Com os braços dados, nos sentamos na areia, formando uma cadeia ao redor dos rabos de baleia. Assim ganharíamos tempo, dificultando a abordagem dos policiais. Eu procurava não olhar nos olhos deles. Mas também não me intimidava. Estava disposta a permanecer ali o tempo que fosse necessário, junto aos outros. De forma inesperada, mais policiais começaram a chegar. Dessa vez, fardados. E com mais armas.

Havia policiais homens e mulheres. Todos pareciam indignados com nossa ação. Dos poucos jornalistas presentes, percebi que ao menos um continuava filmando tudo, mesmo após a intervenção policial. Apostando na importância da mídia nessas circunstâncias de perigo, respirei aliviada por acreditar (talvez ingenuamente) que esse testemunho jornalístico garantiria, de alguma forma, a nossa segurança. Se uma desgraça acontecesse, ela estaria documentada.

A ideia de que poderia ser vítima de uma desgraça me assustava. "Vamos seguir em frente, sem pensar no pior", dizia mentalmente a mim mesma, procurando me segurar aos braços dos meus colegas com o máximo de firmeza possível.

Comecei a notar uma movimentação diferente por parte dos policiais. Eles decidiram nos remover, um por um, da praia até um local a poucos metros dali, atrás de um matagal. Olhei para o lado e vi um companheiro argentino sendo puxado pelos cabelos. A essa altura, eu já tinha sido separada dos outros ativistas e assistia a cada um deles sendo arrastado pelos braços, pelos pés, pelas roupas...

Uma policial puxou os meus braços para trás e os prendeu com algemas de plástico. Dois outros policiais tentaram me arrastar. Concentrei todo o meu peso para baixo, me empenhando de verdade para permanecer ali pelo maior tempo possível. Fui a última a ser transportada. Foram necessárias quatro pessoas para me carregar até atrás do matagal, cada uma segurando um dos meus membros superiores ou inferiores. Senti muita dor, principalmente nos punhos, por causa das algemas e do modo violento como me seguravam.

Como carcaça em aterro, fui jogada num camburão, junto com Ana e os rabos de baleia. O carro balançava muito antes de sair daquele terreno de areia e mato alto. Ana e eu não trocamos uma palavra sequer. O condutor e o policial no banco do carona gritavam entre eles o tempo todo. Cinco ou seis camburões foram usados para levar todos os ativistas. Depois de meia hora, chegamos a um local que se parecia claramente com uma prisão. Num piscar de olhos, me vejo encarcerada nessa cela claustrofóbica, tendo como única companhia a presença repulsiva de ratos e baratas.

Procuro ocupar a mente com memórias frescas dos dias anteriores. Os simpáticos grupos de golfinhos que às vezes apareciam, trazendo alegria e graça para a nossa travessia da Amazônia ao Caribe. A exaustiva confecção dos 865 rabos de baleia. O trabalho árduo de manutenção no convés, envolvendo pinturas e retiradas de ferrugem. As oportunidades de admirar o pôr do sol da ponte de comando, ou de comer pipoca e bater papo com Ana, minha companheira de camarote.

Comecei a estudar espanhol nas horas vagas, com a ajuda do segundo oficial Adrian, que é panamense. Estava empolgada para aprender um idioma que é falado em várias ilhas caribenhas, assim como na Espanha, país que adoraria visitar na Europa. O capitão Daniel confirmou o convite para que eu permanecesse a bordo do Arctic Sunrise até o porto de Amsterdã, após a campanha do Caribe. Vejo aí minha chance de realizar um antigo sonho: passar algumas semanas viajando pelo Velho Continente. Mas minhas restrições financeiras me preocupam. Preciso planejar tudo direitinho. Talvez procurar um emprego temporário. Ouvi dizer que alguns albergues oferecem hospedagem e alimentação em troca de trabalho.

Que fantástica essa força dos sonhos e da imaginação. Essa capacidade de atenuar as imposições mais penosas da realidade. Dos ratos e baratas da minha cela, meu pensamento se transporta para experiências que vivi num passado recente e que pretendo viver num futuro breve — acreditando, claro, na hipótese mais otimista: de que vou me ver livre deste buraco fétido.

MANAUS-SANTO EUSTÁQUIO

Faço o esforço de recapitular para mim mesma os momentos da travessia entre Manaus e Santo Eustáquio, uma charmosa ilha holandesa no Caribe, que nos acolheu depois que nosso pedido para desembarcar em São Cristóvão foi negado. Como o registro do Arctic Sunrise é holandês, apostamos que seria mais fácil obter a autorização junto a uma ilha da mesma nacionalidade. Apostamos certo. Durante a travessia, passamos também por Santa Lúcia, que tem aproximadamente o tamanho do Havaí, e me pareceu muito bonita vista ao longe.

Uma das maravilhas de contar com um cozinheiro criativo no navio é poder provar pratos especiais, inclusive alguns inspirados pela diversidade cultural a bordo. Durante a campanha do Caribe, nosso *chef* mexicano Daniel preparou uma *paella* de tirar o chapéu. Por duas vezes, comemos sushis e sashimis fresquíssimos, recém-pescados no *deck* posterior do Arctic Sunrise. Tivemos até o privilégio de degustar um esplêndido churrasco com lagostas na brasa. Eventualmente somos agraciados com um jantar no convés, com direito a música e alguns drinques. Numa dessas noites, cantei e toquei percussão, animadíssima, acompanhando o violão do canadense Olivier, primeiro oficial que substituiu a holandesa Hettie. Outro cozinheiro de mão cheia, que já levou alegria a várias campanhas do Greenpeace, é o italiano Rossano, de quem me tornei amiga. Ultimamente, ele tem embarcado como marinheiro. Mas aqueles que provaram seu tempero são unânimes em elogiá-lo.

Antes de chegarmos ao porto, Olivier me incumbiu a tarefa de confeccionar a bandeira de Santo Eustáquio. Que situação! Não sou nada boa como desenhista. Cortei, costurei, pintei... Até que me saí bem.

SANTO EUSTÁQUIO

Mal nasceu a manhã, peguei uma carona de bote com outros tripulantes, para pisar pela primeira vez numa terra estrangeira. Santo Eustáquio é graciosa, cercada de águas cristalinas. Igrejas, restaurantes, parques floridos, tudo parece em miniatura. A pequena ilha tem cerca de 3 mil habitantes. Dá a impressão de que todos ali se conhecem.

Laura, uma senhora simpatizante do Greenpeace, nos convidou para visitar seu restaurante. Uma casa enorme, que também é sua residência, guardada por um simpático cão da raça São Bernardo. Ela nos ofereceu bebidas e perguntou se gostaríamos de usar a internet. Não hesitei em enviar notícias aos amigos e familiares sobre a minha primeira missão internacional. Durante nossa estadia de pouco mais de uma semana em Santo Eustáquio, volta e meia passávamos pela casa da Laura para dar um olá.

A temperatura subiu quando o ar-condicionado do Arctic Sunrise parou de funcionar. Decidi me refrescar num banho de mar junto com Ana e Rossano, minha dupla favorita. Numa noite mágica e chuvosa, caminhei pelo convés ao lado deles, deixando que a chuva molhasse meu corpo e renovasse minhas energias. Rimos à toa, da simplicidade feliz desse momento. Agradeci a Deus pela vida.

Tenho uma amizade bacana com Ana. Mas temos também nossos conflitos. Às vezes, ela é extremamente grosseira e impulsiva. Não mede as palavras. Procuro ser flexível, na medida do possível. Reconheço que também tenho opiniões fortes. Estou me aprimorando na difícil arte da convivência. Afinal, não é nada fácil dividir com alguém o pequeno espaço de um camarote.

Começou a Copa do Mundo de 2006. Às vezes conseguimos sintonizar os jogos pelo canal 34 do rádio do navio. Escutamos a estreia do Brasil contra a Croácia, marcando um a zero, dia 13 de junho — dia seguinte ao dia dos namorados no Brasil.

Não resisti: liguei para o Mário. Cada voluntário tem direito a quinze minutos de ligação telefônica por mês. Gastei os meus com ele. Sentia muita falta das nossas conversas. A voz dele continuava mansa. Ainda demonstrava amor, apego e respeito à nossa história. Mas tive a impressão de que algo havia mudado entre nós. Esse assunto invadiu meus pensamentos durante as noites de vigília, marcadas por fortes ventanias. Apesar de estarmos ancorados, o que nos deixa mais seguros, o navio se movimenta tanto que parece estar navegando. Encontrei o CD *Vitology*, do Pearl Jam, na ponte de comando. E então meus pensamentos foram invadidos por lembranças nostálgicas da adolescência.

Durante uma vigília, o segundo oficial Adrian me ensinou a preencher o diário de bordo. E também a reconhecer algumas constelações, com a ajuda de um livro de navegação americano que parece uma bíblia. Num momento de folga, fui com Adrian e o tunisiano Mehdi caminhar e conhecer um pouco mais de Santo Eustáquio. Encontramos um supermercado, e me permiti fazer uma festinha particular: chocolates! Perto dali vimos um belo forte, no alto de um morro, e decidimos visitá-lo. Ao longo da ilha, é possível encontrar várias construções históricas desse tipo, que serviam para a defesa contra ataques de piratas ou de países rivais. De cima do morro, tivemos uma linda vista do mar e do nosso querido Arctic Sunrise.

A marinheira indiana Faye me acompanhou num mergulho livre com *snorkel*. Ficamos fascinadas pelas cores do Caribe. Faye conhece muitas espécies de peixes, inclusive pelos nomes científicos. Realmente admirável. Nessas horas aumenta a vontade de ampliar minha prática de mergulho. Poder mergulhar sem um instrutor, com meu próprio equipamento. Poder desbravar os mares que quiser. Fotografei as ondas que refletiam o laranja da bola de fogo caribenha, depois de ter dançado num restaurante onde paramos para um suco. No Caribe, quase todos os restaurantes têm música e gente dançando. Tudo flui.

Quer dizer, quase tudo.

O capitão Daniel manteve o hábito de deixar no *lounge* algumas notícias sobre a reunião da Comissão Baleeira Internacional que se aproximava, com entrevistas e outras informações divulgadas na mídia local. Jornais já noticiavam a presença do Greenpeace nas proximidades da ilha de São Cristóvão. Apesar da tensão no ar, somos orientados a jamais adotar uma postura agressiva em nome da Organização, seja verbal ou fisicamente. Participamos de um treinamento sobre táticas de ativismo não violentas. Assistimos a filmagens de ações anteriores, discutindo os erros mais comuns e as atitudes que deveríamos evitar. Eram registros de missões que aconteceram nos últimos anos. Após a jornada de trabalho, saí com alguns tripulantes para fazer uma caminhada de três horas numa trilha que nos levava até um vulcão desativado. A natureza em Santo Eustáquio é belíssima. Fizemos dois minutos de silêncio para escutar os pássaros. De volta ao navio, celebramos esse dia incrível com cuba-libre e muita música.

Adorei participar de uma atividade numa escola local. Junto com outros dois tripulantes, fomos divulgar a mensagem de proteção ambiental aos alunos, através de vídeos educativos e palestras curtas promovidas pelo Greenpeace. Foi maravilhoso transmitir um pouco do nosso trabalho para as crianças. Todas atentas e curiosas. Conversamos também com professores e a diretora da escola, além de distribuirmos alguns livros que contam a história da Organização. Na volta, parei para comprar cartões postais numa loja de equipamentos de mergulho, e um casal veio me perguntar por que São Cristóvão recusou nosso pedido para entrar na ilha. Achei complicado responder de maneira breve e direta, já que o assunto é complexo e envolve diversos aspectos. Mas conseguimos tecer uma conversa construtiva.

Devido aos problemas diplomáticos com as autoridades de São Cristóvão, tivemos que adiar nossa partida por duas vezes. Enquanto esperávamos, procurei meios para relaxar da atmosfera apreensiva que tomava conta da tripulação. Armei uma rede no lado de fora do navio, onde me deitei e me entreguei à leitura, admirando o céu e os ventos desbaratinados, que insistiam em nunca soprar na mesma direção. O Brasil venceu a Austrália por dois a zero. O querido comediante Bussunda lamentavelmente faleceu. Os peixes de Santo Eustáquio voltaram a me encantar, em mais um dia de *snorkeling* com uma ótima visibilidade. Gostaria de ter fotografado esses animais extraordinários. Infelizmente, ainda não tenho equipamento fotográfico à prova d'água. A vida marinha de Santo Eustáquio ficou registrada na minha memória. Para sempre.

SÃO CRISTÓVÃO (2)

Percebo que o sol se põe, dando lugar à noite, depois à madrugada. Apesar do cansaço, o sono não vem. Acho que nem poderia vir. A sensação de pavor e incerteza só aumenta.

Ouço mais um forte ruído e levo um tremendo susto. Dessa vez, não são barulhos dos presos ao lado. É um som que ecoa nitidamente da porta da minha cela. A esperança toma conta de mim. Será que finalmente serei libertada? Poderei ir ao banheiro, me lavar, beber um copo d'água, comer alguma coisa? Poderei abraçar meus companheiros e comemorar o fim deste pesadelo? Nenhuma dessas perguntas é respondida.

Não entendo por que fui colocada numa solitária, separada dos outros. Talvez tenham sentido raiva de mim e quisessem se vingar, já que me empenhei radicalmente no ato de resistência e fui a última que conseguiram carregar.

Preciso aguardar mais de 24 horas antes que a porta da minha cela se abra, deixando entrar um feixe de luz, por trás do qual posso avistar a silhueta de uma pessoa. Minha primeira reação é de medo: serei obrigada a dividir esse cubículo com algum criminoso ou assassino? Para meu alívio absoluto, minha nova companheira de cela é Veronika.

Apesar de sempre termos sido cordiais uma com a outra, nunca mantive grande afinidade com Veronika. Ainda assim, me parece maravilhosa a oportunidade de passar minha segunda noite de prisão na companhia de alguém capaz de partilhar comigo um pouco de compaixão, compreensão e (principalmente) notícias frescas sobre os últimos acontecimentos.

Assim que a reconheço, verto uma lágrima e pergunto:

— Como você está? O que está acontecendo lá fora?

— Tem um grupo junto, outro separado. Nem sei por que me colocaram aqui. Só sei que provavelmente teremos notícias em breve. Uma diplomata brasileira, participante da Comissão Baleeira Internacional, pretende nos trazer algumas coisas.

— Coisas? Comida ou liberdade?

— Não sei — admite ela, antes de se entregar a um choro desesperado.

Sem direito a água, alimentação, banheiro ou advogado, essa é a melhor notícia que recebo nos últimos dois dias. Não me desespero como Veronika. Até gostaria de exorcizar a aflição contida no meu peito. Mas não consigo derramar mais que um par de lágrimas. Procuro consolá-la:

— A gente vai sair dessa.

Algumas horas depois, entre longos períodos de silêncio e outros com mais barulho dos presos vizinhos, a porta novamente se abre. Desta vez, com notícias mais consistentes. Somos levadas a um local onde também estão nossos colegas. Sinto um profundo conforto por estar de novo próxima ao nosso grupo, mesmo sem saber por quanto tempo.

No auge do meu otimismo, sinto o cheiro do mar e a expectativa de experimentar a liberdade outra vez. Consigo esticar minhas pernas e falar com meus colegas, me sentindo fortalecida. Consigo também ir ao banheiro e me limpar um pouco, ainda que em condições precárias. Realmente me doem as saudades do Arctic Sunrise, da minha cabine, minha atual casa. Meu desejo único e inadiável é voltar para lá.

Recebemos a visita da Ministra-Conselheira Maria Tereza Mesquita Pessôa, a diplomata que veio de fato nos trazer algumas coisas — refrescos e biscoitos que, para nós, valiam ouro. Ela precisou ser enfática, brandindo o passaporte e repetindo que exigia ver os brasileiros, para que o chefe de polícia local a deixasse entrar. A conselheira nos conta que, em breve, seremos levados para a corte local, que decidirá nosso destino. Até esse momento, não recebi notícias de qualquer advogado na prisão, mas ela nos garante que há um representante do Greenpeace lutando pela nossa liberdade, e que a mídia internacional, em peso, está com os olhos voltados para nossa situação.

A visita é acompanhada e controlada por policiais, que nos impedem de falar todos juntos, afobados na nossa empolgação. Pelo menos estamos reunidos. E conseguimos ter acesso à luz do dia.

Na sala onde nos acomodaram antes de sermos encaminhados à corte, não há nenhum sistema de ventilação. O calor é forte. Assim que colocamos os pés para fora da prisão, jornalistas, cinegrafistas e fotógrafos nos abordam por todos os lados. Não temos tempo para dar entrevistas. Nem para pensar em frases de efeito. Não sabemos sequer o que vai acontecer conosco.

As cenas que vivemos na corte são realmente cinematográficas. Oprimida por um clima infernal, me encontro suada, descalça e com rastros de areia sob a roupa. Um *shorts* e uma camiseta do Greenpeace, estampada com a frase *"Save the oceans"*. Num contraste absoluto, os homens da lei vestem trajes escuros excessivamente formais, que se assemelham à indumentária típica de alguma corte europeia em pleno século XVIII, com direito a opulentas perucas brancas.

Somos julgados um a um. Seguimos a orientação que finalmente recebemos do advogado, de nos assumir culpados da acusação de entrar num porto de forma ilegal. Em nosso íntimo, obviamente nos parece absurda a ideia de assumir a culpa por um delito, quando o que pretendíamos era justamente impedir um crime — a matança das baleias que excede e desrespeita, a cada ano, os principais acordos internacionais sobre o assunto.

Ao ouvir meu nome em voz alta, anunciando minha grave falha humana, ergo lentamente meu braço direito e pronuncio: *guilty*. Culpada. E apesar de não ter sentido prazer algum em experimentar o horror de uma solitária caribenha, eu seria capaz de fazer tudo de novo, por amor aos oceanos e às baleias. Nesse momento, sinto vontade de dizer alguma coisa irônica. Mas acho melhor guardar meu sarcasmo para mim mesma. De qualquer maneira, essas perucas dão um ar tão pitoresco a toda a situação, que é inevitável soltar uma gargalhada logo que me vejo distante o suficiente dali. Só então consigo relaxar um pouco, no meio desse caos.

Precisamos aguardar um intervalo de três horas, antes de sermos definitivamente liberados, mediante o pagamento de uma multa por cada ativista ilegal no porto, que foi paga pelo Greenpeace. Todos fomos deportados de São Cristóvão. Não poderemos pisar na ilha pelos próximos dez anos. E quem disse que quero voltar para cá, com um mundo tão farto de opções para explorar?

Retornamos ao Arctic Sunrise como viemos: de bote. O navio mudou de posição. Está um pouco mais afastado. Ao embarcarmos, para minha grande surpresa, somos recebidos como heróis. Percebo que alguns rabos de baleias, pintados de preto, permaneceram a bordo. Estão espalhados pelo convés, pregados como cartazes, ostentando palavras de incentivo ao nosso grupo: *Bem-vindos de volta!* — entre outras mensagens de apoio. Emocionada, me lembro da música "Heroes", do David Bowie. Todos podemos ser heróis por um dia. Depois de tantas horas de terror, é gratificante receber uma acolhida tão afetuosa.

Um *buffet* divino nos espera. Mas antes mesmo de me alimentar, tenho uma urgência ainda maior de tomar um banho, vestir roupas limpas, me lavar daquele lugar e daquelas memórias. Só não quero as apagar completamente. Elas fazem parte de quem sou agora, do que estou disposta a fazer pelas baleias e por outros seres que precisam ter defendido seu direito à vida. Após o banho tomado, aí sim: vou me fartar, festejar, sentir gratidão por estar em segurança, ao lado dos meus companheiros nessa jornada.

Temos acesso aos últimos *e-mails*, via rádio. Muitas mensagens vindas do Brasil, perguntando se estou bem. Uma foto tirada por um jornalista, na praia em frente ao Marriott, recebeu destaque na *Folha de S.Paulo* e em outros jornais importantes do mundo.

SANTO EUSTÁQUIO (2)

Enquanto não partimos para a Europa, desfrutamos de um merecido descanso: mais uma semana ancorados na acolhedora ilha de Santo Eustáquio. Decido comemorar a notícia me entregando a mais um mergulho livre com *snorkel*. Fico um pouco apreensiva quando vejo que há muitos tubarões na água. Mas conversando com locais e com alguns tripulantes, consigo me tranquilizar. Tubarões não se alimentam de carne humana. Os ataques ocorrem somente quando confundem uma pessoa com outro animal que lhe sirva de presa. Tanto que, se chegam a morder um ser humano, eles o soltam imediatamente. Isso acontece quando as águas estão turvas ou poluídas, ou quando há um desequilíbrio ambiental que provoca a escassez de alimentos numa determinada região. O que não é o caso de Santo Eustáquio. Além de pequenos, os tubarões daqui têm acesso a qualquer alimento de que precisam. Então dificilmente tentariam me atacar. Durante os mergulhos, avisto também adoráveis tartarugas. Um lugar magnífico para mergulhar é a localidade conhecida como "lagoa", onde a cor da água é fantástica e há belos resíduos de pedras vulcânicas.

Adrian acerta a frequência do rádio para escutarmos o jogo entre Brasil e Japão pela Copa do Mundo, já no finalzinho. Uma goleada: cinco a um! A alegria dos brasileiros contagia o churrasco de despedida do capitão Daniel, que não seguirá conosco para Amsterdã. Encontraram uma misteriosa garrafa de cachaça escondida em algum lugar do navio, então a noite é regada a caipirinha, além de duas garrafas de Martini disponibilizadas pelo próprio capitão. Com esse estímulo, até os tímidos entram na dança. Estrelas no céu. Algas fosforescentes no mar. Vaga-lumes por toda parte. Definitivamente sou uma pessoa de sorte.

Chega a bordo o novo capitão, o holandês Richard. O primeiro oficial Olivier também desembarca, substituído por Alfonso. Nesse dia de importantes mudanças, passamos por um treinamento, envolvendo uma simulação de incêndio numa parte do navio. E para nos recuperar dessas fortes emoções incendiárias, jantamos no *dive stop* de um colaborador local. Reinaldo nos recebe com lagostas recém-pescadas, acompanhadas por uma salada sensacional. Ele nos convida ainda para uma festa infantil na casa de um simpatizante do Greenpeace em Santo Eustáquio. O evento é bastante inusitado. Adultos e crianças dançam juntos, todos de terno e gravata. Cada canto da casa tem uma cor diferente. Algumas paredes exibem quadros com ilustrações de folhas de maconha. Os petiscos também são bastante exóticos, misturando sabores doces e salgados. Já a bebida não é nada surpreendente. Rum com Coca-Cola. O clássico caribenho.

Após a tempestade, a bonança: dias de festa se seguem aos horrores na prisão. É festa pelo aniversário do marinheiro Rossano, com direito a velinha e a doces variados. Ajudo a montar uma decoração bacana. O Rosso merece. É uma pessoa bem-humorada, que transmite paz e sabedoria.

Organizamos um *open boat* para receber visitantes de Santo Eustáquio interessados em conhecer o Arctic Sunrise. Fazemos as tradicionais visitas guiadas a bordo, mostrando detalhes do navio e contando um pouco da história da Organização.

O Brasil mantém um bom desempenho na Copa. Vence a seleção de Gana por três a zero, nas oitavas de final. Apesar da euforia dos meus conterrâneos, vivo um momento de tristeza. Decido tirar a foto do Mário do meu mural, depois de saber que ele anda vivendo outras aventuras na sua nova vida em Manaus. Dói receber essa notícia por terceiros. Imaginava algo muito maior para nós dois. Eu o amei de verdade. E achava que era recíproco.

Depois do jantar, Ana, Veronika e eu ajudamos o cozinheiro Daniel a arrumar a cozinha. Ele está exausto. Desde que embarcou, não conseguiu um só dia de folga. Colocamos para tocar um pouco de música brasileira. Um sambinha bem animado, na voz da Fernanda Porto. Limpamos, cantamos, dançamos, rimos. Nada melhor que uma boa dose de alto-astral para tornar mais leves as tarefas árduas. Num outro momento, é o Dani quem me dá uma ótima dica musical: ele me empresta um CD da banda Afro Celts, que mistura a percussão africana com uma suave sonoridade de tradição celta.

Veronika também vai desembarcar, deixando um camarote livre. Ana decide se mudar para lá. Assim, cada uma de nós terá seu próprio espaço. Admito que a ideia me agrada. Ana e eu conversamos sobre esse assunto durante meu plantão na ponte de comando. Conversamos também sobre lembranças da prisão em São Cristóvão. Finalmente conseguimos rir daquela situação bizarra. Ana tem o temperamento difícil, mas sabe fazer ótimas piadas. Aproveito o novo momento para mudar a decoração da minha querida cabine 11. Acendo um dos fantásticos incensos indianos que ganhei de presente da Faye. Cuido das minhas perfumadas lavandas. Converso com meus fiéis peixinhos. Eles sempre me entendem.

Temos usado com mais frequência o porão do Arctic Sunrise, inclusive para assistir a filmes, que são projetados na parede, numa espécie de cinema doméstico. Os eventos sociais também se mudaram para lá, inclusive um agradável jantar à luz de velas em que sentamos ao redor de uma ampla mesa, como uma grande família. Depois do jantar, abrem-se os laptops e a música invade o ambiente. Faye trabalha como DJ na Índia e na Holanda, então a festa transcorre no melhor estilo possível.

Nas quartas de final da Copa, vou com Ana a um restaurante chinês em Santo Eustáquio para assistir à disputa entre Brasil e França. Uma pena ver o Brasil perder de um a zero. Ainda assim, Ana e eu não nos deixamos abater. Caminhamos até um parque próximo e nos deitamos na grama, para bater papo. Laura nos convida para jantar em seu restaurante. Ana e eu nos surpreendemos — negativamente — com o sabor estranho do feijão doce, ao estilo holandês. Na Inglaterra também o comem assim. Sei que não é muito delicado da nossa parte, mas tacamos sal no dito cujo. Ora bolas: para um brasileiro, feijão doce é quase um sacrilégio!

Chove tanto que somos obrigados a interromper o trabalho de manutenção do convés. Aproveitamos para fazer treinamentos nos infláveis. Animadíssima, dirijo o Novi I, com a supervisão do Phil, chefe dos marinheiros. Em outra ocasião, volto a dirigir o bote, com a ajuda do Rosso. Sempre simpático, ele me ensina várias táticas e manobras.

Durante meu plantão noturno, Phil vem conversar comigo. Diz que está gostando de mim. Pede uma chance, já que Mário não está me dando o devido valor. O comentário dele me deixa perplexa. Ainda recebo *e-mails* do Mário. Um pior que o outro. Tem sido muito doloroso aceitar que não estamos mais juntos. Não quero me entregar novamente da mesma forma. Nem poderia. Preciso de um tempo para refletir sobre o que aconteceu. Apesar de estar num momento de fragilidade, em que um pouco de carinho seria até bem-vindo, não sinto que possa confiar no Phil. Ele tem uma personalidade bipolar no ambiente de trabalho. Imagine na vida afetiva. Rosso me contou algumas histórias bizarras. Os dois trabalham juntos nos navios do Greenpeace há anos. Aparentemente, Phil já teve uma namorada a bordo, mas era mulherengo e ciumento ao mesmo tempo. Como isso é possível?

Chegam ao fim nossas três semanas de aventuras no Caribe. Fazemos as últimas compras antes de partir. Para atravessarmos o Atlântico em segurança, precisamos de comida — sobretudo alimentos frescos e perecíveis, como frutas, legumes e verduras — e de material para a manutenção do Arctic Sunrise. Parte da nossa preparação para a viagem inclui os cuidados com o lixo que produzimos a bordo. Depois que Mário se foi, Joslei assumiu a função de garbologista, a pessoa que organiza os dejetos do navio em diferentes contêineres. Temos muito trabalho para colocar tudo em ordem antes de zarpar rumo à Europa. Trabalho devidamente recompensado ao final do dia, com um fantástico jantar preparado pelo Rosso. A mais tradicional e autêntica pizza italiana! Para fechar com chave de ouro, saboreamos uma deliciosa *mousse* de maracujá, preparada pelo Daniel.

Naomi, uma das crianças da escola que visitamos, que ficou totalmente deslumbrada com nossa apresentação, vem a bordo para se despedir. Ela nos traz de presente alguns desenhos, em agradecimento pelo trabalho que fazemos pela Mãe Natureza. Também agradecemos, emocionados, a generosidade dessa menina tão sensível.

SANTO EUSTÁQUIO-AMSTERDÃ

Na hora de desancorar e partir, Ana e eu nos engajamos no trabalho de arrumação da âncora, usando um método ensinado pelo Flávio na campanha da Amazônia. Acontece que Phil, substituto do Flávio na função de chefe dos marinheiros, prefere adotar um procedimento diferente, em que um marinheiro arruma a âncora e o outro se responsabiliza pela comunicação durante a operação. Quando nos vê assumindo juntas a mesma função, ele fica completamente irado e cria um estresse generalizado.

Não é fácil manter a motivação no trabalho duro de manutenção do navio, com o sol na cabeça e os acessos de mau humor do Phil. Custei a me dar conta de que o problema dele comigo é pessoal. Decidi então falar a respeito com o novo capitão, Richard. Abro o jogo com ele. Tenho a impressão de que Phil está com o orgulho ferido, pois me propôs iniciar um relacionamento e eu recusei. Bastante compreensivo, Richard faz uma sugestão que me agrada muito. Sugere que eu aumente minha carga horária de vigílias e, pelo menos temporariamente, pare de trabalhar no convés, onde a convivência com Phil é direta.

Também tenho me dedicado aos serviços de manutenção no interior do navio. Estou aprendendo um pouco de carpintaria. Lixar e pintar parece fácil. Mas é preciso saber o momento certo de parar, a maneira correta de sobrepor as diferentes camadas de pintura, as estratégias necessárias para evitar que se formem bolinhas de ar na superfície da madeira...

Alguns tripulantes se animam para acompanhar a final da Copa do Mundo, entre Itália e França. Quanto a mim, perdi o interesse após a eliminação do Brasil. Prefiro aproveitar meu dia de folga para assistir a dois documentários do diretor americano Michael Moore: *Tiros em Columbine*, uma crítica à publicidade e ao fácil acesso às armas de fogo nos Estados Unidos, e *Fahrenheit 9/11*, um ataque ao governo Bush e sua postura belicista. Pego emprestados no *lounge* alguns livros sobre Amsterdã, cidade onde vamos aportar em breve, que me interessa em particular pelas tendências liberais e multiculturais.

Estamos no mar aberto. Ahoy! Adicionamos uma hora ao nosso fuso horário. Serão dezessete dias de navegação até o Velho Continente. Quando posso, sou capaz de passar horas observando o oceano. Sinto uma paz incomensurável.

Adoro fazer plantões junto com Adrian. Conversamos bastante, especialmente sobre navegação. Ele me mostra um sextante que temos a bordo. Parece complexo fazer os cálculos necessários para utilizá-lo. Sobretudo para alguém como eu, que sempre detestou matemática. Trabalho também nas salas de máquinas, me aproximando do universo dos engenheiros. O local é barulhento, quente. É fácil perder o equilíbrio lá dentro. Não deve ser moleza trabalhar diariamente nesse ambiente fechado, sem fazer a menor ideia do que está acontecendo lá fora.

Phil vem se desculpar pela hostilidade que se criou entre nós. De fato, tenho sentido a tripulação dividida, o que é bastante desagradável. Damos um abraço cordial. Espero que o clima no navio volte a ser amistoso como antes.

No dia seguinte, é aniversário do Tom, o marinheiro belga que procurou me incutir ideias anarquistas. Então nos deliciamos com uma *mousse* de chocolate especialmente preparada pelo Dani para a ocasião. É um prazer bem-vindo depois de um dia duro, pintando o chão do porão e depositando areia para evitar que a tripulação escorregue ao pisar.

O aportamento em Amsterdã se aproxima. Teremos que esperar seis horas antes de deixar o navio, em observância aos procedimentos de quarentena. O processo de entrada na Europa é o mais rigoroso que presenciei até agora. Faço meu último plantão noturno, acompanhando a tensa passagem pelo Canal da Mancha. É preciso cautela durante a travessia, pois estamos próximos de outros navios, e nem todos aparecem nos radares.

Ana e eu somos escaladas para a limpeza do *freezer*. Ficamos chocadas com a quantidade de comida que precisamos descartar. Quilos de peixes, carnes e até legumes.

Em momentos como esse, questiono a continuidade do meu trabalho junto ao Greenpeace. Admiro a história e a atuação da Organização ao longo de tantos anos. Mas esse tipo de situação, de desperdício, me deixa bem triste. Será muito bem-vinda a oportunidade de desembarcar na Europa e buscar meios para me manter em terra por um tempo. Poderei refletir melhor sobre o assunto, o que não é simples enquanto estou embarcada, envolvida na intensidade dos acontecimentos diários.

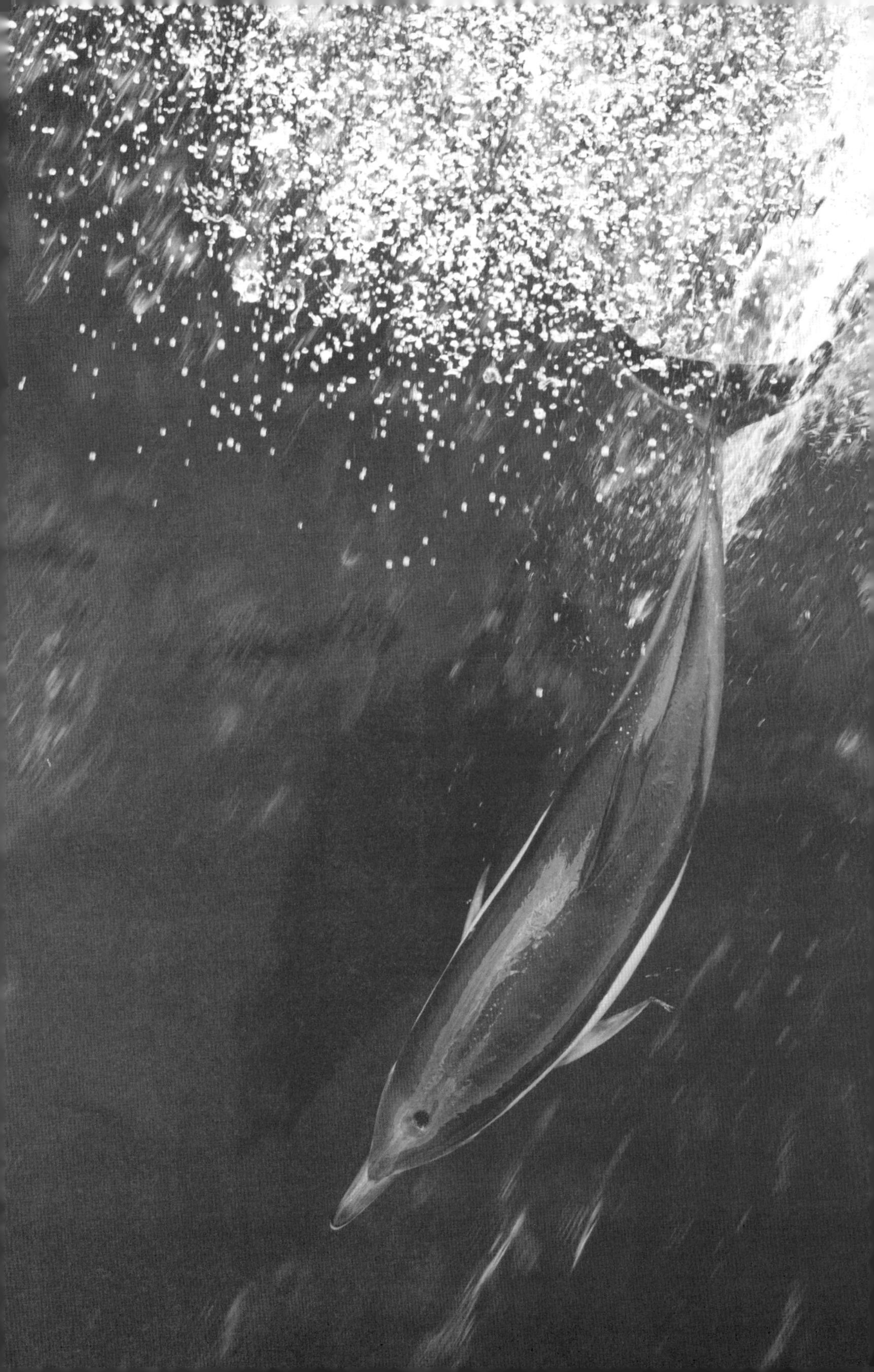

Monsterboekje
Seaman's book

Number : A227161
Valid until : 10-07-2016
Name of Bearer : Chagas Da Veiga

First name and initials : Barbara V

Date of birth : 26-08-1983
Place of birth : Rio Dejaneiro
Country of birth : Brazil
Nationality : Brazilian
Issued at : Rotterdam, The Netherlands
Date : 10-07-2006

The Head of the Shipping Inspectorate

H. Bosman-Koch

Blood group test:

Signature of bearer:

Dit boekje bevat 30 genummerde bladzijden.
This book contains 30 numbered pages.

CAP 03

BLACKPOOL

Janeiro de 2007.
Sem destino certo, caminho pelas ruas frias e úmidas de Blackpool, cidade portuária da Inglaterra. Passo em frente a uma cigana. Nunca fui uma pessoa mística, mas peço uma consulta, só por curiosidade.

Ela faz muitas previsões. Viajarei o mundo. Terei vida longa. E um casamento, em breve. Encontrarei o sucesso profissional, porque tenho ótimas ideias. Não serei milionária, mas contarei com uma situação financeira confortável. Ela diz ainda que o pior, na minha vida, eu já passei. E que o único setor que ainda preciso trabalhar, no futuro, é o familiar.

Pudera.

Quando eu era criança, adorava passar o dia na casa da Thaís ou da Stephanie. Nesses lugares, encontrava um pouco de atenção. Refeições à mesa junto com os pais das minhas amiguinhas. Essa era a harmonia que gostaria de ver na minha casa, mas, infelizmente, não tinha esse poder de decisão.

Por razões diversas, meus pais nunca estavam presentes. Meu pai era alcóolatra e eventualmente usava drogas. Tinha recaídas crônicas, não importava o dia da semana. E minha mãe, talvez com medo ou falta de habilidade para lidar com a situação, encontrou refúgio no trabalho. Como era médica, saía muito cedo e chegava muito tarde, sempre envolvida em intensos plantões. Nas raras ocasiões em que nos encontrávamos, ela nunca expressava amor. Nada de abraços nem palavras doces ou pequenos gestos de afeto.

Eu estudava em dois colégios ao mesmo tempo, cursando a mesma série. Um no período da manhã, outro à tarde. Foi a maneira que eles acharam de me ocupar com um dia inteiro de atividades. Tínhamos períodos alternados com babás, mas, na verdade, era o meu irmão, cinco anos mais velho, quem cuidava das tarefas da casa — e de mim. Era obrigado pelo meu pai.

Por isso, em geral, as lembranças da minha infância são doloridas. Exceto uma: eu escrevia cartas. E enviava para os meus pais, por sentir falta deles em casa.

As cartas me faziam escapar para um lugar onde eu pudesse ser feliz. Onde tudo era possível. Cada cartinha vinha de um país diferente. No lado de fora do envelope, desenhava um selo e escrevia: "carta que veio da Grécia", "carta que veio da Austrália", "carta que veio do Marrocos"... Dentro do envelope, uma descrição completa do que estava sentindo e descobrindo nesses lugares que me pareciam tão íntimos, embora eu nunca tivesse pisado em algum deles. Descrevia, por exemplo, as águas cristalinas da Grécia. Perguntava se eles estavam bem. Prometia que, onde quer que eu estivesse, pensaria neles com carinho e saudades.

Lembro que as cores dos lugares eram muito vivas. Como pinturas de Van Gogh. As pessoas eram gentis comigo. Eu aprendia a comer coisas diferentes. A falar outras línguas. Todos me pegavam pela mão, me mostravam novidades. Tinha muitos amigos. Estava sempre sorrindo.

Quando finalmente visitei, adulta, os lugares incríveis que só conhecia na imaginação, enviei postais para os meus pais, e para os amigos também. Postais do mundo inteiro. Fiz disso um ritual: a cada destino em que parava, precisava mandar notícias. Compartilhar o que estava vivendo. Não deixava morrer a esperança de que a escrita pudesse me conectar com a minha família. Porém, mesmo de muito longe, essa tentativa ainda parecia fracassar.

Nos anos em que estive fora do país, minha mãe nunca me telefonou. Nunca abriu espaço para uma aproximação. Nem mesmo se interessou em saber como estava a minha vida. Meu pai chegou a me pedir perdão pelas suas falhas. Pelos traumas que o álcool e as drogas causaram na nossa família, e em mim. Perdoei. Embora seja difícil ignorar a marca que fica, após décadas de ausência paterna.

Numa das minhas passagens pelo Brasil, perguntei a minha mãe onde estavam aquelas cartas de infância. Queria saber, intrigada, como consegui chegar tão longe (literalmente) com isso. Infelizmente, todas foram jogadas no lixo, assim como outras que enviei para ela depois. Minha mãe não guardou sequer a memória daqueles escritos, tão especiais para mim.

E assim foi.

Sem saber, transformei em realidade uma aventura que habitava a minha fantasia de criança. Devo isso aos barcos em que naveguei. Aos companheiros que conheci. Aos meus desejos de mulher curiosa, que acabou encontrando no mundo inteiro aquilo que buscava dentro de casa. Acabei encontrando na mãe natureza, nas suas mais diversas formas, a harmonia que não tinha em família. E decidi lutar para preservar essa harmonia. Uma luta que já se esboçava na minha adolescência, quando eu mantinha na parede do quarto um pôster com a foto de uma linda baleia azul, ainda sem entender com clareza por que aquela imagem me tocava tanto.

Todo jovem parece buscar um propósito na vida. Fui vocalista de uma banda grunge. Frequentei comunidades de rock. A música sempre me chamou atenção. Mas não pertencia de fato a nenhuma das tribos com os quais andava. Não até os catorze anos, quando surgiu meu interesse por questões socioambientais.

Nos fins de semana, gostava de fazer trilhas até praias isoladas. Ficava indignada ao ver que as pessoas jogavam lixo na areia e nas trilhas, sem qualquer preocupação com o futuro desses dejetos, e muito menos com o futuro do planeta. Comecei a pesquisar as relações entre o lixo e o meio ambiente. Descobri na internet grupos de discussão sobre o tema, que partiam daí para discussões ecológicas mais amplas. Passei a participar de mutirões, até criar o meu próprio, junto com amigos. Arregaçávamos as mangas para limpar as praias mais selvagens do Rio de Janeiro.

Nosso grupo variava entre cinco e quinze pessoas. Tinha gente de todas as idades. Entrávamos nas trilhas levando quilos de sacos plásticos e luvas para objetos cortantes. Dentro de três ou quatro horas, voltávamos com os sacos cheios de lixo, usando pequenos troncos caídos no chão como apoio. Eu saía dos mutirões com aquela sensação boa, de dever cumprido.

Depois de bastante tempo dedicado a esse trabalho, percebi que limpar as praias me fazia sentir uma pessoa melhor, mas não solucionava o problema da falta de educação da nossa população. No fim das contas, estava apenas limpando a sujeira dos outros. Foi aí que me perguntei como poderia me envolver em ações mais efetivas.

Procurei o Greenpeace, mas passei meses sem retorno. Consegui chegar ao Guilherme, coordenador de uma campanha antinuclear. Ele era de Porto Alegre, mas estava no Rio, e me passou os telefones de alguns voluntários cariocas. Eu ligava e ninguém atendia. Só uma pessoa, que me disse que o Greenpeace estava de férias, e todos estavam viajando naquele período de recesso. Desliguei o telefone indignada: "Como assim, de férias? O planeta não pode tirar férias!". Passado o recesso, voltei a telefonar. Por fim, passei a frequentar semanalmente o grupo de voluntários. Sempre assídua e pontual. Participei de todas as atividades na cidade naquele momento. Provavelmente era o compromisso mais importante que já tinha assumido na vida.

Apaixonada por fotografia e cinema, eu estudava jornalismo numa faculdade de comunicação social. Escolhi usar a comunicação para dar voz a causas importantes. Coisa que o Greenpeace fazia muito bem, desde a década de 1970.

Sabia que poderia aprender muito com a ONG. Já desconfiava que essa escolha me proporcionaria um estilo de vida muito distinto daquele, normal e pacato, que 99% das pessoas escolhem. Em pouco tempo, comecei a viajar a outras cidades, em campanhas diversas. Até que recebi um telefonema que realmente me marcou: era o Madalena, do escritório de São Paulo, me convidando para trabalhar embarcada num dos navios da Organização, que chegaria ao Brasil para a campanha da Amazônia.

Estava prestes a terminar a faculdade. Tranquei a matrícula. Dali em diante, aprendi a fazer de um barco a minha nova casa.

AMSTERDÃ

Foi a bordo do Arctic Sunrise que avistei, pela primeira vez, uma porção de terra do Velho Continente. Chegamos a Amsterdã às duas da madrugada. Jogamos as cordas, senti um arrepio. Finalmente: a Europa!

Mesmo no escuro, a primeira impressão do porto foi interessante. Nada parecido com as cores fortes do Caribe. Atracamos numa área industrial. Corvos, patos e cisnes recepcionaram o navio. Depois de cruzar o Atlântico, comemoramos nossa travessia brindando com espumante e vodca pelas memórias do percurso. Os momentos de tensão e de alegria. A oportunidade de compartilhá-los e relembrá-los nos fez sentir unidos como irmãos, pelo menos por uma noite.

Apesar de cansada, acordei cedo no dia seguinte e trabalhei com afinco, antes de desembarcar para explorar Amsterdã. Peguei um ônibus e circulei pela cidade, impactada por tudo que testemunhava ao meu redor. Bondes, carros, bicicletas. Vitrines com roupas exóticas e desenhos de cogumelos em *tie-dye*. As famosas lojas Bulldog vendendo maconha, com cardápios do lado de fora, oferecendo uma variedade de combinações. Nunca tinha visto tantas culturas misturadas num mesmo ambiente. A variedade gastronômica também era impressionante. Dani, Rosso e eu jantamos num restaurante italiano. Depois nos encontramos com Ana para um sorvete. Apesar de extremamente urbana, Amsterdã tem muitas árvores, rios e canais. Gostei especialmente das casas flutuantes. Charmosas e românticas.

Em outra ocasião, saí para passear sozinha. Procuro estar só de vez em quando, para refletir. E também para fotografar, passar os olhos em algum jornal local, responder *e-mails*, dar telefonemas... Coisas a que temos acesso restrito num navio. Não entendo nada de holandês, mas Amsterdã é bastante internacional, então costumava ler e falar em inglês.

Perto da Estação Central ferroviária, numa praça, passei por uma festa Hare Krishna, pouco antes de almoçar num restaurante chinês que ficava em frente a um templo budista. Aparentemente, a diversidade religiosa também é uma realidade na cidade. Amsterdã é a verdadeira capital da tolerância. A liberdade se faz presente na arte, na música, no respeito à opção sexual de cada um, nos modos de se vestir e pensar das pessoas. No fim do dia, me encontrei com grande parte da tripulação num *pub* irlandês de dois andares, com música ao vivo. Um sujeito tocava uma gaita de fole com uma velocidade de tirar o fôlego, dedilhando e trocando de notas a cada milésimo de segundo. Experimentei a cerveja local nas versões vermelha, preta e amarela. E saí para mais uma caminhada, na companhia do Rosso. Ele já tinha morado na Holanda por quatro meses, então foi o alvo perfeito para ser metralhado pelas minhas perguntas de menina fascinada, descobrindo um mundo que se descortinava.

No porto, podíamos nos dedicar melhor à manutenção e organização do Arctic Sunrise. Testamos o guindaste, que apresentava problemas. Passamos semanas fazendo reparos na caixa de âncora. A lista de tarefas parecia não ter fim. Num navio é sempre assim. A ferrugem nunca para de crescer. O cuidado precisa ser constante. Trabalhei na pintura do mastro. No início, fiquei amedrontada por ter que subir tão alto. Mas logo me senti confortável com as cordas e a altitude, além de emocionada pela visão que pude ter do navio lá de cima.

Também dedicamos tempo de trabalho a treinamentos. Escaladas, condução de botes ou outras habilidades importantes para as ações da ONG. Num desses treinos, me diverti dirigindo o inflável Novi II à velocidade máxima, como se apostasse corrida com os outros dois botes pelos canais de Amsterdã. Em outra ocasião, visitamos o antigo navio Sirius, do Greenpeace, que permanece aberto à visitação. Rosso ficou com um brilho nos olhos ao rememorar histórias que viveu no navio onde iniciou seu trabalho junto à Organização, anos atrás.

Phil deixou o Arctic Sunrise e embarcou no Rainbow Warrior, para coordenar uma ação de quatro semanas. Uma ação tão séria que não havia nenhum voluntário na tripulação, apenas funcionários contratados e experientes. Quando nos despedimos, Phil me pediu desculpas pelas nossas desavenças. Chegou a chorar. Da minha parte, não restou qualquer mágoa. A chefe dos marinheiros passou a ser Sara — uma mulher! Adorei a novidade. E o novo capitão, Derick, subiu a bordo.

Apesar de estarmos em julho, pleno verão europeu, fazia um friozinho pela manhã. Então não era fácil sair da cama às 6h30, hora do *wake up call*. A vantagem é que a jornada de trabalho acabava às 16h. Ainda sobravam algumas horas até o momento de dormir. Horas para relaxar e conhecer a cidade.

Fui com Leisinho ao Museu de Anne Frank. O diário dela foi um dos livros mais emocionantes que já li. Momentos extremos de confinamento, dor e sofrimento, por causa da guerra. Como muita gente em Amsterdã anda de bicicleta, esse meio de transporte tão ecológico e saudável, fiquei incomodada pelo fato de não saber andar de bicicleta também. Constrangida, confessei a Leisinho essa frustração infantojuvenil. E ele resolveu me ensinar. Decidi deixar a vergonha de lado, peguei uma das bicicletas que tínhamos no Arctic e fomos juntos para uma área livre no porto. Vinte e dois anos sem andar de bicicleta? Estava determinada a aprender, e ele determinado a me ajudar. Com um treinamento insistente, de mais ou menos uma hora e meia, consegui me equilibrar nas duas rodas de borracha! Fiquei rindo à toa, tamanha a felicidade pela minha vitória. Pensei no meu pai, que completava 56 anos neste mesmo dia. Dediquei essa conquista a ele, como um presente simbólico. Uma espécie de homenagem.

Passei a investir qualquer tempo livre na minha nova habilidade. Adotei aquela bicicleta como minha, porque era pequena como eu, e pintada com um adorável tom de roxo. Andar de bicicleta me dava uma enorme sensação de liberdade. Assim como a própria oportunidade de estar na Europa, onde poderia permanecer por três meses com meu visto de turista. Mantive meus plantões de vigília até o dia de iniciar minha viagem por terra, pelo continente europeu. Alguns dos meus novos amigos estrangeiros me ofereceram hospedagem em suas próprias casas, ou nas casas de familiares e conhecidos. Rosso mostrou-me mapas e me ajudou a planejar o roteiro, além de convidar-me para que eu me hospedasse em sua casa, na Itália, depois que ele desembarcasse. Antes disso, eu passaria alguns dias, ainda em Amsterdã, na casa da holandesa Kirsten, amiga do tunisiano Mehdi, que eu tinha acabado de conhecer num evento social no Arctic. Ela já morou no Rio e teve até um namorado brasileiro. Fiquei com a impressão de que Kirsten gosta de relacionamentos à distância, porque seu novo namorado estava morando na África por um ano, trabalhando com o Médicos Sem Fronteiras.

Preparamos um *open boat*. E recebemos uma fantástica doação de roupas da marca Patagonia. Amsterdã estava fervendo com um evento *gay*. Bandeiras de arco-íris por toda parte. Os canais foram tomados por carros alegóricos flutuantes. Animadíssima, Faye me convidou para uma festa ao ar livre. Numa outra noite, ela me convidou também para jantar na casa de um amigo indiano, onde o ambiente e a comida eram tão tradicionais que me senti na própria terra de Gandhi. Disseram, aliás, que pareço uma indiana. Será?

Visitei o grandioso escritório do Greenpeace Internacional, com seus múltiplos andares e salas repletas de computadores, e uma exposição maravilhosa de Rembrandt. Mas as horas mais bonitas que passei em Amsterdã foram no museu do meu pintor favorito, Van Gogh. Que obras magníficas. Que cartas poéticas ele escrevia ao irmão Theo. Jamais me esquecerei dessa experiência. Também visitei o zoológico e fiquei admirada com a infraestrutura que eles oferecem aos animais. Ainda assim, não consegui evitar a angústia ao vê-los encarcerados em espaços tão limitados. O urso polar fazia movimentos repetitivos, indo de um lado para o outro, visivelmente estressado.

O capitão Dereck assinou meu *seaman's book*, um documento oficial onde se registra cada porto de entrada e de saída de um navegante, comprovando que eu agora era uma profissional dos mares. Passaporte à mão e mochila nas costas, chegou a hora de me despedir do Arctic Sunrise. Ana veio me abraçar. Choramos muito. Também foi difícil dizer adeus a Leisinho. O cara que me ensinou a andar de bicicleta.

Depois de passar pela imigração, peguei um bonde até a casa da Kirsten, onde fui muito bem recebida. Mehdi chegou no mesmo dia de Paris, cidade onde ele mora parte do ano, quando não está trabalhando em Amsterdã ou visitando a família na Tunísia. Fomos jantar os três juntos num restaurante tailandês. Conversamos animadamente, enquanto eu mostrava fotos e vídeos das ações. Kirsten só fechou a cara quando mencionei o nome do Phil, que ela conhece há alguns anos. Recomendou que eu não me aproximasse, porque ele já feriu os corações de várias mulheres, além de ser uma pessoa emocionalmente instável. Eu não pretendia me aproximar. Embora soubesse que ele chegaria a Amsterdã dali a alguns dias, para se hospedar também na casa da Kirsten.

No dia seguinte, Kirsten deu uma grande festa para comemorar seu aniversário. O apartamento ficou entupido de gente. Cada pessoa que chegava trazia um prato ou uma bebida diferente. Fiquei um pouco impressionada com o uso liberado de cocaína. Nada que me impedisse de dançar até me acabar. Quando acordei, de manhã, ainda encontrei um pessoal batendo papo e jogando baralho, em meio a uma sala completamente revirada. Dei uma organizada no apartamento, na medida do possível, e preparei o almoço.

Também aproveitei a liberdade de dormir até a hora que quisesse, sem *wake up calls* às 6h30 da manhã. Coloquei as leituras em dia. Cuidei da pele. Vaguei pela "cidade livre" em busca de um restaurante brasileiro indicado por um conhecido. Foi bom matar as saudades do arroz com feijão. O melhor amigo da Kirsten, Oscar, me levou para conhecer um mercado de rua que toma conta de três quarteirões, onde se encontra de tudo. Acabei comprando um recarregador de pilhas, porque tinha esquecido o meu no Arctic Sunrise. Comprei também um telefone celular que pode ser usado em diferentes países europeus. Passeamos pelo Vondel Park entre as pessoas deitadas na grama, curtindo o verão. Oscar me ensinou um jogo de baralho holandês bem divertido. E fez até a gentileza de cortar o meu cabelo, que já estava quase na cintura. Fiquei bastante grata, porque os cabelereiros que pesquisei cobravam caro demais.

À noite, Kirsten e Oscar cismaram que eu precisava de uma experiência autêntica holandesa, num barzinho onde houvesse mais frequentadores locais do que estrangeiros. Fomos a um lugar chamado The Water Hole, na região de Leidsplein. Jogamos sinuca, dançamos música holandesa (e americana também), rimos e falamos a noite inteira sobre a importância de viver o momento, sem medo de explorar novas culturas pelo mundo. Ficou ecoando na minha mente aquela frase do Niemeyer. A vida é um sopro.

Recebi um *e-mail* da Ana contando que Rossano e ela estavam namorando. Fiquei muito feliz pelos dois. Mário também me escreveu um *e-mail* enorme, explicando o que tinha acontecido nas semanas anteriores. Disse que se entristeceu com os comentários alheios e com os meus. Fiquei enjoada. Não consegui ler até o fim.

Enquanto isso, fazia planos para passar meu aniversário com Kirsten em Paris, esperando contar ainda com a companhia do Mehdi e do Phil. O único problema era que os dois não se falavam, depois de alguns desentendimentos.

Quando Phil chegou em Amsterdã, Kirsten e eu jantamos com ele num restaurante de culinária etíope, exótica e deliciosa, enquanto ouvíamos suas histórias de aventura a bordo do Rainbow Warrior. Eles navegaram por locais afetados pela guerra do Líbano. Do navio, podiam escutar explosões e rajadas de metralhadora. Curiosamente, Phil me pareceu muito mais agradável fora do contexto de convivência diária que tínhamos no Arctic. Conseguia até ser engraçado, às vezes.

Passamos juntos o último dos meus 34 dias na Holanda, antes de pegarmos o trem para Paris. Compramos passagens para um vagão de primeira classe, porque queríamos celebrar meu aniversário em grande estilo. Uh-lá-lá!

PARIS

A Cidade Luz!

Tivemos a sorte de conseguir hospedagem na casa do Pierre, coordenador de ações do Greenpeace em Paris, que estava de férias e gentilmente deixou as chaves conosco. A casa tinha dois andares e um quarto para cada um de nós. A localização não podia ser mais bacana: o bairro de Belleville, onde nasceu Édith Piaf. As ruas eram silenciosas, mas os cafés viviam cheios.

Pegamos o metrô para nos encontrar com meu querido amigo Mehdi. Talvez por ser meu aniversário, Phil e ele mantiveram uma convivência tranquila e respeitosa. Eles me levaram a alguns pontos turísticos. À Catedral de Notre-Dame, ao Boulevard Saint-Michel e à Basílica de Sacré Coeur no lindo bairro de Montmartre, que rapidamente se tornou meu favorito. Comemos numa creperia incrível. Erguemos taças de Veuve Clicquot, meu espumante preferido. Um luxo que jamais poderia se transformar em hábito, pois consumiria meus escassos recursos em poucos dias. Mas era preciso brindar aos meus 23 anos de vida. Encerramos a comemoração da melhor maneira possível: admirando uma vista mágica da Torre Eiffel iluminada à noite.

Depois de me despedir da Kirsten, que precisou retornar a Amsterdã para trabalhar, voltei à fascinante tarefa de desvendar Paris. Andei pela Champs-Élysées até o Arco do Triunfo. Passeei por parques floridos. Comprei alguns livros e revistas para praticar o francês, após confirmar a fama dos parisienses de torcerem o nariz para estrangeiros que pedem informações em inglês. Para relaxar, tomei um banho de banheira lendo poesia francesa e ouvindo algumas pérolas da sensacional coleção de CDs e vinis de jazz, rock e pop do nosso gentil anfitrião Pierre.

Adorava me entregar a prazeres cotidianos tipicamente parisienses. Ir à padaria para comprar *croissants*. Ir à *fromagerie* para degustar queijos. Escolher um bom vinho para acompanhar as minhas peripécias gastronômicas. Em contraste com essa autêntica *joie de vivre*, porém, me entristecia ver mendigos pedindo esmolas ou cigarros na rua, ou imigrantes ilegais vivendo em desespero nas periferias da cidade. É terrível testemunhar a pobreza rodeando o mundo.

Avisei à minha família sobre a estadia em Paris. Meu irmão Marquinhos me fez lembrar da Dalva, uma senhora que tinha trabalhado para gerações passadas da família e acabou se tornando uma boa amiga. Ela se casou com um francês, com quem vivia por mais de trinta anos. E ficou felicíssima ao ouvir a minha voz pelo telefone, pois da última vez que me viu eu ainda era pequena. Dalva me convidou para almoçar na sua casa e me recebeu com uma alegria contagiante. Apesar da idade, e de ter perdido o filho e o marido num acidente trágico, ela é uma mulher cheia de vida e energia. Colocou um CD do Caetano, dançou para mim, fez um feijão de dar água na boca e ainda me deu de presente um vestido, uma bolsa e um sapato. Uau! Terminamos a noite num restaurante turco, para continuar nossa conversa que não terminava nunca. Histórias sobre a vida dela, sobre a experiência com a minha família, sobre tanta coisa que fiquei preocupada em perder a hora do último metrô. Chegamos a nos encontrar outras vezes durante minha estadia em Paris, inclusive numa tarde animadíssima em que comemos num restaurante com música brasileira ao vivo, na região de Saint Georges.

Jean-Claude, atual marido da Dalva, me levou até o Palácio de Versalhes. A pequena viagem foi linda e a chegada ao palácio inesquecível. Passei horas absorvida pela história daquele lugar e pelas explicações de Jean-Claude, um excelente guia. Passei o resto do dia sonhando com aqueles jardins esplêndidos.

A ida ao Louvre também foi extraordinária. Quando me deparei com a imensidão daquele museu, um dos maiores do mundo, fiquei extasiada. Admirei de perto a minha escultura favorita, *Cupido e Psiquê*, do artista italiano Antonio Canova. E depois de processar tudo o que vi e não vi, me sentindo preenchida de arte e história, fui me encontrar com Marlene, uma amiga da Dalva, para tomar um *cappuccino* ali perto. Ela me acompanhou também numa visita aos jardins de Luxemburgo, onde havia barraquinhas vendendo crepes e sorvetes. Finalizei esse dia maravilhoso saboreando um crepe de queijo, seguido por um sorvete de pistache de sobremesa.

Marlene havia morado em Paris com o falecido marido. A fim de superar a morte dele, decidiu apostar num recomeço, na Suíça. Mas não suportou o alto custo de vida na Basileia, então resolver retornar a Paris, à mesmíssima rua da antiga residência. Como ela ainda estava transportando seus pertences de uma cidade à outra, perguntou se eu gostaria de ajudá-la com a mudança, hospedada na casa dela, e assim poderia conhecer a capital cultural suíça. Concordei imediatamente, animada com a possibilidade de visitar mais um país europeu.

Conheci o escritório do Greenpeace em Paris, numa pequena visita guiada por dois funcionários da área de comunicação. Almocei com Phil num restaurante vietnamita. Ele já tinha marcado a passagem de volta à Nova Zelândia. Falamos sobre os nossos planos, entre algumas pausas silenciosas. Apesar de termos passado pouco tempo juntos em Paris, gostei de poder dizer adeus sem rancores.

Na véspera da minha despedida da Cidade Luz, voltei ao restaurante de música brasileira onde tinha ido com Dalva, dessa vez na companhia da Marlene. Ela é uma senhora de certa idade, bastante amargurada pelo passado de perdas que carrega, mas adora sair para dançar e paquerar. Chega a ser engraçado. Por que não? Como o show terminou cedo, à uma da manhã, esticamos num restaurante mexicano ali perto, que toca música latina. Na transição entre um lugar e outro, conheci Olivier, um francês extremamente charmoso, de trinta e poucos anos. Conversamos a noite inteira. Além de belíssimo, descobri que ele é um homem brilhante. Fala diversos idiomas, inclusive português, porque morou um tempo em Portugal e visitou o Brasil diversas vezes. Lamentei que estivesse indo embora, tentadíssima a ficar em Paris por mais alguns dias, ao lado de alguém tão atraente. Mas não me sentia pronta para me relacionar com outra pessoa. As feridas dos últimos meses ainda não tinham cicatrizado. Antes de sair do restaurante, trocamos telefones e *e-mails*. Ele me convidou para almoçar no seu apartamento no dia seguinte, antes de pegar o trem. Não pude recusar. Terminamos a noite vendo a lua nascer na escadaria da Sacré Coeur.

Tensa, a caminho do almoço com Olivier, não fazia ideia do que levar. Vinho? Queijo? Sobremesa? Comecei a pensar que poderia ser perigoso me enfiar na casa de um estranho. Me vieram à cabeça aquelas histórias de pessoas que vão a uma festa, levam um golpe do tipo "boa noite, cinderela" e acordam na manhã seguinte sem os rins, numa banheira cheia de gelo. Mas minha preocupação se atenuou quando me lembrei da noite incrível que passamos juntos, a lua cheia, a escadaria da Sacré Coeur... Deletei a imagem mental de mim mesma deitada sem os rins numa banheira cheia de gelo e decidi me arriscar a ser feliz nas minhas últimas horas em Paris.

Cheguei de mala e cuia ao adorável apartamento próximo à Gare Du Nord, onde fui recebida ao som de Marisa Monte. Como na véspera, a conversa fluiu fácil. Olivier me contou da sua recente separação, após um relacionamento de quatro anos, dizendo que ainda estava se recuperando das mudanças na sua vida. Adorei os quadros e fotografias decorando o duplex que ele divide com seu melhor amigo. Parece ser um homem sensível, com um bom olhar para a arte. Muito envolvente. Ele me disse ainda que iria para Lisboa na semana seguinte, para passar dez dias entre compromissos de trabalho e a visita a um amigo. Então me convidou para ir com ele. Estremeci, sem saber o que dizer. As duas horas que passei com ele pareciam eternas. Queria que não terminassem nunca. Mas precisava partir.

Ele me levou à estação de trem. Senti que tínhamos muito em comum. E que, se eu ficasse em Paris por mais um tempo, seria capaz de me apaixonar novamente. Por outro lado, algo dentro de mim insistia que era preciso ir com calma. O velho medo de me machucar falava mais alto.

Olivier me deixou dentro do vagão do trem. No último minuto, havia uma tensão, uma vontade enorme de ficar. Quando o abracei, senti seu cheiro mais de perto. O beijo de despedida, no rosto, foi terno. No coração, ficou a impressão de que aquela história não terminaria ali.

SAINT-LOUIS & BASILEIA

A casa onde me hospedei fica em Saint-Louis, na Alsácia, que ainda faz parte do território francês, mas é tão próxima da Basileia que, em poucos minutos, chega-se de ônibus a ruas suíças. Na verdade, a região tem a peculiaridade de se situar na fronteira de três países: França, Suíça e Alemanha.

Como Marlene havia comentado, a vida na Basileia é de fato cara. As ruas são impecavelmente limpas. Até a pessoa mais pobre possui um automóvel e mora num bairro agradável. Andei às margens do Rio Reno e me sentei num café para ler e descansar, quando de repente recebi uma ligação do Olivier. Falamos como se estivéssemos séculos sem nos ver. Nossa afinidade era de fato singular.

Ajudei Marlene a encaixotar alguns pratos e talheres, refletindo sobre a situação dela. Não deve ser fácil recomeçar a vida sozinha, depois de ter construído uma longa trajetória com alguém que se foi. Um vizinho veio visitá-la. Ele é vidente. Disse que eu me casaria com um parisiense. Meu coração quase saiu pela boca. Obviamente pensei no Olivier. Mas achei tudo isso uma loucura. De qualquer modo, não seria esforço nenhum me casar com um parisiense, já que me apaixonei perdidamente por Paris.

ESTRASBURGO

Hora de respirar um pouco os ares da Alemanha!

Marlene me levou a Estrasburgo, capital da Alsácia, à margem esquerda do Rio Reno. Na margem direita fica a cidade alemã de Kehl. Com a sorte de um belo dia ensolarado, fui explorar um pouco da cultura alsaciana, com o vestido azul em *tie-dye* que Dalva me deu de presente.

As placas estampam os nomes das ruas em francês e alemão. Várias construções têm um estilo medieval, compondo um cenário espetacular. A mais bonita de todas é a Catedral de Notre-Dame de Estrasburgo, construída no século XV, que foi a maior igreja do mundo até a construção da Catedral de Colônia, na Alemanha, no fim do século XIX.

Após a breve permanência na Alsácia, comecei os preparativos para minha ida à Itália. A caminho de Pesaro, onde passaria uma temporada com Rosso e Ana, decidi parar em Gallarate, cidade próxima a Milão, onde mora Geraldo, irmão da Dalva.

Antes de deixar Marlene, procurei ajudar ao máximo no processo de encaixotamento para a mudança. Agradeci pela hospitalidade e desejei que ela fosse feliz.

Embarquei em mais uma deliciosa viagem de trem, com belas paisagens verdes e muitas montanhas ao redor. Sorte que havia um vagão-restaurante, onde pude tomar um chocolate quente. Sentar à mesa de um café ao final do dia se tornou um ritual desde Paris. Um hábito difícil de mudar, que me ajudou a reler rapidamente *O Diário de Anne Frank* em francês.

■

GALLARATE

Geraldo foi me esperar na estação de trem em Gallarate, vestindo uma camisa da seleção brasileira. Não foi difícil reconhecê-lo. Conheci sua esposa Inês e sua filha Carolina, de dezesseis anos, além do restaurante brasileiro "Yes, Brasil", de cor verde bandeira, que eles mantêm na parte de baixo da casa. O local é muito bem decorado e bastante badalado.

À noite, fomos tomar um vinho num *pub* próximo. Caía uma chuva fina e delicada. Logo me encantei com o clima italiano. Geraldo me falou sobre sua trajetória. Foi motorista da minha tia Yara, até o dia em que ousou imigrar para a Itália e abrir um negócio próprio. Ele parece ter sido bem-sucedido nessa empreitada em que se lançou com Inês. Todos os anos eles viajam ao Brasil para visitar a família.

No dia seguinte, fomos a outro restaurante brasileiro, de amigos deles, com dançarinas de escolas de samba cheias de pernas e bumbuns para fora. Confesso que esse ambiente me agrada menos, mas os italianos pareciam adorar. Descobri que o dono do restaurante também era amigo do meu pai. Juntos, aprontaram bastante em festas na década de 1970. Ele me contou muitas histórias, enquanto eu saboreava um incrível feijão com farofa. Histórias de um tempo passado, quando eu ainda nem existia.

MILÃO & ROMA

O trajeto de Gallarate a Milão leva menos de uma hora de trem. Num dia ensolarado, fui visitar a cidade mais populosa da Itália junto com Carolina e dois amigos. Milão é agitada e elegante. Ruas cheias, prédios altos e propaganda de moda por toda parte. À noite, fomos dançar numa boate ao ar livre, dentro de um castelo.

Não tenho vergonha de admitir que adotei o hábito de tomar sorvete italiano em pleno café da manhã. O *gelato* é uma das maravilhas desse país. Não queria passar um dia sem experimentar um novo sabor.

Pegamos um trem até Roma, onde nos entregamos a um roteiro um pouco óbvio, porém inevitável numa primeira visita à Cidade Eterna. Vaticano, Panteão, Piazza di Spagna, Circo Máximo...

Adolescentes típicos, os amigos da Carol gostam bastante de badalar, então passamos a noite perambulando de bar em bar, fazendo o chamado *pub crawl*. Uma verdadeira mania entre os jovens na Europa, principalmente na Itália. A altas horas, num determinado bar, algumas pessoas começaram a brincar de *body shot*. A brincadeira consiste em derramar bebida no corpo de uma pessoa, geralmente na barriga, para outra pessoa lamber e sugar. Uma amiga da Carol, muito bêbada, quis participar, e acabou se agarrando com um sujeito qualquer. Confesso que achei meio excessivo. Me sentia um pouco responsável, porque era a mais velha do grupo. E temi a intensidade da ressaca no dia seguinte, no trajeto de volta a Gallarate.

PESARO & URBINO

Deixei Gallarate com vontade de regressar, após ser acolhida como uma filha por essa família que me presenteou com novas histórias e memórias sobre o meu pai. Ao chegar à província de Pesaro e Urbino, fui igualmente bem recebida pelos queridíssimos amigos Ana e Rossano, um casal cada vez mais apaixonado. Eles me buscaram na estação de trem de Pesaro e me levaram a Urbino, onde fica a magnífica casa do Rosso, que mais parece um *spa*. Para completar, ele preparou uma massa italianíssima, que jantamos com direito a vinho tinto e luz de velas.

O quarto onde me hospedei fica de frente para uma floresta. Ouvia o canto dos pássaros e sentia uma paz enorme. O terreno tem dois cavalos e uma burra chamada Rebecca. Ela é tão íntima do Rosso que chega a colocar a cabeça para dentro da casa pelas manhãs, numa espécie de *wake up call*. Para mim era um mistério como ela conseguia abrir a porta. Mesmo não sendo trancada a chave, não deixa de ser uma façanha para um equino.

Dormi as horas que precisava para recarregar as baterias. Saboreei o café da manhã do lado de fora, para aproveitar o sol e a companhia dos gatos, cachorros, cavalos, Rebecca e, logicamente, meus dois amigos. Ajudei a buscar madeira na floresta. E me dei ao luxo de tirar uma soneca após o almoço. Visitamos o centro de Urbino, cidadezinha histórica bastante simpática, e a capital da província, Pesaro, no litoral do Mar Adriático, que faz parte do Mediterrâneo. A estrada é belíssima. Paramos algumas vezes para caminhar e fotografar. Sob um céu estrelado, saímos à noite para um bar próximo onde tocava salsa. Ana é um pouco tímida para dançar, mas Rosso se mostrou um dançarino de mão cheia.

Após cinco dias de orgias gastronômicas, comecei a me preocupar com meu peso. Rosso nos serviu lasanha, *tagliatelle* e o melhor ravióli de queijo que comi na vida, tudo feito à mão!

VERONA, VENEZA & GALLARATE

Peguei um trem a Milão e outro de volta a Gallarate, porque dali pretendia visitar outras cidades próximas. Reencontrei Geraldo e sua família acolhedora. Fomos juntos a um *pub* chamado Vintage, com uma decoração futurista bem sofisticada.

Marcelo, um amigo da Carol, me fez um convite irrecusável: passar o dia em Verona e Veneza, onde é possível ir de trem em pouco tempo. Cansado de Minas Gerais, Marcelo foi morar na Itália em busca de uma nova vida. Ele é fotógrafo independente, mas no momento trabalhava numa fábrica e confessou que estava levando uma surra para aprender o italiano. Como tinha chegado recentemente, estava tão interessado quanto eu em conhecer as redondezas.

Fomos primeiro a Verona, onde visitamos a bela Arena e a tão cobiçada casa de Romeu e Julieta. Quem passa por lá deve seguir uma tradição: escrever seu nome e o da pessoa amada, em algum lugar de um muro repleto de nomes. Havia tantos, que eu não sabia onde escrever. Nem sabia que nome escrever. Olivier? Ou um ponto de interrogação, para que eu retornasse lá no futuro e completasse a lacuna quando tivesse certeza? Acabei escrevendo apenas o meu nome, a fim de registrar ali a minha presença.

Após uma breve viagem de trem, chegamos a Veneza. Que espetáculo os canais da cidade e as máscaras de carnaval por todo canto! O centro me pareceu excessivamente cheio. Muitos turistas disputando um espaço pequeno e concorrido. O consumo desenfreado de souvenires chega a ser irritante. Ainda assim, gostei de fotografar casais românticos em passeios de gôndola. Adoraria ter passado mais tempo na Piazza San Marco, mas Marcelo e eu precisávamos pegar o último trem de volta a Gallarate.

À medida que o mês de setembro chegava ao fim, percebi que as ventanias começaram a se tornar frequentes e a temperatura caiu um bocado. Era a chegada do adorável outono europeu.

Recebi um *e-mail* do Mário, contando que comprou uma minivan vermelha e está morando nela, pelos próximos meses, na Nova Zelândia. Naturalmente, não pude escapar do velho sentimento de dor, a mágoa pela nossa história mal terminada e mal resolvida.

Vi que estava em cartaz, num cinema em Gallarate, o filme *Piratas do Caribe II*. Como uma quase pirata que se meteu em apuros no Caribe, eu não poderia deixar de assistir. Gostei da oportunidade de me distrair e rir um pouco, admirando a beleza do charmosíssimo Johnny Depp.

Apavorada, descobri que uma das minhas calças jeans já não cabia mais em mim. Resolvi me oferecer para trabalhar no restaurante do Geraldo, porque assim, além de ganhar um dinheirinho, poderia queimar calorias em vez de acumulá-las. Meu plano também incluía corridas pela manhã, saídas à noite para dançar e caminhadas pelas minhas ruas favoritas da cidade. Entre um passeio e outro, ainda exercitava o meu italiano, tentando traduzir manchetes e matérias de jornais. Uma tarefa que ficava muito mais gostosa acompanhada por um sorvete de *nocciola* ou *pistacchio*.

●

BARCELONA

A cada dia e a cada lugar por onde passava, sentia que me conhecia melhor.

Depois de três semanas na Itália, me despedi dos queridos Geraldo, Inês e Carolina, e embarquei em mais um trem. Dessa vez, com destino à Espanha. Em treze horas cheguei a Barcelona. Fiquei hospedada no apartamento onde vive Alice, uma amiga brasileira, junto com seu namorado Ismael e outros dois *roommates*.

Alice é muito talentosa e inteligente. Em pouco tempo, já falava fluentemente o catalão. Não nos víamos havia dois anos. Ela tinha morado numa comunidade em Tenerife, uma das Ilhas Canárias, antes de se mudar para Barcelona. Nosso reencontro foi maravilhoso. Ela toca violão muito bem e tem uma voz linda. Me mostrou suas novas criações, letras de músicas e ilustrações.

Aproveitei um belo dia de sol para ir à praia, depois de meses. Admirei algumas feiras e galerias de arte contemporânea bem interessantes. Visitei pontos turísticos, como o deslumbrante templo da Sagrada Família. Passei horas observando os detalhes. Assisti ao espetáculo aquático dos chafarizes de Montjuic, um verdadeiro balé de luzes e jatos d'água ao som de peças de música clássica. Andando pelas famosas Ramblas, deparei com as típicas estátuas vivas: artistas de rua cobertos de tinta prateada ou dourada, que se fingiam esculturas, em troca de qualquer contribuição dos turistas. Havia também uns tipos engraçados que se vestiam de Che Guevara, Ronaldinho ou músicos conhecidos.

Fiquei fascinada pelo bairro gótico, onde se situa a Catedral. Também me encantei com o Parque Güell e a linda vista da cidade que se tem de lá. Comprei jornais e revistas locais para praticar o castelhano. E me esbaldei experimentando *tortillas* e outras delícias da culinária ibérica.

Ao final de um longo dia de caminhadas sobre tapetes outonais de folhas secas, ainda participei de uma fantástica *jam session*, rodeada dos tambores e vozes dos meus amigos músicos. Como a cantoria se prolongou até tarde, e os vizinhos não estavam desfrutando do show tanto quanto eu, resolvemos acabar a noite assistindo a um filme espanhol, o melancólico *Mar Adentro*.

Conheci David, um voluntário do Greenpeace na Espanha, que me levou para conhecer Montserrat, um grande maciço rochoso a cinquenta quilômetros de Barcelona. Visitamos também a bela praia de Garraf. Almoçamos num restaurante no topo de uma pedra, de frente para o mar. David adora ler, então tivemos muito o que conversar nesse agradável domingo.

No último dos meus onze dias na Catalunha, acordei cedo para me despedir da formosa praia de Bogatell, antes de me afastar novamente do mar, rumo a Madri. Parei por alguns instantes para meditar.

Dei um abraço forte e carinhoso na Alice. E encarei as quatro horas de estrada que me separavam da capital espanhola.

MADRI

O armazém do Greenpeace em Madri seria minha próxima hospedagem e local de trabalho, conforme eu havia combinado por *e-mail* com Juan, que trabalhava lá. Mas Juan estava fora da cidade, então tive que me hospedar na casa de uma voluntária, até que ele retornasse. Capi e eu não nos conhecíamos, a não ser por um breve contato telefônico. Ela gentilmente se dispôs a me buscar na estação de trem. Ao me ver, logo me reconheceu pela camiseta que eu usava da última campanha do Greenpeace. Bem sorridente, me fez muitas perguntas. Fiquei feliz em responder a todas elas.

Fomos ao apartamento da Capi para que eu deixasse minha bagagem, cada dia mais pesada por causa dos livros e outras lembrancinhas que fui comprando pelo caminho. Saímos para tomar uma cerveja com limão, uma verdadeira sensação na Espanha. Falamos sobre as campanhas em que trabalhamos, sobre a vida a bordo de um navio e minha grande expectativa de voltar ao mar em novembro, embarcada no Rainbow Warrior para uma campanha contra a pesca predatória do atum no Mediterrâneo. Tinha uma admiração especial pelo Rainbow, o único navio a vela do Greenpeace, que aproveita a força do vento como fonte de energia limpa para a navegação.

Mais fria do que Barcelona, Madri me lembrou São Paulo. Restaurantes e bares permanecem abertos até tarde a qualquer dia da semana. Supermercados, livrarias e cafés conferem à cidade um movimentado ar cosmopolita.

Caiu uma chuva forte, então me enfiei debaixo de uma colcha bem quentinha e fiquei lendo por horas, enquanto Capi estava no trabalho. Foi só no dia seguinte que saí para explorar o precioso acervo cultural *madrileño*: os museus do Prado e Reina Sofia. Fiquei emocionada por poder admirar obras de artistas espanhóis geniais, como Picasso, Dalí e Miró. À noite, conheci Juan pessoalmente na casa da Capi, onde estavam também Mapinha, com quem trabalhei na Amazônia, e Nacho, um sujeito engraçadíssimo. A conversa foi ótima. Uma última noite de puro prazer, antes de voltar à labuta, no armazém do Greenpeace. Na verdade, eu estava feliz em retornar ao trabalho. Viajar a turismo é bom, mas combinar o turismo com a luta por aquilo em que acredito, a preservação da natureza, é o que me completa.

Fui muito bem recebida no alojamento do armazém, um ambiente estimulante e multicultural. Mal deixei a bagagem no quarto, coloquei logo a mão na massa, ajudando na organização, limpeza e preparação para a próxima ação da ONG. Ao entardecer, perambulei pela Plaza de España, passando também pela Plaza Real e pela Catedral de la Almudena. Fiquei impressionada como Madri é rica em cultura e história. A chance de ver tudo isso de perto é tão diferente de apenas ler a respeito nos livros escolares...

Trabalhei no escritório do Greenpeace em Madri, auxiliando no que fosse preciso. Preparei cartazes e correspondências para uma campanha de clima. A filial espanhola da Organização é a única que trabalha com nove tipos de campanha — clima, florestas, energia, oceanos, agricultura sustentável, transgênicos, tóxicos, desarmamento e promoção da paz. É realmente admirável.

Respeitando a cultura local, fazíamos um almoço tardio, geralmente por volta de três da tarde. Costumava me encontrar com Mapinha e Nacho para comer, o que era sempre uma oportunidade de me divertir com a irreverência e as piadas do Nacho. Num desses dias, o charmoso Olivier voltou a me telefonar. Coincidência ou não, estávamos planejando uma ação do Greenpeace que envolvia uma viagem de carro a Mértola, em Portugal, país onde Olivier se encontrava naquele mesmo momento. Ele insistia para que marcássemos um encontro, mas eu resisti à ideia. Ainda não tinha me livrado do medo de me apaixonar novamente. De qualquer maneira, nossas conversas ao telefone me faziam muitíssimo bem.

Como o trabalho no armazém só acontecia de segunda a sexta, pude aproveitar o fim de semana para passear e relaxar. Capi, Nacho, Juan e eu fomos explorar uma noitada *madrileña*, num barzinho chamado Artépolis, onde havia um show de *hip-hop*. Achei curioso perceber que as roupas dos MCs e as letras das músicas são sempre iguais, em qualquer parte do mundo. Algum tempo depois, partimos para outro barzinho, caminhando. Adorava essa possibilidade, recorrente nas cidades europeias, de ir a pé de um lugar para o outro.

Na manhã seguinte, fomos todos juntos ao Rastro, grande mercado de rua a céu aberto. Um aglomerado de produtos locais, artigos exóticos, objetos de arte e um monte de bugigangas importadas da China. Almoçamos uma deliciosa *paella* num restaurante popular, antes de partirmos para a casa do Nacho, onde assistimos a uma corrida de Fórmula 1. Encerrei esse domingo assistindo a um filme biográfico sobre o compositor alemão Beethoven. Fiquei tocada ao descobrir que, mesmo surdo, ele conseguia compor divinamente.

MÉRTOLA & AYAMONTE

Chegou a segunda-feira, dia de muito trabalho junto ao Greenpeace. Ainda no armazém, fizemos os últimos preparativos para pegar a estrada até Mértola. Saímos antes do amanhecer e viajamos por treze horas, com duas pequenas paradas, passando pelo sul da Espanha. Rubio, o escalador da ação, revezou a direção da caminhonete com Juan. Quando chegamos ao albergue onde ficaríamos hospedados, Mapinha e eu tivemos que consertar o suporte do bote que transportávamos, que apresentou problemas durante o trajeto.

Não achei nada fácil tentar falar o português de Portugal. Sentia como se tivesse algo preso na garganta e precisasse fazer pausas a cada sílaba. Acabei me contentando com meu bom e velho sotaque brasileiro, suficiente para me fazer compreender.

Mértola se situa a cerca de 250 quilômetros de Lisboa, no coração do Parque Natural do Vale do Guadiana, no Alentejo, uma região com muitas montanhas e animais silvestres. Avistei vários coelhos e pássaros com cores vivas. Um lugar calmo, repleto de cachoeiras, onde se respira um ar puro da melhor qualidade.

Depois de uma noite bem dormida, viajamos por uma hora até uma ponte de divisa entre Portugal e Espanha, onde pretendíamos pendurar um *banner*. Porém, chovia e ventava muitíssimo, o que levou Juan a mudar de ideia quanto ao local da ação. Fomos buscar Gonzalo, outro voluntário, em Ayamonte, cidade litorânea em território espanhol, iluminada e cheia de veleiros. De volta a Mértola, à noite, escutamos fados e tomamos vinho português. Por causa do meu jeito animado, Juan me apelidou de "carioca elétrica" e "curto-circuito". Vejam só.

Definimos nosso plano B, modificando o local da ação para a aldeia de Pomarão, ainda dentro de Mértola, à margem esquerda do Rio Guadiana, que divide Portugal e Espanha. No alto de uma montanha, estendemos um enorme *banner*, de doze metros de altura por doze de largura, denunciando a destruição da floresta local para a construção de campos de golfe. Jornalistas portugueses e espanhóis documentaram o protesto, que foi bastante tranquilo se comparado a outras situações que vivi como ativista. Ainda assim, havia muita lama por causa da chuva, então escorreguei e torci o pé. Nada muito sério, mas tive de ir ao médico, enfaixar o tornozelo e passar algumas horas de molho, até melhorar.

MADRI (2)

Nosso retorno a Madri foi mais rápido do que a ida a Mértola. O sol brilhava no céu e não pegamos nenhum engarrafamento. Em onze horas chegamos à capital espanhola, às 21h.

Corri para checar *e-mails* depois de uma semana sem acesso à internet. Havia mais de sessenta mensagens. Demorei um bocado para responder uma a uma. Não quis sair, para poupar minhas economias limitadas. Permaneci no alojamento, batendo papo com outros voluntários.

Na manhã seguinte, acordei cedo para organizar o material usado na ação. Quando terminei o trabalho no armazém, fui visitar Mapinha no apartamento que ele dividia com uma amiga em Alcalá de Henares, município na região metropolitana de Madri. Mapinha queria minha ajuda para preparar seu currículo. Em troca, prometeu me mostrar um pouco da localidade onde vivia, bastante simpática por sinal.

Para me despedir de Madri, fui a um bar que tocava clássicos do rock, de Stones a Pixies, junto com Capi, Nacho e outras pessoas bacanas que conheci em duas semanas nessa cidade encantadora.

GIJÓN

Mochila nas costas, pé na estrada!

Rumei para Gijón, município do principado de Astúrias, em busca de um curso de capacitação para marinheiros que aumentaria minhas chances de embarcar na campanha seguinte do Rainbow Warrior, dali a um mês. Dessa vez viajei de ônibus, pois percebi que as rodovias espanholas são impecáveis, sendo possível inclusive ler e escrever durante o trajeto. Nada comparado com minhas viagens de adolescência, chacoalhando nas estradas esburacadas entre o sudeste e o nordeste do Brasil.

Mesmo sem me conhecer, a voluntária espanhola Ana, namorada do Nacho e xará da minha saudosa amiga brasileira, sugeriu que eu ficasse hospedada na casa da sua família em Gijón. Ela estava morando em Salamanca e generosamente se propôs a me emprestar seu antigo quarto na casa dos pais. Fiquei surpresa com a alegria deles, acenando para mim na rodoviária, com largos sorrisos nos rostos.

Descobri que o curso local para marinheiros havia sido adiado para dali a um mês, o que coincidia com a partida do Rainbow Warrior do porto de Amsterdã. Preocupada, telefonei para o escritório do Greenpeace Internacional e comuniquei o problema. Felizmente, garantiram que eu poderia fazer minha capacitação em Roterdã, pouco antes de embarcar. Fiquei ainda mais contente ao saber que a ONG arcaria com os custos não só do curso, como também do hotel e da alimentação. Uma notícia esplêndida, num momento em que a minha situação financeira começava a se agravar.

Aliviada, tomei um bom banho e fui jantar fora com os adoráveis pais da Ana. Eles me levaram a um restaurante que servia a tradicional cidra asturiana. Achei curioso o modo como o garçom se posicionava para derramar a bebida na taça. Ele erguia o braço direito, com a garrafa, à máxima altura possível, e baixava o braço esquerdo, com a taça, à mínima altura possível. Uma tradição marcante dessa região da Espanha, famosa pelas tendências separatistas.

SALAMANCA

Fiquei tão sensibilizada pelo gesto da Ana, de oferecer hospedagem na casa dos pais a uma estrangeira desconhecida, que tive muita vontade de conhecê-la. Falei com ela ao telefone e combinamos de nos encontrar em Salamanca.

Após algumas horas num ônibus, consegui identificar minha nova amiga me esperando na rodoviária, muito serelepe, com mechas do cabelo tingidas de cor-de-rosa. Deixei a mochila na casa dela e seguimos para um bar, depois para uma boate, e depois para outro bar, mais informal, que servia drinques de pêssego como cortesia. Eita, povo festeiro!

Depois de uma noite intensa, acordamos e logo saímos para explorar a charmosa Salamanca, cidade que abriga a universidade mais antiga da Espanha, que é também a quarta mais antiga da Europa, fundada entre os séculos XII e XIII. Paramos num café para encontrar o inglês Nick, um amigo da Ana que estava se aventurando pelo Velho Continente a bordo da uma moto amarelo ovo, mais parecida com uma nave espacial. Passamos num mercado e fizemos compras para o jantar. Preparamos uma macarronada ao pesto, que devoramos antes de sair para dançar.

Durante a estadia em Salamanca, Olivier me ligou novamente. Sugeriu me encontrar na Holanda, após meu curso de capacitação em Roterdã, e fiquei nervosa com a possibilidade de revê-lo. Admito que fiquei tentada, mas o medo de me entregar e me machucar outra vez continuou falando alto.

Nas últimas horas ao lado da Ana, ela me levou para almoçar num restaurante superaconchegante, e em seguida fomos a um café onde tocava jazz da melhor qualidade. Eu não poderia desejar uma anfitriã melhor do que ela. Espero poder algum dia recebê-la no Brasil com o mesmo cuidado e atenção com que ela me recebeu na Espanha. Depois de um mês nesse país encantador, fui embora cheia de vontade de ficar.

ROTERDÃ

A viagem foi longa, passando por Amsterdã, com 38 quilos de bagagem a tiracolo. Na chegada em Roterdã, tive uma surpresa tão maravilhosa que compensou o cansaço: a única hospedagem disponível nas proximidades do curso de capacitação era um ótimo hotel quatro estrelas, e o Greenpeace se dispôs a custear as diárias de trezentos euros, muito acima das minhas possibilidades financeiras.

Outros tripulantes de navios da Organização estavam no mesmo hotel, também para fazer o curso. Deixei minhas coisas no meu luxuoso quarto e fui procurá-los no *lobby*. Mas só encontrei o Odin, eletricista norueguês que trabalhava no navio Esperanza. Tomamos uma cerveja num barzinho próximo, falando sobre a experiência de trabalhar embarcados. Voltei cedo para o quarto, querendo guardar energia para a capacitação no dia seguinte.

Cheguei animadíssima ao primeiro dia do curso. Recebemos instruções sobre como lidar com fogo no navio, começando com orientações teóricas e depois partindo para o treino prático, extremamente realista. Com uma enorme mangueira, tínhamos que apagar um incêndio de verdade, que consumia um prédio de cinco andares, e outro num navio fechado, usado especialmente para treinamentos. A experiência foi impressionante. Mesmo dispondo de *walkie-talkies*, houve falhas de comunicação. Deveríamos efetuar um resgate na sala de máquinas, mas a visibilidade era quase nula. Fumaça por toda parte. Parecia impossível sair do navio pelo caminho correto. Tive a sensação de ficar dando voltas no mesmo lugar, o que me deixou tensa, embora soubesse que tudo não passava de uma simulação. Com um esforço conjunto do grupo, levamos vinte minutos para controlar a situação.

No segundo dia, fizemos um treinamento de abandono do navio, com botes infláveis, numa piscina com dimensões maiores do que as olímpicas. Saltávamos de uma altura de quase seis metros. Uma vez com coletes salva-vidas, outra vez sem. Uma vez voltando ao navio com a ajuda de uma corda, outra tendo que abrir o bote salva-vidas, subir nele e ajudar aos outros tripulantes a subirem também. Em outro momento, saltamos dentro de um bote rígido, todo fechado, de uma altura de quatro metros. Usávamos o traje de abandono do navio, que é apropriado para a flutuação, mas limita bastante a locomoção. Efeitos especiais simulavam chuva e ventos fortes, como se estivéssemos no meio de uma grande tempestade. Naturalmente, senti uma forte adrenalina diante desses efeitos inesperados, mas consegui desempenhar meu papel sem maiores problemas.

O penúltimo e o último dia foram menos intensos, com aulas teóricas e práticas de primeiros socorros e legislação marítima. Ainda assim, aprendi muitas coisas do qual não fazia ideia. Ao final do curso, me senti muito mais preparada, aliada ao Greenpeace e disposta a prosseguir na luta pela preservação dos oceanos.

◻

AMSTERDÃ (2)

Após o curso, retornei à terra da liberdade e da loucura, onde novamente me hospedei na casa da Kirsten. Fazia mais de dois meses que não nos víamos, então tivemos que colocar muito papo em dia. Mehdi também estava em Amsterdã e nos encontrou num *pub* interessantíssimo, onde tocava um *drum & bass* de primeira qualidade. No outro dia, ele me levou para tomar café da manhã no seu lugar preferido da cidade, e passamos por uma feirinha onde comprei um sobretudo maravilhoso por apenas vinte euros. Com a proximidade do inverno, achei melhor me precaver.

Como se não bastasse a ansiedade para embarcar, também estava nervosa porque Olivier decidiu viajar à Holanda ao meu encontro. Quando fui buscá-lo na Estação Central ferroviária, não sabia se deveríamos nos dar dois beijinhos, um abraço ou um aperto de mão. Acabei arriscando um beijo no rosto, que por pouco não pegou na boca dele. Que vergonha.

Jantamos fora, caminhamos nas proximidades do Vonder Park e terminamos a noite num bar rastafári, batendo papo ao som de *reggae*. Durante a conversa, eu não conseguia evitar que meus olhos penetrassem nos olhos dele. Perguntei sobre seus sonhos, suas viagens, sua vida em Paris. Olivier já morou em quatro países diferentes e tem uma habilidade linguística fascinante. Homens inteligentes são extremamente atraentes. Quando ele começava a falar de música e arte, eu me derretia inteira. Não havia lua cheia, como em Paris, mas terminamos a noite com a promessa de um reencontro no dia seguinte, quando ele deveria voltar para casa e eu precisava me preparar para viajar à Croácia, onde embarcaria no Rainbow Warrior.

Nas nossas horas derradeiras, vagamos juntos pelos canais de Amsterdã, fizemos um *tour* pela cidade num ônibus para turistas, fomos a uma exposição de fotografia que eu queria visitar fazia tempo. Adoramos. Deitamos sobre as folhas secas do Vondel Park como dois adolescentes. Ao anoitecer, me despedi dele na estação de trem, já sentindo falta da sua presença.

Nesse momento de fragilidade, Olivier me fez lembrar que sempre temos direito a uma segunda chance na vida. *"Adieu, mon cher"*, pensei, torcendo para que os ventos o trouxessem de volta para mim, em alguma parte do mundo.

SPLIT & DUBROVNIK

Acordei às 4h30 da madrugada e disse adeus à minha amiga Kirsten, antes de embarcar num voo para a cidade histórica de Split, na Croácia. Do aeroporto, peguei um táxi até o porto onde estava atracado o Rainbow Warrior.

Ao embarcar, fui muito bem recebida pela simpática tripulação. O Rainbow é um pouco maior do que o Arctic e tem uma decoração muito aconchegante. Logo entrei na escala dos plantões de vigília, assumindo o horário da meia-noite às quatro da manhã. Mal podia conter a felicidade de voltar ao mar, depois de quase três meses em terra. Lembrei uma frase de Swami Vivekananda que escutei certa vez: "Você colhe aquilo que semeia."

Pela manhã, fizemos os últimos preparativos para a navegação até Dubrovnik, uma deslumbrante cidade costeira, uma das mais famosas da Croácia, conhecida como a pérola do Adriático. Preparei a âncora junto com o experiente Kevin, um americano do Alasca, que trabalhava para o Greenpeace havia onze anos. Ele falava com saudades da esposa e dos dois filhos de quem se afastava periodicamente, para poder embarcar. Gostei do seu jeito rústico, aparentando ser um cara durão, mas revelando um coração mole. Também fiz amizade com o finlandês Marko, nosso cozinheiro supercompetente. A primeira oficial Naomi, nascida na Nova Zelândia, se atrapalhava um pouco com os nomes no quadro de plantões, mas parecia bem disposta a ajudar no que fosse necessário, sempre com um sorriso no rosto. Os marinheiros Maite e Pablo me conquistaram rapidamente pela alegria, característica de tantos espanhóis com o qual eu havia convivido nas semanas anteriores. Mas a pessoa de quem mais me aproximei foi o chefe dos marinheiros, o inglês Ed. Falamos longamente sobre Emily, uma marinheira que trabalhava para o Greenpeace e havia se suicidado. Os olhos do Ed se encheram d'água quando mencionei o caso. Eles tinham sido bons amigos. Mostrei a toda a tripulação fotos e vídeos da Amazônia e do Caribe, e eles pareceram gostar bastante.

Num dia de sol radiante, aportamos em Dubrovnik, onde acontecia uma conferência sobre a pesca do atum no Mediterrâneo, documentada por fotógrafos e jornalistas do mundo inteiro.

Aproveitei as horas de folga para organizar meu camarote e tomar um bom banho, antes de saracotear pelas ruas da cidade. Como de costume, busquei uma loja que vendesse cartões postais, para enviar notícias aos familiares e amigos. Sentei num banquinho público para observar os modos dos transeuntes. Procurei me familiarizar com a sonoridade do idioma croata. Contemplei o pôr do sol por trás de uma vista bonita para a marina, com o Rainbow Warrior ao fundo. À noite, fui convidada para ir junto com a tripulação a um *pub* irlandês, e depois para uma boate com o sugestivo nome de Fuego, onde obviamente encontramos um ambiente bastante animado.

Preparamos um *open boat*, abrindo o navio para visitação no porto de Dubrovnik. Confeccionei à mão uma bandeira para pendurar no mastro durante a campanha, retratando um esqueleto de atum, pintado em branco sobre um fundo preto. Colaborei com as visitas guiadas ao Rainbow Warrior, mostrando detalhes da embarcação e fornecendo informações sobre a vida a bordo, a campanha no Mediterrâneo e outras ações do Greenpeace pelo planeta.

Como passei a madrugada de plantão, acabei testemunhando o resultado de uma noitada, mesmo sem participar dela. O espanhol Pablo voltou a bordo abraçadinho com Teresa, uma fotógrafa austríaca. O australiano Slade, operador de rádio, foi o último a chegar, quase sete da manhã, e começou a discutir com o engenheiro Lino, que estava bêbado, sentado na ponte de comando, reclamando da vida. Tive que separar os dois para que a discussão não acabasse em briga. Felizmente eles conseguiram se acertar.

Apesar das poucas horas de sono, ajudei com os *tours* pela manhã, e à tarde trabalhei junto com Maite, inspecionando os trajes de abandono do navio, numa análise minuciosa em busca de possíveis defeitos ou problemas. Aprendi com o inglês Ed a fazer *loopings* nas cordas de navegação. Lino e o eletricista alemão Martin, que trabalha para o Greenpeace há mais de dez anos, também resolveram me ensinar uma nova habilidade: tocar violão. Sempre adorei cantar, então achei que não custava fazer uma tentativa.

Num dia de chuva, Ed desabafou comigo sobre as dificuldades de desempenhar o papel de chefe dos marinheiros, que envolve dar ordens para os tripulantes. Ele disse que não foi feito para mandar e desmandar, garantindo que essa é a parte mais difícil do seu trabalho. Ainda assim, todos gostavam muito dele e o respeitavam por suas qualidades.

Fui escolhida como a nova garbologista do navio, responsável pela separação e organização do lixo. A função demanda uma atenção a detalhes que precisam ser observados. Afinal, a possibilidade de reutilizar ou reciclar dejetos é uma medida importantíssima para a preservação ambiental. Desde que assumi essa atribuição, adotei uma boa relação com as minhas quinquilharias. Temia apenas me tornar uma dessas velhinhas que não jogam nada fora, acumulando e guardando quase tudo o que veem.

Num magnífico dia de folga, fizemos uma visita a Dubrovnik orientados por uma guia que se ofereceu para nos mostrar gratuitamente as principais atrações naturais, urbanísticas e históricas da cidade à tripulação do Rainbow Warrior, em agradecimento pelo nosso trabalho de proteção aos oceanos. Ela tinha uma trajetória de vida impactante. Durante a guerra de independência da Croácia, entre 1991 e 1995, perdeu o marido e a filha. Quando o país se recuperou economicamente, decidiu investir na profissão de guia, para não enlouquecer na sua profunda solidão. No caminho de volta ao navio, encontrei uma loja onde pude comprar um bom hidratante e outras coisinhas de mulher, além de um par de luvas para me proteger do frio, que apertava depois das cinco.

Fui com a marinheira Lesley até o hotel Dubrovnik Palace, onde estavam hospedados delegados de uma comissão internacional que deliberava sobre a pesca do atum no Mediterrâneo. Nossa missão era convidá-los para assistirem à projeção de um vídeo que planejávamos exibir publicamente, na parte antiga da cidade. De volta ao Rainbow Warrior, separamos o material a ser transportado para a ação. E, ao anoitecer, realizamos enfim a projeção. Infelizmente, foram poucos os delegados presentes, talvez devido à garoa que caía. Mas nossa campanha estava apenas começando.

Na manhã seguinte, deslocamos o Rainbow até a parte de trás do Dubrovnik Palace, exibindo no mastro a bandeira negra com a caveira do atum que eu havia preparado, e posicionamos o navio de modo que suas velas ficassem de frente para o hotel. As velas abertas expunham *banners* com mensagens de alerta, para sensibilizar os delegados quanto à ameaça de extinção do peixe.

Ed me ensinou como manejar as velas, com suas respectivas cordas. A melhor qualidade dele é a calma ao explicar as coisas, sempre buscando se certificar de que compreendi direitinho o que acabou de dizer.

Trabalhei duro com a escova de aço, dia após dia, retirando ferrugem de diversos pontos do Rainbow. Apesar de barulhenta, essa tarefa me fazia sentir extremamente útil. Chegava a ser terapêutica.

DUBROVNIK-LIMASSOL

Com a tripulação reduzida, partimos para uma nova ação da campanha em Limassol, a segunda maior cidade do Chipre. Após duas semanas intensas na Croácia, gastei minhas últimas *kunas* comprando uma garrafa de vinho numa lojinha próxima ao porto, que guardei para uma ocasião especial.

Prossegui firme e forte no trabalho de retirada de ferrugem com a escova de aço, além de me dedicar às horas de vigília, dividindo os plantões com o capitão Mike. No início, sentia certa tensão em passar tanto tempo a sós com o capitão. Queria mostrar serviço. Mas ele se revelou uma pessoa simpática e sensível, com quem tenho várias paixões em comum, como a navegação e a música. Nas horas livres, aproveitei a sorte de ter um camarote só para mim, desfrutando dessa privacidade para ler e escrever sossegada, além de ouvir as canções francesas que adoro.

O engenheiro Lino, o eletricista Martin e o cozinheiro Marko são figuras caricatas, que me rendiam alguns instantes de descontração a bordo. Certa noite, após um plantão, fui até o *lounge* para conferir a movimentação no navio após a meia-noite. Lá estavam os três, assistindo a vídeos clássicos de rock. Foi bom poder me juntar a eles e relaxar um pouco. Em outra ocasião, preparei o almoço junto com Lino e Martin, para dar um dia de folga ao Marko. Nos divertimos muito enquanto cozinhávamos uma sopa bastante saborosa.

Durante o trajeto a Limassol, encontrei um passarinho morto no porão e fui logo mostrar a Ed, arrasada. Não sei por quê, mas esse encontro me fez sentir mais frágil que de costume. Refleti sobre o poder que um pássaro tem ao voar. E, de repente, ele estava ali, caído, desfalecido. Ed me falou de uma espécie de superstição. Supostamente, quando se encontra um pássaro morto num local fechado de um navio, isso pode atrair mais morte. Fiquei toda arrepiada. E um pouco arrependida por ter compartilhado esse acontecimento com ele. Quis dar ao passarinho um enterro improvisado, numa caixa de papelão onde escrevi *Rest In Peace* com uma caneta preta.

Na passagem pela Grécia, o mar se mostrou agitadíssimo. Chegamos a alcançar mais de 50 nós de vento, mas o Rainbow Warrior parecia não avançar. Meu estômago não suportou o forte balanço do navio. Precisei ser econômica nas refeições. Nada de fritura! Felizmente, a travessia até o Chipre durou apenas uma semana.

■

LIMASSOL

Chegamos ao porto de Limassol às dez da manhã, onde permanecemos por duas semanas, antes de seguir viagem rumo a Dubai, nos Emirados Árabes.

Junto com a espanhola Maite, engraxei o topo do mastro do Rainbow Warrior, a 43 metros de altura. Depois de aportarmos, pude ver a cidade de perto, caminhando até um café à procura de um chocolate quente. Vi algumas construções antigas interessantes, além de uma bela praia, onde parei para afundar os pés na areia.

Com a chegada de dezembro, as temperaturas caíram ainda mais, anunciando as noites de inverno no Velho Continente, embora estivéssemos numa ilha ao extremo sul da União Europeia.

No aniversário do marinheiro Pablo, preparamos uma festa surpresa, com direito a balões coloridos, um bolo preparado pelo cozinheiro Marko e um cartão assinado por toda a tripulação. Maite montou no *laptop* uma programação musical para ninguém colocar defeito. Dançamos muito, e todos juntos pulamos de euforia.

Pela primeira vez, trabalhei na manutenção do casco do navio, lixando e pintando a superfície. Uma forte ventania nos obrigou a mudar o Rainbow de lugar, buscando um local mais protegido. Durante a estadia em Limassol, tivemos que nos deslocar várias vezes, para ceder espaço a navios mercantes e cargueiros que atracavam no caótico porto da cidade. Esses deslocamentos chegaram a virar rotina, o que exigia muita prática com as cordas.

Maite cozinhou uma *paella* deliciosa para um jantar da tripulação, que degustamos juntos como uma grande família à mesa. Para acompanhar, ela também preparou uma sangria, que acabou animando a todos para mais uma noite de música, dança e celebração da vida.

Nosso adorável capitão Mike desembarcou em Limassol, sendo substituído pelo capitão Daniel, que conheci na campanha do Caribe, e tive o prazer de reencontrar. A primeira oficial Naomi também partiu, o que lamentei bastante, e foi substituída por outro tripulante que eu conhecia dos meus dias no Arctic, o canadense Olivier. Tive que me despedir ainda dos companheiros Pablo, Lino e Maite, a já famosa máfia latina. A parte mais difícil dessa vida embarcada é precisar dizer adeus às pessoas a quem nos apegamos a bordo, que decidem voltar à terra por uma razão ou outra.

Pintei as duas âncoras do navio. Continuei à frente da função de garbologista, além de trabalhar na manutenção do convés pela manhã e fazer a vigília no plantão das oito à meia-noite junto com o capitão Daniel. Gostei da oportunidade de aprender sobre navegação com alguém tão experiente.

Num dia de folga, Ed e eu pegamos o carro alugado pela tripulação e viajamos até o distrito de Pafos, conhecido como a terra de Afrodite, deusa grega do amor, da beleza e da sexualidade. Visitamos uma bela praia cheia de rochas com formatos exóticos. Almoçamos uma truta maravilhosa, com vista para o mar. Na volta, passei numa loja para comprar o presente do meu amigo oculto de natal, o italiano Gionni, que assumiu a função de operador de rádio no lugar do Slade.

LIMASSOL-DUBAI

O capitão Daniel estimou algo em torno de dezessete dias de navegação entre o Chipre e os Emirados Árabes. Deixamos o porto de Limassol de manhã cedo. As únicas mulheres a bordo éramos eu e a australiana Emma, namorada do meu amigo oculto Gionni.

Fizemos uma parada de algumas horas em Porto Said, no Egito, à entrada do Canal de Suez. O capitão Daniel e o eletricista Martin me convidaram para uma caminhada. Fiquei chocada com a maneira como os homens me encaravam, simplesmente porque eu não tinha o rosto coberto, como a maioria das mulheres. Senti vergonha e desconforto. Quis correr de volta para a segurança do meu camarote. Mas a presença dos meus companheiros ajudou-me a me sentir protegida. Havia muitos camelôs, que tentavam insistentemente nos vender qualquer coisa. A cidade é grande, mas me pareceu bastante abandonada. Lixo por toda parte. Pouca natureza. Muita poluição sonora. Passei por diversas mesquitas onde era proibida a entrada de mulheres. Só me dei conta dessa proibição quando fui em direção a uma delas para fotografar um homem que se inclinava, rezando para Alá, e Daniel me puxou pelo braço, pedindo, em pânico, que eu não fizesse isso.

A passagem pelo Canal de Suez exigiu um procedimento especial. Um prático, piloto contratado pela agência que se encarrega do trânsito no canal, precisou subir a bordo para dar instruções sobre o trajeto. Ao embarcar no Rainbow, ele imediatamente nos pediu alguns maços de Marlboro, como se fosse nossa obrigação lhe fornecer cigarros. A passagem pelo canal nos custou quinhentos euros e trinta maços de Marlboro, que nos permitiram integrar um comboio que faria a travessia durante a madrugada. Por sermos a embarcação mais lenta, éramos os últimos da fila, e só começamos a nos mover às 2h30 da manhã. Na nossa frente, havia dezenas de navios cargueiros e mercantes, das mais diferentes nacionalidades.

Enfim atravessamos o cálido e agressivo trajeto de 163 quilômetros entre Porto Said e Suez, economizando milhares de quilômetros, que deveríamos percorrer se tivéssemos que contornar o continente africano rumo a Dubai. Apesar da travessia pelo canal parecer vantajosa, foi inevitável me sentir afetada pelo ambiente de corrupção, miséria e guerras que assola a região. A cada duzentos metros, quatro ou cinco soldados armados observavam o tráfico constante de embarcações, como num infinito carrossel animado pela combustão de gasolina e a música das salas de máquinas. Eram soldados com caras de tédio, acossados pelo sol e o vento que não deixava de soprar com força, nem por um segundo. Soldados que pareciam prestes a disparar suas armas a qualquer momento, contra aqueles que se arriscavam a navegar algumas estressantes horas de travessia.

A tensão da travessia até Suez fazia contraste com a alegria das festas de fim de ano a bordo do Rainbow. Na última semana de dezembro montamos a árvore natalina. E ganhamos de presente dez minutos de ligação gratuita, cinco pelo Natal, cinco pelo ano novo, para telefonarmos a familiares e amigos. Marko preparou uma ceia incrível, enchendo o *lounge* de pratos variados. Comilança sem culpa! Sentamos à mesa às oito da noite e ficamos socializando e trocando presentes até três da manhã. Quem me tirou no amigo oculto foi o engenheiro chefe Hans, que me deu uma estátua de Afrodite comprada em Pafos. Meu presente para Gionni foi uma luminária que, quando acesa, projeta cores psicodélicas ao redor do ambiente. Claro que liguei para a minha família, com saudades. E recebi um *e-mail* do meu irmão Marcos, falando sobre o quanto cresci ao longo desse ano de 2006. Com a chegada de 2007, meus desejos só se fortaleceram: continuar crescendo, almejando novas aventuras e lutando pela preservação dos nossos oceanos.

Comecei a preparar banners para a próxima campanha, usando uma máquina de costura industrial que tínhamos a bordo. Eventualmente ajudava o finlandês Marko na cozinha, preparando uma salada ou uma sobremesa. O trabalho na cozinha de um navio não é fácil, mas Marko demonstrava talento e criatividade. Fez uma lasanha vegetariana extraordinária. Talvez em agradecimento à minha colaboração, ele me gravou um CD com músicas variadas, de Madonna a AC/DC, que achava que eu gostaria. E acertou! Martin também me apresentou um instrumentista francês que eu não conseguia parar de ouvir, Jean-Luc Ponty. Gostava de escutar música enquanto trabalhava na limpeza, pintura ou retirada de ferrugem do Rainbow Warrior. Nas horas livres, desenvolvi uma estranha mania cinéfila, assistindo a dezenas de filmes, um atrás do outro, inclusive alguns clássicos como *Cidadão Kane* e *Taxi Driver*.

Na travessia até Dubai, enfrentamos trechos de muita correnteza e instabilidade, o que dificultava a navegação. Nem sempre era possível velejar, sem a ajuda do motor. Às vezes alguns pássaros seguiam o navio, fazendo um bonito espetáculo. Outras vezes eram golfinhos que vinham surfar nas ondas desenhadas pelo Rainbow. Eu ficava emocionada por poder admirá-los de perto, simplesmente desfrutando do seu *habitat* natural e sagrado.

DUBAI

Ed me convidou para fazer uma viagem meio nômade pela Inglaterra, a bordo da sua *camping van*. Hesitei um pouco, mas acabei decidindo desembarcar com ele nos Emirados Árabes, para me arriscar nessa nova jornada. Também planejava visitar meu amigo Mehdi na Tunísia.

Uma vez que aportamos em Dubai, transmiti as informações técnicas sobre a função de garbologista para Isabel, uma voluntária belga que tinha acabado de se unir à tripulação. Durante meu último plantão noturno, Martin passou pela ponte de comando para me visitar. E tagarelar.

Munida de passaporte, *seaman's book*, novas memórias e experiências ao mar, ganhei as ruas da maior cidade dos Emirados Árabes. Confesso que me assustei diante de prédios tão altos e pretensiosos. Me chamou a atenção o contraste entre as mulheres de burcas e as turistas de camisetas de alcinhas. Andei até um mercado que vendia belos tecidos, onde comprei uma echarpe verde, um chapéu vermelho e um porta-incensos.

Dubai é extremamente urbana. Há inclusive praias artificiais. Mas há também uma parte antiga da cidade preservada, onde cheguei em poucos minutos a bordo de um barco. As construções de pedra me pareceram belíssimas, exalando história. Fiz perguntas a alguns locais, que responderam me olhando com rabo de olho, já que eu não trazia o rosto coberto.

Fiquei mais à vontade depois de me encontrar com o americano Kevin, e fomos almoçar num restaurante bastante pitoresco. Kevin passou a refeição inteira falando das saudades da família. Ele tinha passagem para embarcar no mesmo voo que me levaria à Inglaterra, junto com Ed. Antes de deixarmos o Rainbow definitivamente, tomamos uma garrafa de vinho e brindamos aos encontros e desencontros da vida. Saí do navio sem querer olhar para trás. Enxuguei as lágrimas e procurei pensar nas aventuras que ainda estariam por vir.

BLACKPOOL (2)

Dois aviões, um trem, um táxi e dez horas depois, Ed e eu chegamos a Blackpool, sua terra natal. Ed é um verdadeiro *gentleman*. Me ofereceu uma pequena visita guiada durante o trajeto até a casa onde morava com a mãe e a irmã.

A primeira iniciativa que ele tomou quando chegamos foi verificar se a van ainda funcionava bem, após meses sem uso. Ela contava com uma cama, uma rede, geladeira, forninho, água e até um simpático *closet* com cortina. Fiquei logo animada com a possibilidade de viajar ao melhor estilo cigano, mas com alguma infraestrutura, na companhia do Ed. Caminhamos lentamente até o mercado e fizemos compras para o jantar. Depois de comer, hibernei num sono profundo de quinze horas. Um descanso merecido e necessário.

As temperaturas em Blackpool não passavam de gélidos quatro graus. Me entreguei ao prazer de um banho quente de banheira, com bastante espuma. E me permiti viver um dia sem programação, sem decisões, deixando que Ed escolhesse o que faríamos a cada momento.

Visitamos o corpo de bombeiros, de frente para o Mar da Irlanda, onde Ed trabalhava voluntariamente salvando vidas. Flores espalhadas pelo litoral denunciavam as mortes de pessoas que tinham se enganado ao achar que poderiam enfrentar fortes ondas. Ou que tinham sido arrastadas em dias de tempestade, por estarem muito próximas à beira do mar. Achei impressionante a estrutura dos carros e dos infláveis da corporação.

À noite, assistimos a uma bela apresentação de balé moderno, de uma companhia russa, no Teatro de Blackpool. A sala é pequena, porém muito aconchegante e repleta de detalhes elegantes. Uma orquestra de músicos de múltiplas nacionalidades adicionou um toque especial ao espetáculo.

Telefonei para o Brasil, preocupada para ter notícias do meu pai. Soube que ele estava internado, com mais uma das suas terríveis crises renais. Felizmente, já estava em casa.

LONDRES

De Blackpool, peguei um trem rumo a Londres, para uma estadia de cinco dias na capital inglesa. Reservei lugar num albergue próximo ao metrô, entre as estações de King's Cross e St. Pancreas.

Ao chegar, passeei às margens do Rio Tâmisa até a Torre de Londres, cruzando as clássicas pontes vermelhas. Apesar de agitada e cosmopolita, a cidade me pareceu espaçosa. E rapidamente me conquistou. Deparei com uma excelente banda de jazz, chamada Portico Quartet, que se apresentava numa feira de livros, atraindo uma pequena multidão de transeuntes. Um dos integrantes tocava um *hang*, uma espécie de tambor metálico superexótico, inventado no ano 2000 por uma dupla de músicos suíços.

Fui à Tate Modern, onde conferi exposições maravilhosas e desci como criança por divertidos escorregas de metal montados no centro cultural. Perto dali havia um lugar inusitado chamado London Dungeon, ou "calabouço de Londres", uma casa de horrores que me instigou a curiosidade. Posso dizer que foi a primeira e última vez que paguei para sentir medo. Passei uma meia hora caminhando no escuro e navegando num bote bizarro, num misto de susto e diversão, com atores fantasiados como mortos-vivos. Recuperada, fui jantar no Pizza Express, uma pizzaria sofisticada no Soho Square, que oferecia vinhos de boa qualidade por preços razoáveis.

Para não perder o hábito, visitei a filial londrina do Greenpeace. Reencontrei com alegria alguns amigos que me acompanharam na campanha da Amazônia. Gostei de conhecer a estrutura do escritório, com um jardim e uma área verde na parte de trás, onde todos se sentavam juntos para refeições ou reuniões ao ar livre.

Observei a tradicional troca da guarda no Palácio de Buckingham e perambulei pelo simpático Green Park, bastante movimentado apesar da chuva fina. Também conheci o grandioso Museu de História Natural, com fósseis, pinturas e muita informação científica. Uma riqueza de detalhes que não se esgota numa só visita.

Outro programa que me deixou com a impressão de que seria preciso retornar muitas vezes antes de esgotá-lo foi a visita ao extraordinário Museu Britânico. Gostei muitíssimo da seção dedicada ao Antigo Egito, repleta de múmias e objetos usados por reis e rainhas que governaram há milênios o nordeste africano.

Fiz uma pausa num café, onde me encontrei com Ed para visitarmos juntos a London Eye, uma das maiores rodas gigantes do mundo, com 135 metros de altura. Adorei ter essa vista panorâmica sobre o famoso relógio Big Ben e outros pontos da cidade, antes de tomarmos o trem de volta para Blackpool.

Percebi que Ed parecia triste. Perguntei o que estava acontecendo. Ele acabou confessando que tinha se apaixonado por mim, enquanto eu só conseguia vê-lo como um bom amigo e uma excelente companhia. Embora o considerasse um homem romântico, sensível e inteligente, não sentia qualquer atração por ele — o que é realmente lamentável. Sugeri que cancelássemos o restante da viagem que havíamos planejado juntos. Mas ele discordou, garantindo que estava feliz com minha companhia e que poderíamos manter nossos planos sem problemas.

De volta a Blackpool, o frio parecia mais severo do que em Londres. A garoa era constante, mas incapaz de subtrair a beleza cinzenta das paisagens britânicas. Gostava de observar a chuva fina da janela, degustando um pedaço de chocolate amargo com uma caneca de chá de menta.

INGLETON & LIVERPOOL

Adoro o inverno inglês. Era este o pensamento que habitava a minha mente nos momentos de paz que passamos em Ingleton, uma bucólica aldeia em North Yorkshire, a pouco mais de uma hora de Blackpool. O contato com a floresta me trouxe uma tranquilidade mágica.

Viajamos também a Liverpool. Os ventos sopravam tão forte que era possível sentir o balanço da van de um lado para o outro. Visitamos o imperdível Museu dos Beatles e a filial de três andares da Tate Modern, com excelentes exposições.

Mesmo após constatar diferenças entre as nossas intenções um com o outro, Ed continuou agindo com a gentileza e a delicadeza de sempre. Fiquei aliviada quando ele me confirmou que poderíamos ser apenas bons amigos. Preparamos nossas malas para a Tunísia, aonde partiríamos num voo de quatro horas e meia com destino a Sousse, na costa oriental.

SOUSSE

Hora de praticar o francês!

Fizemos o *check-in* no hotel Mahabar Royal Salem, que reservamos pelo site Last Minute, aproveitando tarifas superpromocionais para um ótimo serviço quatro estrelas. Troquei minhas libras por dinares, me sentindo rica ao calcular a enorme diferença entre as moedas. O valor dos produtos e serviços na cidade me pareceu justo, mas precisávamos estar sempre atentos a comerciantes que tentavam tirar vantagens dos turistas não familiarizados com os preços locais.

Adiantamos os relógios em uma hora em comparação ao fuso horário inglês, e esta naturalmente não foi a maior mudança a que tivemos que nos adaptar. Estranhei um bocado o conservadorismo muçulmano e suas restrições à liberdade das mulheres.

Fiquei contente ao rever Mehdi, que veio ao nosso encontro para jantarmos num restaurante de frutos do mar. Percebi que a culinária tunisiana pode ser apimentada demais, então precisei manter o costume de conversar com os garçons para escolher pratos que não fossem extravagantes demais para o meu frágil estômago. Embora não seja fumante, quis experimentar um narguilé com fumo de maçã.

No dia seguinte, acordei com calma, sem pressa para nada. Andei sob o sol da simpática praia próxima ao hotel. Comprei postais para enviar a familiares e amigos. E resolvi cuidar um pouco de mim mesma. Fiz uma massagem e uma longa sessão de sauna, o que restaurou meu corpo e minha mente. No fim da tarde, Mehdi nos levou para tomar um chá delicioso. Mais uma vez, nos divertimos recordando histórias das nossas vivências nos navios do Greenpeace.

MATMATA

Mehdi, Ed e eu alugamos um carro e partimos rumo ao sul, intercalando a direção, até a aldeia berbere de Matmata. Os berberes são povos milenares do norte da África, que eram chamados de *bárbaros* (estrangeiros) pelos antigos gregos. Na estrada, tive as primeiras visões do Saara. Fiquei fascinada com as miragens de água e as lindas montanhas. Passamos por um vilarejo, onde uma criança pediu a minha caneta, para poder estudar. Comovida, acabei deixando com ela as duas que tinha, então passei um tempo sem conseguir escrever, até encontrar uma lojinha que vendesse canetas.

Em Matmata há muitas casas trogloditas, incrustadas em cavernas ou rochas, algumas ainda em uso. Chegamos ao cair da tarde e nos hospedamos num lugar incrível, no meio do deserto. A hospedagem era bastante simples, com banheiros comunitários, porém muito interessante. Os quartos ficavam no subterrâneo, como numa pequena caverna, e havia um imenso buraco no teto que nos permitia a vista para um céu pontilhado de estrelas e uma lua crescente mágica. Uma solução arquitetônica criativa e funcional, para povos que precisam se proteger dos ventos fortes.

DOUZ, HAZOUA & TOZEUR

A vida no Saara não parece fácil, com acesso restrito a água e outros recursos. Foi doloroso entrar em contato com a miséria de Douz, um dos oásis mais importantes da Antiguidade, por onde passavam praticamente todas as caravanas transaarianas. Cada criança que me via, vinha pedir esmola ou comida. Para atrair turistas, alguns estabelecimentos expunham em suas portas grandes bonecos de pano, de aproximadamente dois metros, confeccionados por artesãos.

A energia do sol e do calor era revigorante, apesar de estarmos em pleno inverno, o que se fazia sentir somente à noite, com a queda brusca da temperatura. Finalmente tive o prazer e a emoção de ver camelos de perto, livres e felizes.

Seguindo viagem, assistimos a um pôr do sol perfeito no topo das dunas de Hazoua, cidadela com pouco mais de quatro mil habitantes. Um grupo de mulheres me abordou, tocando minha saia, minha bata, meus cabelos e fazendo mil perguntas sobre mim. Me senti uma espécie de celebridade, o que não deixou de ser engraçado.

Passamos a noite em Tozeur, cidade maior e mais populosa, onde visitamos o museu Dar Cheraït, com obras de arte e utensílios que contam a história da Tunísia ao longo dos séculos. O museu ficava aberto à noite, quando aconteciam espetáculos com luzes, música e bonecos enormes, num ambiente bastante teatral. Os ingressos do museu eram vendidos a preços bastante acessíveis para adultos. Além das crianças, quem indicava a visita a amigos também não pagava a entrada.

◤

GAFSA & EL JEM

Na estrada entre Tozeur e a cidade de Gafsa, foi possível admirar a presença de muitos camelos adultos e filhotes. Pássaros também davam vida à aridez da paisagem. Recolhi algumas flores do deserto para enfeitar meu diário.

Almoçamos em El Jem, considerada a porta de entrada para a região litorânea do Sahel. A cidade tem ruínas de três anfiteatros, remanescentes da época em que o Império Romano dominava parte do atual território tunisiano. O mais recente e preservado de todos, data do século III. A construção é tão imponente quanto o Coliseu de Roma.

Como as distâncias são curtas, dirigimos de volta a Sousse para passar a noite, e dali planejamos cair na estrada novamente, em direção ao norte.

CARTAGO-TÚNIS

Rumamos para Cartago, cidade que pertencia à antiga civilização fenícia, povo de comerciantes marítimos que dominou o Mediterrâneo entre 1500 a.C. e 300 a.C. Os fenícios navegavam a bordo de galés, navios movidos a velas e remos, e chegaram a inventar uma embarcação com remos duplos chamada birreme, imitada pelos gregos e romanos.

Os museus de Cartago são ricos em objetos de arte e arqueologia, com muitas informações sobre a história arcaica e recente da Tunísia, que também foi colonizada pelos árabes na Idade Média e pela França entre os séculos XIX e XX.

Visitamos a capital Túnis, onde Mehdi nasceu e cresceu. Seus pais ainda vivem lá e nos receberam para um simpático almoço junto a sua irmã. Comi um excelente cuscuz tradicional, acompanhado por um *brik*, tipo de crepe muito fino, em geral frito e dobrado em triângulo, que pode ser recheado com vegetais, peixe ou carne, geralmente bastante condimentado. Também pode ser servido com um recheio doce, de sobremesa.

Ed e eu dissemos adeus a Mehdi, o guia mais que perfeito dessa incrível jornada pela Tunísia, e pegamos o voo de volta a Blackpool. Senti pena do Ed, que passou mal do intestino ao final da viagem. Mal conseguia se manter de pé. Não havia muito o que fazer, além de beber muita água e ingerir alimentos leves.

BLACKPOOL (3)

O sol se retira às quatro da tarde, nesses dias de janeiro. A cidade se esvazia, fica pacata, sem muitas atrações. O inverno inglês tem belos tons acinzentados no céu, mas há melancolia nos rostos dos transeuntes, que parecem correr para suas casas, ávidos para fugir do frio da noite.

Ando sem rumo, impactada pelas memórias de tantas cidades que percorri na Europa, e também num pedacinho da África, da Ásia e da América Central. A cigana que previu meu futuro talvez não soubesse que boa parte desse destino já começou a se realizar. Foram muitos meses viajando pelo mundo. Mas ainda me pergunto quanto ao amor. Um casamento em breve. Foi o que ela disse.

À noite, a temperatura chega a seis graus negativos. O gelo se acumula sobre os carros estacionados nas ruas. Tiro uma casquinha da vasta coleção de clássicos do cinema da Jaqueline, mãe do Ed. Adoro filmes da década de 1930. Assisto ao *E o vento levou*, às lágrimas, e *Voando para o Rio*, um musical americano com Fred Astaire e Ginger Rogers.

Voando para o Rio: assim estarei daqui a alguns dias. Preciso retornar ao Brasil, destrancar a faculdade e concluir minha tese, que já está quase pronta, sobre as estratégias midiáticas do Greenpeace.

MANCHESTER-RIO DE JANEIRO

No aeroporto de Manchester, abraço o meu amigo Ed com carinho e gratidão. Mais uma despedida. A última, antes de voltar para a minha cidade natal e minha família, à vida que deixei no Rio de Janeiro, há quase um ano.

Descubro, estupefata, que não posso voar com a Delta Airlines. A companhia prevê uma escala em Atlanta e eu não tenho visto americano. Sou obrigada a comprar outra passagem pela Air France, passando por Paris antes de pousar no aeroporto Tom Jobim. Que ironia trágica, precisar de um visto para voltar para casa.

Chego ao Rio uma semana antes do Carnaval, essa época em que todos os calendários parecem estar em suspensão, antes que a vida volte a seguir o seu rumo normal.

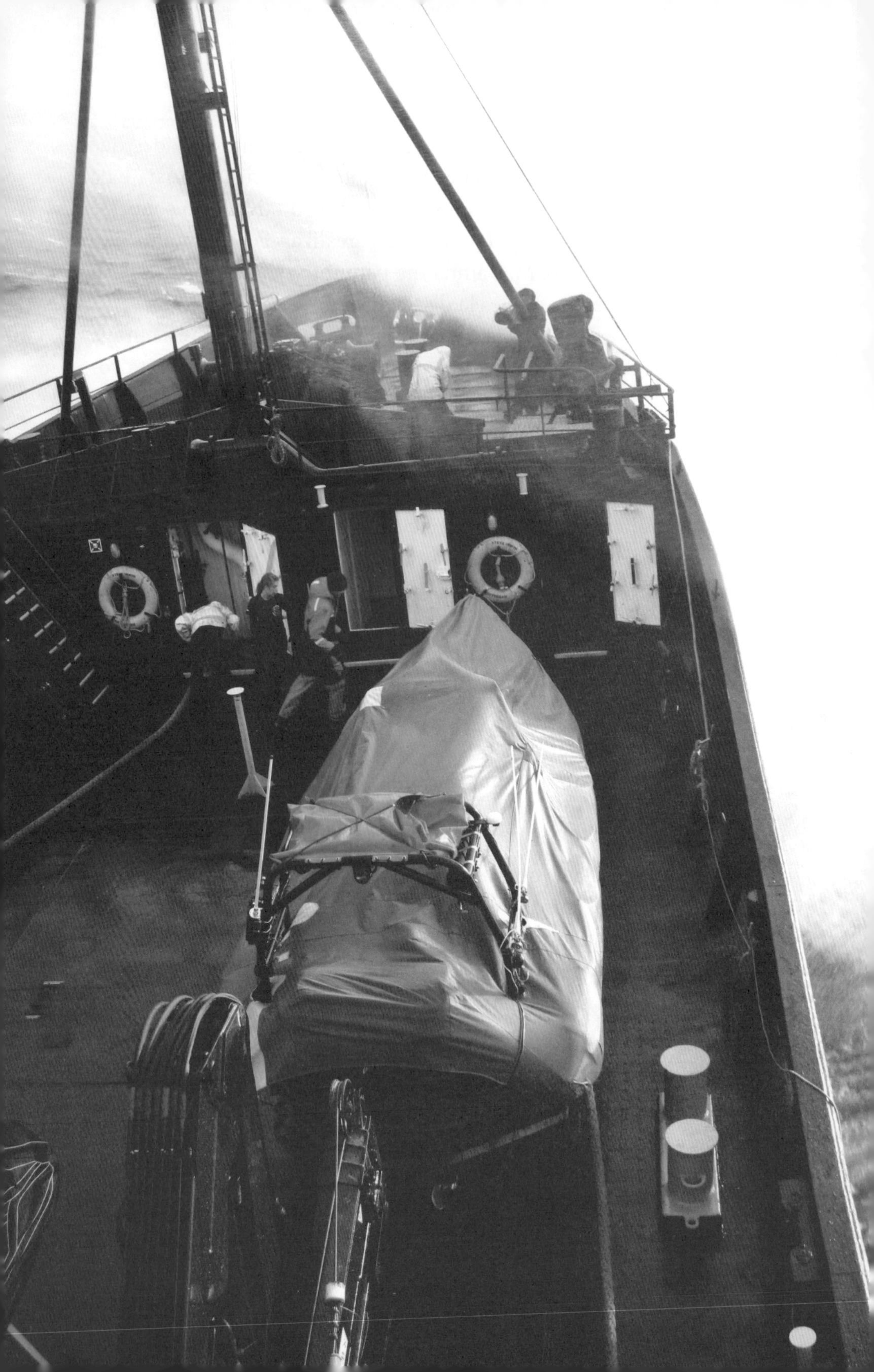

CAP 04

AJACCIO

É verão na Europa. Julho de 2007. O sol brilha no céu quando avisto, emocionada, o querido Rainbow Warrior aportado em Ajaccio, capital da Córsega. A tripulação trabalha nos últimos minutos de um *open boat*. Que saudades. Vou retornar à mesma campanha em que atuei no ano passado, contra a pesca predatória do atum no Mediterrâneo. A meta agora é investigar e denunciar a ação ilegal de fazendas aquáticas que operam em alto-mar sem qualquer fiscalização.

A alegria é tanta que nem me incomoda o fato de que a Air France perdeu toda a minha bagagem, no voo que me trouxe da Espanha à França. Subo a bordo com a roupa do corpo e um sorriso no rosto. De volta à luta pela preservação da vida nos oceanos.

Não que eu esteja há muito tempo afastada do mar. É verdade que permaneci no Brasil por quatro meses, onde finalizei e defendi minha tese, e assim conquistei meu merecido diploma de jornalista. Mas logo a vontade de navegar falou alto. Anunciei meu currículo no site "Find a Crew", onde navegadores oferecem serviços para clientes em potencial. E foi assim que passei os últimos dois meses trabalhando a bordo de um barco particular, pelas Ilhas Baleares, a leste da Espanha. Uma família abastada, pai, mãe e duas filhas, me contratou como marinheira para uma viagem deslumbrante, saindo de Alicante e percorrendo Maiorca, Minorca, Ibiza e Formentera. Findado o serviço, aproveitei para visitar por terra outras cidades espanholas que sempre quis conhecer, como Toledo e Santiago de Compostela, sempre com a câmera a tiracolo, cada vez mais empenhada em exercitar meu olhar fotográfico. Quando surgiu a oportunidade de embarcar novamente num navio do Greenpeace, não pensei duas vezes.

Ao subir a rampa do navio, sou abordada por Lockhart, mais conhecido como Locky, um mecânico franco-canadense com um par de olhos tão azuis quanto uma convidativa piscina de férias:

— Boa tarde. Tudo bem? A visitação ao barco acabou.

— Sou a nova tripulante. Posso falar com o capitão?

— Bem-vinda! Mas, espere um pouco... Você perdeu as malas em algum lugar ou é uma pessoa desapegada mesmo?

Depois de escutar minha novela sobre a mala extraviada, onde estão inclusive minha escova de dentes e meu *laptop*, Locky me apresenta ao capitão Joel, enquanto eu suspiro em silêncio: "Uau, que gato esse mecânico!"

Consigo entrar em contato com a Air France, que informa só poderá me enviar a mala na semana que vem. O problema é que o Rainbow não estará mais na Córsega semana que vem. O jeito é ir a um supermercado e conseguir pelo menos o básico (sabonete, xampu etc.), além de comprar algumas roupas íntimas. E contar com as roupas de segunda mão disponíveis no navio para a tripulação trabalhar. São camisetas de campanhas antigas, calças e *shorts* velhos. Como são usadas em serviços pesados, a maioria está manchada de tinta ou graxa. Nada muito elegante.

Minha cabine é bem localizada, com uma janela próxima à cama. Aos poucos, sou apresentada aos tripulantes. A maioria é europeia. Contamos com a presença do Roman, especialista em identificar embarcações da máfia do atum, que operam ilegalmente. Esses barcos mudam constantemente de cor e matrícula. Tudo para conseguir pescar mais e vender mais, desse que é o peixe mais cobiçado do mundo, em sério risco de extinção.

Chegando à ponte de comando, arrisco um "boa tarde" em francês a alguém que está de costas, analisando uma carta náutica, com régua, compasso e lápis nas mãos. É um rapaz de cabelos aloirados.

— Oi, Ba! Quanto tempo! — diz ele, ao se virar, para meu espanto e susto. — Que bom te encontrar de novo.

Eu não fazia ideia de que Mário estaria a bordo do Rainbow. Aliás, nunca sabemos de antemão quem serão os tripulantes de qualquer campanha. Ele continua lindo, gentil, com a tradicional fala mansa. Da minha parte, porém, se mantém a convicção de que nossa história teve começo, meio e fim. De qualquer modo, foi difícil evitar um certo choque. Nós dois reunidos, mais de um ano depois da separação. Quem diria que Netuno ia me pregar essa peça?

Navegando pelo Mediterrâneo, percorremos algumas ilhas italianas, como a Sicília e a Sardenha, e outras gregas. A busca pelas fazendas ilegais é incessante. Mas eventualmente aportamos e saímos em terra para reabastecer o navio, e também para descansar um pouco da rotina de trabalho a bordo.

Numa dessas saídas, vou tomar um sorvete para me refrescar do calor, junto com parte da tripulação. Quando me dou conta, estou caminhando lado a lado com Locky, o mecânico gato de olhos azul-piscina. Embarcamos numa conversa a sós. Ele arranha um portunhol adorável. Tenho admirado de longe suas habilidades de navegação, a facilidade com que ele maneja as velas do Rainbow. Descubro então que ele veleja desde muito jovem. Comprou o primeiro veleiro aos dezoito anos. Já trocou de barco três vezes. O pai é de Vancouver. A mãe, de Paris. E ele gosta mesmo é da vida no mar. Às vezes trabalha com *charter*, transportando alguma embarcação de uma cidade a outra, ou mesmo de um país a outro, quando o dono, por algum motivo, prefere não fazer a travessia. Apesar de interessado em questões ambientais, este é seu primeiro trabalho com o Greenpeace. No passado, chegou a ser voluntário junto a outras ONGs. Hoje, diz que precisa trabalhar não só pelo ganha-pão, mas para arcar com as despesas do seu veleiro. De repente, me dou conta de que estou batendo papo com um capitão jovem, charmoso, trilíngue e muito interessante. Uau!

Avistamos belas formações rochosas no alto de uma colina. Decidimos ir até lá, para olhar o mar sob outra perspectiva. O pôr do sol se anuncia. Estou toda suja de sorvete, vestindo roupas de segunda mão manchadas de tinta e graxa. Não importa mais. O sorvete acaba. O sol se põe. E quando as palavras não cabem mais, simplesmente nos beijamos.

Apesar de não dever satisfações da minha vida afetiva a ninguém da tripulação, claro que me preocupa a possível repercussão desse novo romance em potencial. Me pergunto, principalmente, como será a reação do Mário. E agora?

Procuramos nos manter discretos. Mas esta é uma tarefa difícil quando se está realmente apaixonado. Chega um momento em que não se pode mais esconder uma relação que vai além de uma simples atração. Apesar de estarmos juntos há pouco tempo, fazemos planos para uma vida a dois, após terminada a campanha do atum.

Com mais de um mês de namoro, começo a me permitir o hábito de passar a noite no camarote do Locky, de vez em quando. Ninguém é de ferro, né? O problema é que o plantonista responsável pelo *wake up call* acaba descobrindo detalhes de quem dormiu com quem, porque precisa passar pelas cabines de manhã, acordando a tripulação. Em geral, basta bater na porta e avisar que é hora de levantar. Quem está dentro do camarote responde que já acordou. E o plantonista segue para a próxima cabine. Só que, quando não há resposta de dentro do camarote, o plantonista é orientado a abrir a porta, discretamente, para se certificar de que o tripulante realmente despertou. Nem preciso descrever o meu mal-estar ao ser surpreendida pelo Mário, às 6h30 da manhã, dormindo na cabine de outro homem. Por sorte, Locky levantou antes, para resolver uma pendência no conserto de um motor. Mesmo assim, não vou esquecer a expressão no rosto do Mário ao abrir a porta.

— *Wake up c*... Ba?! Por que você está aqui?

Ainda com a cara amassada de sono, esfrego os olhos e respiro fundo, buscando uma maneira delicada de explicar a situação:

— Conheci alguém legal. Acho que mereço ser feliz. Você não acha?

— Entendi.

Ele fecha a porta e me deixa sozinha na cabine, constrangida. Eu era louca pelo Mário no ano passado. Seria capaz de fazer qualquer coisa pela nossa relação. Foi ele quem preferiu seguir seu caminho sem mim. Tento me lembrar disso, para não me sentir culpada.

Na primeira oportunidade, converso com Locky a respeito. Desde o início abri o jogo com ele sobre o que vivi com Mário. Faço o possível para evitar confusões a bordo. Mas a novela parece estar apenas começando. Logo chega aos meus ouvidos que Mário comentou sobre o ocorrido com outros tripulantes, dizendo que está muito magoado, e que eu deveria ter respeitado a nossa história. Na versão dele, dizia que gostava muito de mim — e ainda gosta. Só não estava pronto para morarmos juntos.

Acho injusto que ele se finja de vítima depois de me fazer comer o pão que o diabo amassou. Minha primeira reação é evitá-lo. Dar um gelo nele. Depois de alguns dias, meu incômodo me obriga a procurá-lo, para colocar tudo em pratos limpos:

— O que você quer, Mário? Nossa história acabou há mais de um ano, porque você quis assim. Depois disso, nos falamos pouquíssimo por *e-mail* e você sumiu. Soube que saiu com várias mulheres no seu tempo de "conexão amazônica". Agora que o trabalho nos uniu de novo num mesmo barco, você acha que eu sou propriedade sua? Que história é essa? Eu gosto do Locky. Estamos vivendo uma sintonia especial. E não quero que você estrague isso, ok?

— Você tem razão, Ba. Eu não soube lidar com a situação. Quando te vi embarcar de novo, toda linda, toda forte, achei que a gente poderia tentar uma reconexão. Sei lá.

— Mário, não acho que poderíamos tentar uma reconexão desde que você abandonou a nossa cabine no Arctic. Talvez você não tenha percebido, mas eu sofri muito. Se você realmente quer o meu bem, eu peço, por favor, que comece a partir de agora a desfazer as fofocas que você espalhou sobre mim.

— Desculpa, Ba. Posso te dar um abraço?

É preciso paciência e diálogo para lidar com a falta de privacidade a bordo de um navio. Sorte que Locky e eu estamos cada vez mais felizes. Todas as noites admiramos juntos o céu estrelado, enquanto ele me ensina os nomes das constelações e divide comigo o projeto de comprar um veleiro chamado Papaya, para transformá-lo numa espécie de casa flutuante. Essa transformação exigirá muito trabalho. Locky me convida a dividir com ele esse trabalho. E o sonho de uma vida a dois. Emocionada com o convite, nem preciso de tempo para pensar. Levar uma vida de aventuras ao mar, ao lado do homem amado, é muito mais do que eu poderia desejar.

— Para onde vocês vão, Ba? — pergunta Mário, quando me despeço dele, na hora de desembarcar.

— Primeiro vamos visitar a família do Locky na França. Depois vamos reformar um veleiro abandonado há vinte anos. Ele vai ser a nossa casa.

Não tenho a intenção de machucá-lo. Mas uma parte de mim até gosta de afirmar que estou prestes a realizar os sonhos que ele quase conseguiu matar.

Ele baixa a cabeça, sem olhar nos meus olhos, e murmura:

— Boa sorte, companheira.

LANGKAWI

Mal posso acreditar. Aqui estamos, Locky e eu, numa das 99 ilhas do arquipélago de Langkawi, na costa oeste malaia. Com nosso orçamento reduzido, optamos por buscar no sudeste asiático, entre a Malásia e a Tailândia, a mão de obra necessária para reformar o Papaya, o veleiro de 47 pés que escolhemos chamar de lar. É um Garcia Passoa super-rápido, com casco de alumínio muito bem definido. Antes de rebatizado, seu nome original era Caballo, em referência a sua ótima performance.

Em Saint-Louis, quando eu estava hospedada na casa da Marlene, seu vizinho vidente previu que me casaria com um parisiense. Parece que ele chegou perto. Embora o Locky tenha nascido em Cannes, a mãe dele é de Paris. Após desembarcar do Rainbow, fizemos uma viagem até lá, onde pude conhecê-la, assim como o resto da família. Em seguida, juntamos um dinheirinho extra, prestando o serviço de entrega de uma embarcação da Indonésia à Malásia. Agora concentramos esforços para tornar o Papaya habitável, depois de ele ter sido praticamente abandonado pelo antigo dono, por quase vinte anos.

O panorama não é muito animador na isolada marina de Rebak. Chove quase diariamente. Após quase cinco meses de trabalho duro, os reparos no veleiro parecem intermináveis. Me sinto cansada e frustrada por ainda ignorar vários detalhes técnicos de navegação, mesmo após dois anos imersa nesse universo. Às vezes me incomoda a necessidade de falar constantemente um idioma estrangeiro. Também me incomoda o modo como as mulheres são tratadas pela população de certos países que temos visitado, de maioria muçulmana. Ainda assim, busco manter o otimismo. E valorizar a sorte de ter encontrado um parceiro apaixonante, com quem posso compartilhar o amor pela vida no mar.

Alguns detalhes dos trabalhos no Papaya parecem exigir uma dose extra do meu otimismo. Terminada a longa reforma do casco, passamos a nos concentrar no interior do veleiro. O antigo dono vivia ali com sete gatos siameses, em condições de higiene, no mínimo, duvidosas. O que restou desse hábito excêntrico foi um ambiente infestado de pelos de gatos e empesteado do fedor de xixi e ração. Uma combinação fatal para as minhas tendências alérgicas. Buscamos hospedagem num hotel próximo à marina, para que eu conseguisse respirar e dormir as noites que ainda faltavam, antes que novas camadas de verniz e tinta branca tomassem o lugar dos terríveis vestígios felinos.

Compondo o interior do barco, compramos um forninho e um frigobar de segunda mão, para garantir o acesso a alimentos frescos após alguns dias em alto-mar. Tivemos que trocar o filtro de água, pois o antigo estava tomado por rachaduras, deixando entrar água salgada no barco. Também encontramos rachaduras no estaiamento, que não era usado por muitos anos, e precisou ser trocado. Instalamos a hélice max prop e aplicamos graxa para que ela funcione bem. Fizemos a revisão de todas as velas e colocamos um novo zíper na cobertura delas, além de novos parafusos de segurança nos carrinhos que levantam a vela maior. Tudo se encaixando, entrando no lugar!

Minha aquisição favorita foram os quatro painéis solares que importamos de Singapura, porque lá encontramos um preço mais camarada. Sinto um orgulho tremendo ao pensar que o sol e o vento serão nossas principais fontes de energia a bordo.

⛵

O clima nesta região do sudeste asiático tem sido árduo. Altas taxas de humidade. Temperaturas beirando os quarenta graus. Estou desesperada para sentir o frescor do vento no mar, bagunçando os meus cabelos.

O trabalho de carpintaria ficou ótimo, com a ajuda de quatro assistentes contratados, que dividiram conosco o esforço de lixar e pintar ao mesmo tempo. Aprendi muito sobre alumínio e madeira. Mas aprendi ainda mais sobre as bizarrices de que o ser humano é capaz, numa ocasião em que precisamos tirar o veleiro da água, para refazer a pintura do casco.

Tivemos que fechar as válvulas do barco, o que nos obrigou a interditar o banheiro e a cozinha. Ao retornar ao trabalho de retoques finais no Papaya, numa manhã rotineira de trabalho, deparamos com uma fétida piscina de urina.

— Pelo amor de Deus! — exclamei para Locky. — De onde vem isso?

— Os caras da carpintaria...

E nos olhamos, enojados.

Será possível que não tiveram tempo de descer do barco e usar o banheiro da marina?

Colocamos as luvas e limpamos a poça de xixi. Mas quando os assistentes retornaram, não resistimos a questionar:

— Quem foi?

— O quê? — perguntou um deles, se fazendo de desentendido.

— Vocês sabiam que todas as válvulas estavam fechadas. Quem foi que urinou no barco mesmo assim?

Sem respostas. Silêncio absoluto.

De qualquer modo, o trabalho já estava no fim.

Prestes a zarpar, temos uma surpresa ainda mais desagradável quando retornamos ao veleiro. Ao lado do nome Papaya, no adesivo que identifica o barco, está escrita a palavra *fuck*. Consertamos o adesivo, removendo o *fuck* que nos deixaram. E já com o veleiro na água, quem dá o dedo do meio sou eu, diante de toda essa situação desnecessária.

Mar, doce mar!

Ao som de uma excelente seleção de *world music*, nos entregamos ao tão esperado balanço das ondas. Temos a bordo uma boa coleção de CDs dos mais variados, para seguir cada dia com mais uma fonte de inspiração.

PHUKET

Ancorados na baía de Chalong, dentro da província tailandesa de Phuket, tomamos um enorme susto por volta das duas horas da tarde. Um catamarã perde sua âncora e, com um vento de 30 nós, começa a vir desenfreado na nossa direção. Primeiro, colide com outro catamarã, o Sunfish III, de um japonês que mora aqui perto. Em seguida, continua se aproximado, num cenário de forte ansiedade e preocupação.

Locky grita para posicionarmos todas as boias no lado esquerdo do casco, numa tentativa de minimizar o impacto da colisão. Mal terminamos de cumprir essa tarefa, o catamarã passa direto por nós. Por um fio não se choca contra o Papaya.

Contatamos, via rádio, o iate clube mais próximo, na esperança de colaborar de alguma maneira. Conseguimos contato com o Sunfish III, que felizmente consegue contornar a tempo os estragos da colisão. Não se pode brincar com ventos fortes!

Decidimos permanecer ancorados. Aproveitamos para trocar o silicone de uma janela, que estava deixando entrar água. Há sempre algo a ser consertado num barco, o que nos mantém alertas e ativos o tempo inteiro. Quando estamos próximos a uma cidade, é fácil lidar com reparos desse tipo. Mas não existem lojas e oficinas em alto-mar. Então precisamos estar preparados para qualquer imprevisto.

Morar num veleiro nem sempre é tão romântico quanto parece. Requer uma responsabilidade enorme. Principalmente quando não contamos com uma tripulação de trinta ou quarenta pessoas, como nos navios do Greenpeace. Somos um time de dois. Quando ele dorme, sou eu quem cuida da nossa segurança a bordo. E vice-versa. Durante as navegações, nos revezamos em turnos de quatro horas, numa vigília que deve ser constante. O valor da cumplicidade é potencializado. Dependemos um do outro, literalmente. Qualquer problema precisa ser resolvido logo. Não há distrações. Não há um telefone à disposição, caso quisermos ligar para um amigo e tomar uma cerveja para desabafar ou fugir. No mar, não é possível se esconder de si mesmo.

Ainda nervosa pelo risco que corremos, tenho dificuldade de aproveitar nossas últimas horas em Phuket, com vista para o enorme Buda de 45 metros que enfeita o alto de uma linda montanha verde. O mercado de orquídeas local também é estonteante. Ao longo do tempo que passamos em terras tailandesas, vivemos situações bastante pitorescas. No cinema, por exemplo, em qualquer sessão, é obrigatório que seja transmitido antes do filme um clipe de propaganda do rei. As imagens são curiosíssimas. O rei passeando, tocando saxofone, tirando fotos, desfrutando das regalias de uma vida de rei. E as pessoas na sala de cinema precisam se manter de pé, em postura de reverência, durante toda a transmissão do clipe. Chegam a olhar torto para os estrangeiros, como nós, que não se levantem também. Confesso que fiquei incomodada em reverenciar cenas tão opulentas da autoridade máxima de um país onde testemunhei cenas reais de miséria, fome, prostituição e carências diversas. Mas me senti constrangida de não me levantar também, em respeito às pessoas ao meu redor. É impressionante como a população se submete a essa expectativa de adoração à figura quase mítica do rei. Até no cabelereiro encontrei na parede o típico retrato real, enquadrado por uma moldura suntuosa.

Fizemos amizade com outros navegadores durante a estadia no país. Os portugueses Ana e José. Os franceses Gérard e Martine. Os russos

Costa e Arinka, que estão há meses na baía de Nai Harn. Sem falar nos turcos que ganharam um barco de graça dos antigos donos, que não queriam mais navegar. Que sorte!

Há uma paixão intensa correndo no sangue das pessoas que escolhem esse estilo de vida. Morar num barco e navegar pelo mundo. E muitas delas optam por realizar esse sonho a dois, como marido e mulher. Como Locky e eu. Isso me faz pensar como um casamento a bordo de uma embarcação é diferente de tudo o que já conheci, antes de partir nessa jornada navegando pelo mundo. Soube que agora mesmo, no Brasil, duas amigas de escola estão prestes a se casar. Larissa, com quem eu dividia três paixões irremediáveis: Bon Jovi, sorvete de flocos e brigadeiro de panela. E Andreza, com quem assistia a filmes de terror, com direito a muita pipoca e, nos anos de juventude, queijos e vinhos que cabiam no nosso orçamento universitário. Lamento não estar presente num momento tão especial da vida delas. Mas me sinto feliz no meu casamento. E a ideia de deixar a Tailândia depois de meses preparando nosso novo lar me traz uma sensação enorme de vitória.

O Papaya está repleto de frutas, legumes, verduras, arroz, macarrão e enlatados suficientes para os próximos seis meses. Nossa rota prevê a navegação por águas situadas ao sul do continente asiático. Pretendemos zarpar pelo Oceano Índico, explorando o Sri Lanka e a República das Maldivas, depois adentrar o Mar Arábico, para visitar Omã e o Iêmen. Passaremos pelo célebre Golfo de Áden rumo à Eritreia, Sudão e Egito, onde navegaremos o Mar Vermelho, para finalizar o percurso entre Israel e Turquia.

Ahoy!

KOH ROK NOK

Com todos os ajustes que precisamos fazer no Papaya, a grana apertou. Nos fascina a experiência de viver apartados da civilização, do frenesi urbano, do consumismo desenfreado. Mas a liberdade também tem seu preço. Planejamos intercalar nossos roteiros de viagem com serviços de *charter* e outras fontes de renda no mar, especialmente a bordo das embarcações do Greenpeace, claro. Consegui subir um degrau na minha carreira de navegadora. Agora sou remunerada pela Organização, assim como Locky. Vislumbramos uma oportunidade de embarcar em breve no navio Esperanza, que está chegando a Singapura, após percorrer a Indonésia e Papua Nova Guiné numa campanha de florestas.

Antes disso, ainda navegamos 47 milhas com o Papaya dentro do território tailandês, entre Phuket e a ilha de Koh Rok Nok, num percurso que durou oito horas e meia. A estadia foi incrível, ancorados entre duas baías, com águas calmas e brisa agradável. Nadei por algumas horas, acompanhando peixes, golfinhos e arraias. Dirigi o inflável até a beira da praia e me entreguei a uma longa caminhada na areia. Caminhar me ajuda a meditar. E meditando me sinto em paz, abençoada pelo novo lar que conseguimos construir, investindo muito tempo e trabalho nas obras, e também na decoração, que é simples, mas bastante charmosa.

O pôr do sol deslumbrante se enfeitou de nuvens de aparência impressionista, trazendo beleza à nossa última terça-feira na Tailândia.

SINGAPURA

Há três dias, Locky e eu deixamos o Papaya aportado em Phuket e viajamos a Singapura para embarcar no Esperanza, o maior navio da frota do Greenpeace, com 72 metros de comprimento e mais de 2 mil toneladas. Uau!

Navegaremos por duas semanas até a Coreia do Sul, onde haverá uma conferência capaz de determinar as cotas internacionais aceitáveis para a pesca do atum. Pela terceira vez, tenho o privilégio de participar da luta pela preservação desse peixe tão cobiçado pelos homens, porém indispensável para o equilíbrio ecológico dos oceanos.

Nossa cabine tem janelas com vista para o mar, o que permite a circulação de ar fresco, não viciado pelo ar-condicionado central. Logicamente, as janelas precisam ser fechadas durante as tempestades, que não são raras nesse trajeto. O céu tem estado cinzento e o mar exibe uma tonalidade azul petróleo que me parece linda.

Ainda no porto, me entrego ao trabalho, literalmente colocando a mão na massa: aprendi a preparar cimento, para bloquear um buraco entre a corrente e a âncora, a fim de impedir que entre água no navio por ali. Achei curioso o sistema. Pensei que uma bomba poderia dar conta desse serviço, que por aqui ainda é manual.

O Esperanza é o único barco do Greenpeace com internet liberada, porque funciona via satélite, e não via rádio. Um luxo que custa caro, cerca de 200 mil dólares por ano. Embora seja tentadora a chance de acompanhar as notícias do mundo lá fora em tempo real, ainda prefiro passar a maior parte do meu tempo livre admirando o mar e o céu.

A experiência de navegar costuma me tornar sensível e observadora, procurando dimensionar os reais valores da vida. Quando começo a filosofar, minha amiga Chrysnna brinca que sou uma mistura de Jacques Cousteau com Virginia Wolf — a não ser pelo drama suicida da escritora, que não condiz em nada com meu ânimo embarcada. Flutuar nesse grande pedaço de aço me aquece, me protege, me leva para longe. Para perto de mim mesma.

SINGAPURA-PUSAN

Temos mais de 1.700 milhas pela frente, com um clima que vem se mostrando duríssimo nos últimos dias. Grau sete de tempestades, numa escala de zero a dez, com ventos de 35 nós, que tornam a viagem bastante desconfortável. As ondas chegam a seis metros de altura. Fico impressionada ao observá-las durante o trabalho no heliporto do navio, enquanto inspeciono o estado de conservação das mangueiras da popa.

Por sorte, não sofro de enjoos. Mas tenho dificuldades para dormir. Numa madrugada de insônia, vou até o *lounge* para ver se encontro outros sonâmbulos e deparo com um grupo de tripulantes jogando um *quizz* sobre conhecimentos gerais. Em câmera lenta, me junto a eles, buscando atenuar a sensação de estar dentro de uma máquina de lavar, agitada pelas fortes ondas.

Estou feliz por reencontrar companheiros de campanhas passadas. Meu único problema tem sido o relacionamento com a capitã australiana Madeleine, que era a primeira oficial do Rainbow durante a campanha em que Locky e eu nos conhecemos. Talvez porque queira se afirmar como figura de autoridade, ela mantém o hábito de destratar as pessoas. Sobretudo as mulheres. Com um senso de humor duvidoso, faz piadas em tom de críticas, desmotivando a todos. À boca miúda, os tripulantes já se referem a ela como *the witch* (a bruxa), *the thing* (a coisa) ou simplesmente *her* (ela).

Enquanto passamos pelo Japão, as tempestades dão uma trégua. As nuvens descortinam um céu estrelado onde se pode vislumbrar a presença simultânea de Vênus e Júpiter. Soube que somente dez anos atrás foi possível testemunhar esse mesmo encontro. Que sorte!

Num dia de folga, Locky e eu nos inspiramos e resolvemos dar um sossego ao cozinheiro. Tomamos conta da cozinha do Esperanza e nos responsabilizamos pelo almoço da tripulação. Fazemos uma festa com os vários ingredientes e temperos disponíveis. Locky já trabalhou como *chef* de cozinha, então se sente muito à vontade nessa tarefa. Respeitando minha escolha de me tornar vegetariana, por uma questão de princípios e coerência com meu ativismo ambientalista, preparamos uma feijoada com salsichas de soja, acompanhada de legumes refogados e arroz integral. Para a sobremesa, duas tortas: uma de limão, outra de maçã. Um verdadeiro sucesso a bordo.

Na manhã seguinte, acordo bem cedo, com um raio de sol que sobressai timidamente no céu nublado. Terra à vista! Coloco a cabeça para fora da janela do camarote e tenho minha primeira visão de Pusan, na Coreia do Sul.

No porto, somos recebidos por um grupo de dançarinas tradicionais coreanas, trajando vestes típicas com estampa de penas sobre um delicado fundo azul e branco. Movimentos leves e firmes acompanham os instrumentos percussivos de um relaxante cântico cerimonial.

PUSAN

Pusan parece bastante industrializada, com claras influências da cultura norte-americana. Filiais do McDonald's, Starbucks e Dunkin' Donuts se misturam a lojas de marcas como Ralph Lauren e The North Face. Mas há também idiossincrasias regionais, como os mercadinhos de rua que vendem petiscos locais ou os grandes números afixados no topo dos prédios para identificá-los.

Apesar de a população ser majoritariamente budista, o cristianismo marca uma forte presença. Diferente dos lugares mais conservadores que visitei na Ásia, aqui os casais se abraçam e se beijam em público, sem pudores. A comida é deliciosa e servida em pequenas porções. O inverno é seco e extremamente rígido. Moradores de rua sofrem nas calçadas, à espera de esmolas.

Volto a lembrar que uma das características mais fascinantes de trabalhar embarcada é a oportunidade de entrar em contato com culturas tão diferentes e interessantes. Em contrapartida, me decepciono ao descobrir, sem muitas explicações, que nossa missão na Coreia do Sul foi abortada. Para piorar a situação, desenvolvi um quadro de tendinite no pulso. Não posso fotografar, trabalhar ou escrever pelos próximos dias. Estou prestes a enlouquecer. Saudosos do Papaya, Locky e eu resolvemos desembarcar do Esperanza. Desapontados pela repentina interrupção da campanha. Mas reabastecidos financeiramente, com recursos capazes de custear nossa rota de sonhos até a Turquia.

A festa de despedida da tripulação se contagia pelos ares natalinos de 2007. Todos usamos gorros de Papai Noel. Locky e eu dançamos muito, descontraídos. É a primeira vez que vejo os tripulantes mais à vontade, curtindo, sem se preocupar tanto com "*her*".

PHUKET, LANGKAWI & KOH LIPE

De volta ao porto de Phuket, precisamos nos ocupar da manutenção do Papaya, depois de meses à distância. Abrimos todo o barco para arejar, fizemos uma lavagem cuidadosa das áreas externas e internas, inflamos o bote e verificamos o funcionamento do motor, entre outros detalhes necessários para uma navegação segura.

Para contar com um dinheirinho extra durante a viagem, decido vender meu *notebook* a um francês do barco Okean. Exercito o desapego. E sigo com a escrita no diário de papel.

Em Langkawi, enchemos nosso tanque de água doce, que comporta quatrocentos litros, e compramos combustível e corrente para a âncora. Dali velejamos para a simpática ilha de Koh Lipe, a 25 milhas, onde conseguimos uma boa variedade de frutas e legumes. Fazemos a travessia em apenas quatro horas, com o piloto automático instalado e em bom funcionamento, o que nos preserva de controlar o leme o tempo inteiro. Essa regalia torna mais leves nossas horas de vigília, embora ainda tenhamos que monitorar a rota, checar possíveis falhas mecânicas, controlar nossas posições no GPS, verificar as mudanças de vento e, quando necessário, fazer a troca das velas.

De volta a Langkawi, nos despedimos do sudeste asiático com um jantar à luz de velas, no restaurante Mangoes. Simples, pequeno e acolhedor, num casebre de frente para o mar. Locky encontra alguns amigos velejadores. E eu bato papo com a australiana Michelly, a dona do lugar. Uma loira alta, bonitona, de olhos azuis, cinquenta e poucos anos. Sempre sorridente. Ela me conta que era navegadora e passou vários meses no arquipélago de Chagos, ao sul das Maldivas, nosso próximo destino com o Papaya. Também navegava com o marido desde que deixou a Austrália, apaixonada pela ideia de explorar novos mares ao lado dele.

— Passamos por muitos lugares incríveis. Eu queria viver assim para sempre. Para ganhar dinheiro, fazíamos entregas de barcos de pessoas muito ricas que não queriam navegar. Depois voltávamos ao nosso veleiro e ao nosso estilo de vida.

— Como foi essa convivência com ele? — quis saber, curiosíssima, prestes a me lançar numa aventura semelhante.

— Nos dávamos muito bem. Meu marido era o meu melhor amigo. Você sabe como é a vida a dois num barco. Ou vocês têm maturidade e cumplicidade, ou um acaba jogando o outro em alto-mar — brincou.

— E vocês ainda velejam? — perguntei. — Como administram o Mangoes e o veleiro ao mesmo tempo?

— Infelizmente vivi uma catástrofe.

Michelle faz uma pausa. A essa altura, já está sentada à minha mesa e conversa comigo como se fôssemos amigas de longa data. Ela mantém os olhos fixos em algum ponto distante dali, como se resgatasse memórias e sentimentos dolorosos. Engulo em seco, temendo ter sido invasiva. Mas ela finalmente resolve me contar sua história.

— Fomos muito felizes em Chagos. Tanto que não queríamos sair de lá por nada. Nunca vou me esquecer da cor daquelas águas. Até que, num dia rotineiro, como outro qualquer, saí para pescar com um arpão. Ao retornar, encontro meu marido caído no interior do veleiro. Enquanto eu estava fora, ele teve um ataque do coração. Estava morto. Foi uma situação muito difícil. Lidar com a perda do meu parceiro de vida. Não poder contar com um hospital ou qualquer esperança de o ressuscitar.

Fiquei em estado de choque.

Sem saber o que dizer, arrisco algumas palavras de consolo.

— Meus sentimentos, Michelly. Vejo em você uma mulher muito forte. Não deve ser nada simples seguir a vida com esse trauma.

— Tive ajuda de dois barcos amigos, que me auxiliaram a transportar o corpo dele de volta à Austrália, providenciar toda a papelada do óbito... Tudo isso a bordo de um barco e com recursos limitadíssimos...

— Nossa... Imagino como deve ter sido difícil.

— Desde então, decidi mudar meu estilo de vida. Vendi nosso veleiro. Deixei a Austrália. E, há cinco anos, agarrei a oportunidade de abrir o Mangoes.

Nossos pratos chegam à mesa. Olho para trás à procura do Locky.

— Agora preciso ir à cozinha, querida. A vida continua, não é mesmo?

Antes de se levantar, Michelly ainda me deseja bom apetite, com um sorriso no rosto.

Boquiaberta, tento me recuperar do choque dessa revelação, admirando a força interior dessa mulher. Locky retorna à mesa, falando eufórico sobre a nova vela comprada por um casal de franceses que acabamos de conhecer, Jean Claude e Claudie, navegadores experientes, que já rodam o mundo há mais de 25 anos — praticamente a minha idade. A bordo do veleiro Makoko, eles planejam uma rota semelhante à nossa, passando pelo Golfo de Áden, entre a Somália e a Península Arábica. Então é possível que nos encontremos no caminho. Locky comenta que também precisamos conferir nossas velas, para aproveitar os ótimos ventos previstos para amanhã, e coisa e tal...

Enquanto isso, permaneço quieta, pensativa, numa espécie de luto pela história da Michelly. Ao mesmo tempo, vivo um forte sentimento de gratidão pela vida.

— Ei, está tudo bem? — ele estranha.

— Sim, tudo bem. Eu te amo, viu? Vamos ser muito felizes no nosso Papaya.

Ao sairmos do Mangoes, olho para trás, à procura da Michelly, e mando um grande beijo para ela, soprado no ar. Com seu largo sorriso, ela me envia palavras carinhosas:

— Boa viagem, querida! Volte sempre que quiser!

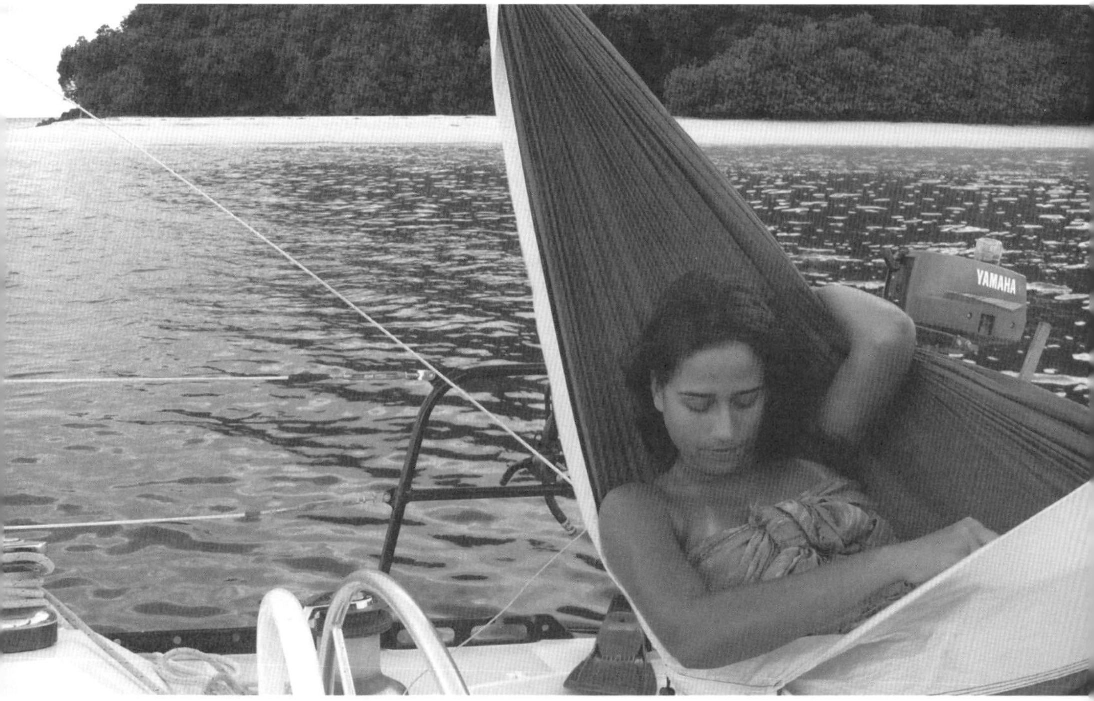
YAMAHA

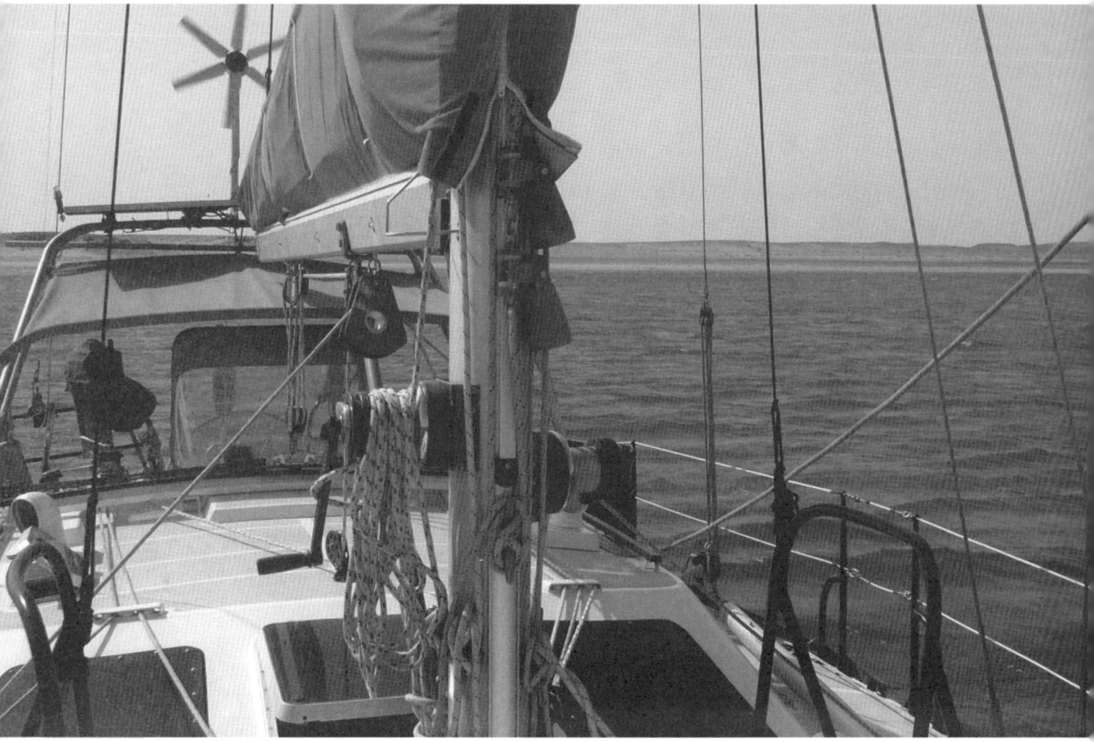

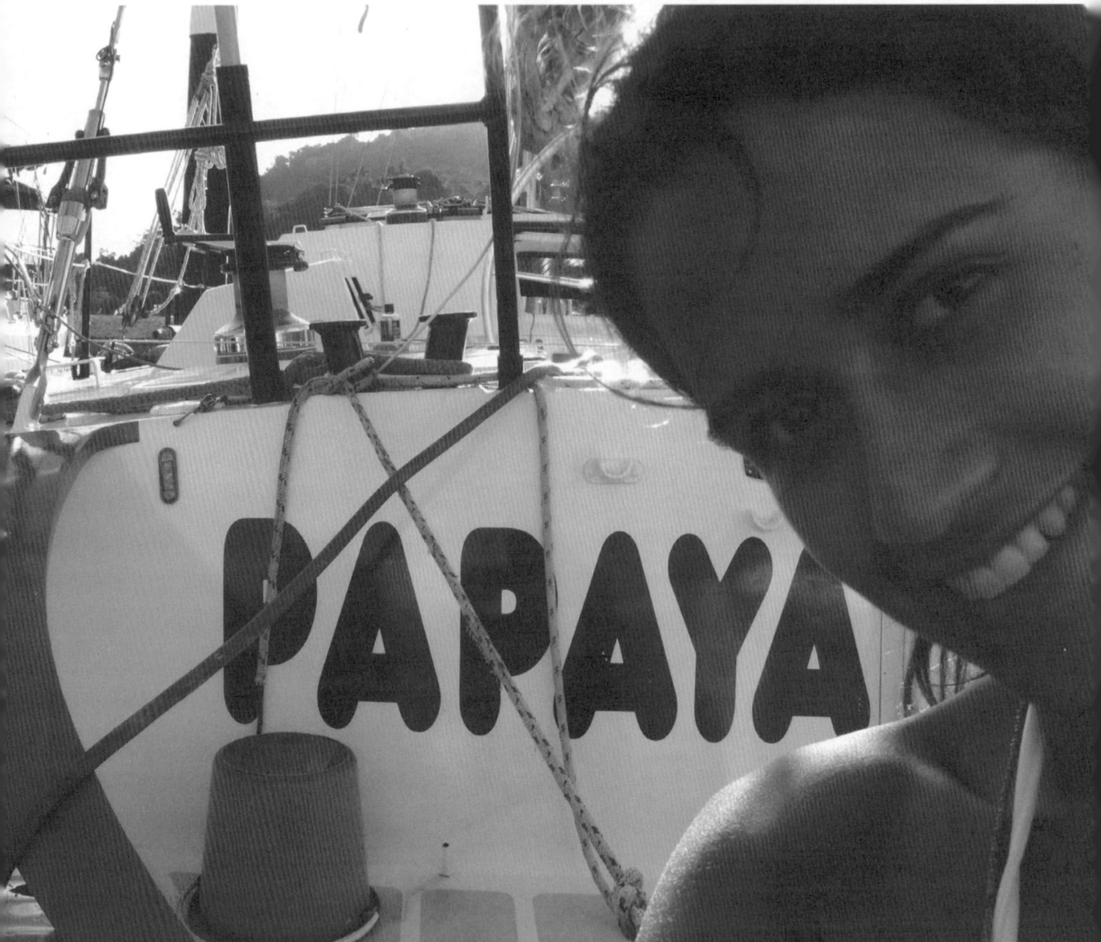
PAPAYA

LANGKAWI-GALLE
6.22.039' N
99.41.007' E

De agora em diante, vou anotar no diário a posição de GPS em que nos encontramos a cada trecho da viagem. Uma forma de registrar a nossa rota no mapa. Pois bem: estamos a 6.22.039' Norte e 99.41.007' Leste. Uma posição nem um pouco agradável, para falar a verdade. Nunca me senti tão mareada pelo balanço das ondas. Perdi totalmente o apetite e rezei para que o enjoo passasse logo, acreditando no que me disseram. Que o corpo é capaz de se adaptar a uma nova rotina após algum tempo de navegação.

Passamos três dias cruzando a região das Ilhas Nicobar e do Estreito de Malaca, principal passagem entre os oceanos Índico e Pacífico. É um ponto de encontro entre correntezas vindas de direções distintas. Precisei amarrar muito bem nossos alimentos e objetos no interior do veleiro.

Além do enjoo, tenho dificuldade para dormir, incomodada pelos ruídos que o barco faz durante as tempestades. Às vezes é o barulho do mastro mexendo para lá e para cá, outras vezes é o esticar das cordas que seguram as velas, ou então uma porta que se solta da tranca. Como fazemos vigílias a cada quatro horas, é um problema não conseguir descansar nas oportunidades que tenho para isso. Situação que se agrava quando Locky avalia que é mais seguro nos revezarmos na vigília de duas em duas horas, e não de quatro em quatro.

Durante os meus plantões, o que me salva é o café. E os pequenos prazeres diários. Como admirar os grupos de golfinhos que eventualmente nos acompanham durante o dia. Ou os foguetes de luz fosforescente criados pelo plâncton, à noite, ao se chocar contra o casco do veleiro. Munida de um binóculo, mantenho os olhos fixos no horizonte e em tudo ao redor. Apesar do mar agitado, o trânsito tem sido bom.

Num dado momento, surpreendo nossas preciosas melancias rolando de um lado para outro. Corro para recuperá-las, desapontada com a ineficácia dos nós de marinheira com os quais procurei prender as frutas. Percebo que estão machucadas, então prefiro abri-las, cortá-las e conservá-las em pedaços na geladeira. Pedaços que não me atraem, porque continuo inapetente. Preciso restringir até meu hábito de deixar as janelas abertas para sentir a brisa do mar, depois que uma onda de água salgada invade o banheiro do Papaya, molhando tudo lá dentro.

De vez em quando, fazemos contato com Jean Claude e Claudie pelo rádio, nosso sagrado meio de comunicação com o mundo lá fora. A rádio SSB (*single-side band*), sistema que utilizamos, existe há mais de setenta anos e chegou a ser usada por submarinos durante a Segunda Guerra Mundial. Acho incrível como uma pequena antena de metal pode enviar frequências para a atmosfera e nos conectar com lugares tão longínquos. Outro dia, sintonizei numa frequência em que podia escutar um italiano assobiando. Quando ele me perguntou como eu estava, tive alegria em dizer: *Bene!*, relembrando minhas peripécias na Itália. É pelo rádio que pedimos autorização para entrar em cada porto. E gostamos de manter contato com outros velejadores. Um contato que pode ser decisivo em situações de emergência e socorro.

Através da rádio SSB, mantemos um serviço de *e-mails* chamado Sail Mail, o mesmo usado por bombeiros e policiais para se comunicarem durante o atentado de 11 de setembro de 2001, em Nova York. Com o tempo muito ruim, é difícil o acesso ao Sail Mail. Uma mensagem pode demorar horas ou mesmo dias para ser enviada. Ainda assim, achamos um bom negócio pagar 200 dólares por ano pelo serviço.

Buscando animar o ambiente a bordo, numa vigília pela madrugada, coloco para tocar um CD de *world music* da banda francesa Deep Forest, enquanto assisto à enorme bola de fogo alaranjada nascendo por trás do horizonte. O efeito é imediato, quase mágico. Resgato minhas energias. E também meu apetite. Vou tomar uma ducha rápida, grata pela vida, grata pela oportunidade de estar onde estou, apesar de todas as dificuldades.

A bordo do Papaya, tentamos evitar qualquer desperdício. Tomamos banho com água salgada, puxada do mar, o que gosto de fazer no convés, de biquíni. Depois uso parte da água doce do nosso tanque para tirar o sal do corpo e do cabelo. Também usamos água salgada para lavar a louça. E separamos o lixo, reaproveitando o que é possível, reservando o que é reciclável e jogando os dejetos orgânicos ao mar.

As bananas e mangas estão quase prontas para o consumo. Coloco algumas do lado de fora do barco, para que amadureçam em contato com o sol. Também tenho uma tática para aproveitar as frutas que passam do ponto, para não as perder. Corto-as em lascas finas e as deixo no sol por dois dias. Geralmente, as lascas se transformam em chips bastante saborosos, que acrescentam um sabor extra às minhas vigílias.

6.24.797' N
94.11.970' E

Fazendo a vigília na proa, Locky grita:
— Golfinhos, amor! Vem!
Desperto do meu sono leve e subo a escada tão ansiosa que me atropelo entre um degrau e outro. Ele sabe que essa é a minha parte preferida da navegação. Posso até estar cansada, mas não quero perder essa chance por nada.
Consigo chegar à proa a tempo de admirar o espetáculo. Ver os golfinhos de perto, surfando nas ondas desenhadas pelo Papaya, me dão a certeza de que todo o cansaço, o esforço, o enjoo, tudo isso vale a pena.

6.18.098' N
90.51.813' E

Quando o mar está tranquilo, gosto de cozinhar, ler ou assistir a algum filme. Temos a bordo uma boa seleção. O último a que assisti foi *Grand Torino*, do Clint Eastwood. Sou fã dele.
Mas infelizmente temos tido poucos dias de tranquilidade a bordo. Tudo que consigo preparar hoje é uma sopa de lentilhas. Ella Fitzgerald me ajuda a ter paciência quando alguma coisa cai em cima de mim, com os movimentos bruscos do barco.
Makoko manda notícias ao Papaya. Chegaram bem às Maldivas.
Fazemos 160 milhas por dia, navegando a 7,5 nós.
— Logo chegaremos... Logo chegaremos... — anuncia Locky, do lado de fora, observando o horizonte com o binóculo.

6.08.586' N
90.02.896' E

Após três dias nublados, sem chuva, sem sol e sem ventos capazes de impulsionar nossas velas, somos obrigados a ligar o motor, o que me entristece um pouco. Nosso sistema eólico funciona muito bem, mas não tem gerado energia suficiente para manter a geladeira e o GPS ligados o tempo inteiro. Temos algumas baterias que ajudam: são automaticamente recarregadas, à medida que o motor é usado. Assim nos esforçamos para aproveitar ao máximo nossas fontes de energia limpa.

Com a chegada da chuva, percebemos um vazamento na borracha da janela acima da mesa de navegação. A água que entra pode danificar o radar, o GPS e o *laptop* de que dependemos para navegar. Esse tipo de reparo precisa ser feito imediatamente. E há sempre outros na lista, esperando uma oportunidade. Todo o nosso sistema elétrico precisa ser revisto, para que tenhamos mais luz e ventilação dentro do barco. Essas tarefas mais complexas deixo a cargo do Locky, muito mais experiente do que eu.

Nosso radar é um Raytheon R20 com mais de vinte anos, um pouco temperamental. Às vezes ele cisma em congelar, estampando a mensagem *Time out*. Mas em geral funciona bem.

No *laptop*, instalamos o Max Sea, programa que nos permite encontrar todas as cartas náuticas do mundo. Antes de sair da Tailândia, também compramos cartas em papel, do percurso previsto para nossa rota. Nunca se sabe o que pode acontecer com a tecnologia em alto-mar.

Compramos também um aparelho genial chamado AIS, capaz de informar quais são os barcos que estão à nossa volta, numa circunferência de 24 a 30 milhas náuticas, que também possuem esse tipo de aparelho. O AIS pode fornecer dados como nome do navio, porto de origem e destino. Se algo estranho acontece, podemos aproveitar os dados do AIS para contatar uma embarcação pelo rádio já conhecendo seu nome e sua rota.

Em águas mais calmas, adiciono doçura ao meu plantão escutando o som do cantor norte-americano Moby, que admiro também por ser vegano e defensor dos direitos dos animais. Saboreio um pedaço de chocolate, enquanto meu amor descansa até sua próxima vigília.

05.58.754' N
84.39.615' E

O sol volta a brilhar no céu. Viva!

Animada, lembro que algumas bananas já estão prontas para consumo e resolvo preparar uma megavitamina de frutas. Minha animação vai por água abaixo quando descubro que nosso liquidificador novinho, recém-comprado na Tailândia, simplesmente não funciona. As hélices não giram, não sei por quê. Como poderei viver sem minhas vitaminas? Liquidificador é algo que ainda não aprendi a consertar. Locky também não.

Ouvindo notícias pela rádio, nos inteiramos da gravidade atual do conflito na Faixa de Gaza. Muitos mortos e feridos. Mais de 400 mil pessoas sem água. Até escolas são bombardeadas. O secretário-geral da ONU foi pessoalmente a Israel, onde declarou oficialmente que um genocídio tem sido efetuado na região. Sinto um frio na espinha quando penso que nossa rota inclui uma passagem próxima a certas áreas de tensão. Locky não gosta da ideia de irmos até Israel, mas acabou aceitando, porque sabe que quero muito visitar o país.

Mas as notícias não são apenas ruins. Hoje, 20 de janeiro de 2009, é o primeiro dia de Barack Obama à frente da presidência dos Estados Unidos. Tenho esperança de que seu mandato dê início a um período de paz, após tantos anos de uma política internacional belicista e destrutiva.

O mundo dá muitas voltas, enquanto Locky e eu navegamos por dias a fio, longe de tudo, como se estivéssemos em Marte. É bom poder acompanhar, mesmo à distância, os acontecimentos mais marcantes do momento, no planeta Terra.

GALLE

05.55.490' N
82.07.084' E

Chegamos aos 10 nós! Ventos perfeitos de noroeste nos ajudam a colocar as velas de volta e a desligar o motor, desfrutando de um ambiente mais silencioso no Papaya.

Rapidamente nos aproximamos do sul do Sri Lanka e conseguimos aportar em Galle antes do sol se pôr, o que facilita a entrada em qualquer baía.

Foi uma sábia decisão parar em Galle antes de seguir para as Maldivas. A manilha que sustenta o mastro do Papaya quebrou no último dia de navegação. E o vazamento de água sobre a mesa de comando também nos preocupa. Nossas vigílias estavam tão intensas que não sobrava tempo para fazer esses reparos. Com o veleiro aportado, tudo fica mais fácil. Aproveitamos para comprar alimentos frescos e encher nosso tanque de água potável. E também para lavar a roupa suja, o que só fazemos em terra, pois gastaria muita água do tanque.

Apesar das recomendações que recebemos de outros velejadores, para tomarmos cuidado com furtos e roubos no Sri Lanka, nossa primeira impressão de Galle é muito positiva. O porto é simpático, com vista para coqueiros e uma deliciosa temperatura amena. Mas durante os procedimentos de entrada no país, temos uma desagradável surpresa. O responsável pela aduana sobe a bordo do Papaya com uma maleta preta, que ele abre logo após embarcar. Para meu espanto (ou ingenuidade), a maleta está vazia. Com a maior cara de pau, ele nos pergunta:

— *Gifts? Spirits?* (Presentes? Bebidas alcoólicas?)

Atônitos, mostramos a ele nosso pequeno estoque de bebidas. Duas garrafas de rum, duas cervejas e um espumante.

— *No whisky?* — ele reclama, visivelmente nervoso.

Tentamos explicar que não temos o hábito de beber muito.

Ele avalia as garrafas de rum. Pergunta qual é a melhor. Locky aponta para uma delas, de rum da Martinica. Sem pestanejar, o agente se apossa da garrafa e a enfia na maleta. Esse gesto me provoca tamanha indignação, que não consigo me impedir de lançar para Locky um olhar assustado, esperando uma atitude mais enérgica da parte dele. Felizmente, a atitude tarda, mas não falha:

— Você está pegando o meu rum? Por que você pegou a minha garrafa de rum?

— É o meu presente — o fiscal responde. — Sem presentes? Ok, o que vocês podem oferecer?

— Duas cervejas. Bem geladas. Você quer?

— Não, obrigado. Eu te devolvo o seu rum.

Depois dessa conversa sem pé nem cabeça, conseguimos enfim a aprovação da nossa entrada no porto e no país. Aliviados, partimos para caminhar e conhecer um pouco da cidade. Com exceção desse detestável agente portuário corrupto, os cingaleses com quem conversamos se mostram gentis. Acho difícil aprender novas palavras no idioma local, como gosto de fazer ao chegar num país estrangeiro, porque tanto o cingalês quanto o tâmil me soam totalmente incompreensíveis. Então me viro em inglês mesmo.

Os templos e monumentos budistas estão presentes por toda a cidade, muito floridos, perfumados e bem cuidados, apesar de situados numa região bastante simples. A arquitetura das casas tem uma adorável influência colonial. Os preços, em geral, são acessíveis, de modo que conseguimos comprar tudo o que precisávamos para abastecer o Papaya novamente.

De volta ao porto, conhecemos Henry, um homem de sessenta e poucos anos, cabelos curtos, bigode grisalho e dono de uma senhora barriga de chope, que oferece vários serviços aos navegantes aportados, especialmente o seu *tuc-tuc*, o táxi local. Ele gentilmente nos fornece informações sobre onde encontrar um mercado, uma lavanderia e um banco nas redondezas. Henry é um sujeito honesto e muito solícito. Nos encontramos quase diariamente, contando com a ajuda dele para resolver questões práticas relativas ao Papaya. E ele responde as nossas milhões de perguntas com paciência e um sorriso no rosto. Acabamos nos tornando bons amigos.

Certo dia, Henry nos convida para tomar um chá na sua humilde casa. O tradicional chá de Sri Lanka, considerado por muitos o melhor chá do mundo. Ele nos apresenta a sua mulher e suas duas filhas. Conversamos bastante sobre a vida em Galle. E ele nos conta uma história que marcou sua vida para sempre. A perda de quatro parentes, inclusive seu próprio filho, no terrível tsunami que atingiu o Sri Lanka em 2004.

Com o ar grave, Henry se levanta da mesa para buscar algo, depois retorna com um envelope cheio de fotografias do passado. Lembranças de uma época em que viviam perto da praia, cultivando uma horta na residência, e com trabalhos paralelos que iam de vento em popa. Ele nos mostra a linha desenhada pelo mar na parede, a altura a que chegou a água depois de inundar todo o interior da casa, causando a perda não só de familiares queridos, como também de objetos, móveis e toda a sua plantação de arroz.

Henry e sua família recomeçaram a vida do zero. Ainda hoje, em 2009, ele sofre as consequências desse desastre, com o terreno destruído e a casa aos pedaços. Talvez ele se sustente pelo desejo de viver e pelo bom humor contagiante, apesar das marcas desse passado doloroso. Meu contato com a esposa e as filhas é pouco. Elas parecem tímidas. Mas ao me despedir, consigo deixar um abraço apertado a cada uma, agradecida pela delicadeza daquele convite.

GALLE-ULIGAMU
06.01.606' N
80.13.520' E

Calculamos uma travessia de dois ou três dias até as Maldivas.

Como a nossa rota prevê a passagem por zonas muito pobres, sobretudo na África, me preocupo com o risco de enfrentarmos qualquer escassez de recursos no caminho. Me impus a meta de usar 5 litros de água para o banho e higiene pessoal, e 10 litros para beber e cozinhar ao longo do dia. Há algum tempo cogitamos a compra de um *watermaker*, um dessalinizador que converte água do mar em água potável. O problema é o preço, de quase 6 mil dólares. Um investimento com o qual não podemos arcar agora.

Por outro lado, me divirto com alguns brinquedinhos náuticos que já adquirimos, como o nosso precioso planetário pessoal. É uma traquitana que cabe na palma da mão. Basta apontarmos a dita cuja para o céu, escolhermos a estrela, o planeta ou a constelação que queremos identificar, e logo aparece um texto e um áudio com informações fascinantes. O melhor passatempo educativo de todos os tempos!

06.44.414' N
75.06.834' E

Nosso *laptop* para de funcionar no meio da travessia. Locky acha que deve ter entrado água quando tivemos o vazamento na janela sobre a mesa de navegação. Com seu talento de *hacker*, ele se arrisca a abrir o computador para limpar as peças oxidadas. Não adianta muito. Então usamos nossas cartas náuticas de papel, para seguir viagem até as Maldivas.

Como em qualquer casamento, temos dias mais doces e outros mais difíceis. Mas até agora não tivemos nenhum desentendimento sério. Procuro ser pacífica, conversando bastante e expressando de forma clara os meus desejos, e também procurando ser flexível aos desejos dele. Num veleiro, não há espaço para infantilidade. Temos um ao outro como fortes (e únicos) aliados. Se essa aliança não funciona, não adianta insistir. Já ouvi histórias de casais que mudaram sua rota para um dos dois desembarcar no porto mais próximo. A convivência, num veleiro, é de 24 horas por dia. Não é possível esconder quem você é.

ULIGAMU
07.04.573' N
72.55.330' E

República das Maldivas, *ahoy*!

Ancoramos na ilha de Uligamu, no atol de Ihavandhippolhu. Cinco oficiais nos recebem a bordo para o processo de imigração. Oferecemos chá, as poucas bebidas geladas que temos a bordo e biscoitinhos de gengibre para acompanhar. Depois da experiência em Galle, o clima nos parece amistoso.

Cativada por um ambiente paradisíaco, com águas claríssimas de pouco mais de 30 metros de profundidade, armo a nossa rede na proa do Papaya, para ler um livro. Mas acho difícil me concentrar na leitura, diante do espetáculo protagonizado por um grupo de arraias que vem nos dar boas-vindas. Deixo tudo para trás. Tiro a canga e vou mergulhar com elas. Faço um nado livre mágico entre as arraias. Até que elas conseguem ser mais rápidas do que eu, e me deixam na saudade. Com uma vida marinha tão colorida e exuberante, começo a entender por que as Maldivas têm a fama de proporcionar os melhores mergulhos do mundo.

Por outro lado, a vida em terra não me atrai tanto. Não consigo me adaptar às restrições impostas à mulher pela religião muçulmana. Aqui em Uligamu, um homem pode ter cinco ou seis esposas ao mesmo tempo. E a maioria delas se ocupa somente de tarefas domésticas. Outras leis locais são bastante restritas. Não podemos receber a bordo a visita de nenhum residente da ilha. Nem passear por terra após as 18 horas.

Em compensação, mergulho todos os dias, na companhia das queridas arraias, e também de golfinhos, lulas, tartarugas marinhas, muitos tipos de peixes e até mesmo corais preciosos. Começo a colocar em prática um plano antigo, de me exercitar na prática da fotografia subaquática, com uma caixa estanque que comprei recentemente. Essa é a minha atual terapia. E o cenário ajuda muito, claro.

⚓

ULIGAMU–SALALAH
14.337.90' N
60.39.314' E

Depois de reabastecer o barco de água e óleo diesel, e comprar um novo *laptop* para substituir o outro que teve perda total, nos preparamos para a travessia até o porto de Salalah, em Omã.

Gastos nas Maldivas:

> 160 litros de diesel x 1,10 dólar por litro = total de 176 dólares
> 260 litros de água potável x 1 dólar por 10 litros = total de 26 dólares
> Lavanderia 9,5 kg x 1,5 dólar = total de 14,25 dólares
> 3 dólares de taxas extras
> Total final = 219, 25 dólares

Como passamos por diversos países muçulmanos, não uso burca, mas procuro me cobrir toda do pescoço para baixo. Visto uma saia longa e uma camisa de manga comprida. Embora não concorde com esse estilo de vida, preciso respeitá-lo minimamente.

Meu corpo tem sofrido um bocado durante os últimos dias de navegação. Em menos de uma semana, consegui me machucar quatro vezes. Duas batidas na cabeça, no mesmo lugar, por incrível que pareça. Uma queda da escada. E algum outro acidente, que deixou uma mancha roxa enorme na minha perna esquerda, de que nem me lembro. São resultados do cansaço extremo, somado aos movimentos repentinos exigidos pelo velejo, que requer destreza e atenção.

16.25.754'N
55.29.690'E

Com o vento instável, intercalamos velas e motor. Locky prepara um iogurte grego na panela de pressão, enquanto faço a vigília do lado de fora do Papaya. Faltam 88 milhas para chegarmos a Omã, e o fluxo de navios começa a ficar intenso. Vejo pelo AIS que grande parte deles segue para a Arábia Saudita.

Pouco a pouco nos despedimos dos trópicos.

— Chegando em Omã, vamos ter que comprar uns edredons, né? — comenta Locky, lembrando que nossa estadia vai coincidir com o auge do inverno no país.

— Vamos, sim. Seria legal comprar também um pequeno aquecedor. Precisamos pensar como faremos para ter água quente no banheiro...

Outro detalhe que terei que mudar é deixar de tomar banho de biquíni no convés. Para evitar a exposição do meu corpo aos olhares de reprovação de populações muçulmanas. E também porque o frio já começa a se alastrar.

Ouvimos pelo rádio a notícia preocupante de que nove piratas acabam de ser presos na costa da Somália, próximo ao Golfo de Áden, que faz parte da nossa rota. Já conhecíamos a péssima fama da região. Mas não havia outra maneira de explorar os lugares que queríamos. Ao passarem por lá, muitos navegadores mantêm contato com embarcações vizinhas pelo rádio, reportando periodicamente suas posições de GPS, como medida de segurança. No Papaya, redobramos a atenção nas vigílias, voltando ao revezamento de duas em duas horas.

Faz quase dez dias que não dormimos direito. Estou exausta, sensível a tudo, louca para chegar em terra e descansar um pouco. No meu tempo livre a bordo, procuro relaxar assistindo a alguns filmes. Meu favorito até agora é *O último rei da Escócia*, baseado na história real do terrível genocídio promovido pelo presidente da República de Uganda na década de 1970.

Mais de 300 mil assassinatos. Um dado que me ajuda a redimensionar meus problemas. O cansaço. A tensão. As manchas roxas. As pedras inevitáveis no belo caminho que escolhi trilhar ao lado do meu amor.

SALALAH
16.56.298' N
54.00.232' E

Land ho!
Consigo avistar lindas praias e montanhas espetaculares, à medida que nos acercamos de Salalah, ao sul de Omã. O porto tem um perfil bem industrial e recebe desde veleiros até cargueiros do mundo inteiro. Encontramos navegadores de várias nacionalidades, principalmente europeus.

O processo de entrada no país é fácil e rápido, sem delongas ou apelos de agentes para receberem agrados extras. Aqui os homens se vestem de branco, enquanto as burcas das mulheres são pretas. Visto calça e camisa de manga comprida. Mesmo assim, me sinto uma pecadora. Tentei me comunicar com algumas mulheres na fila do Correio, mas fui totalmente ignorada por elas. Os homens, ao contrário, são abertos e receptivos. Puxam assunto, perguntam sobre o futebol no Brasil, querem saber de onde viemos, Locky e eu, e para onde vamos. Chamam a atenção os grupos de homens que se escoram nos muros, nos carros, em algum canto da rua, para mascar juntos uma erva chamada *cat*, que tem efeito estimulante. Eles acumulam as folhas mascadas no interior da boca, no lado de dentro de uma bochecha, até elas assumirem o formato de uma bola de tênis.

Salalah é pequena, mas encontramos de tudo, até *cybercafes* com bons serviços de internet, por um preço baixo. Aos poucos, me habituo ao clima do deserto. Quente pela manhã, fresco à noite. No fim da tarde, gosto de observar a silhueta dos camelos e a imensidão das montanhas.

Desconfortável para sair sozinha, peço a Locky que me acompanhe numa visita a um tradicional mercado noturno. Lá encontramos os famosos incensos omanenses, bem suaves, em mais de mil variedades. Compramos alguns para perfumar nosso ambiente no Papaya. O vendedor que nos atende, Hassan, rapidamente simpatiza conosco. E nos convida para almoçar na sua casa, conhecer sua família e fazer com ele uma viagem de carro até a fronteira com o Iêmen. Trocamos contatos, agradecemos o convite e ficamos de confirmar no dia seguinte.

Depois de uma boa noite de sono, ao acordarmos pela manhã, Locky ainda tem dúvidas quanto ao programa com Hassan:

— Vamos ou não vamos? Nem conhecemos esse cara. Será que devemos almoçar na casa dele, viajar de carro com ele... O que você acha?

— Ah, Locky, você sabe o que eu acho. Que pode ser muito interessante. Uma experiência autêntica, junto a um local... Eu senti firmeza na fala dele. Acho que devemos ir.

— Então está bem. Nós vamos. Tem certeza, né?

— Absoluta! Vou até levar a minha câmera. Vai ser ótimo.

Locky vai a um telefone público para confirmar o almoço com Hassan. Pergunta o que poderíamos levar. Nada, ele diz. Somos convidados.

Ao chegar no endereço que ele nos passou, percebemos que é uma casa de quatro andares. Hassan nos recebe e explica que ali moram juntos todos os membros da sua família paterna e materna, e da família da sua esposa. Imaginando uma família tão numerosa, fico surpresa ao sentarmos à mesa com somente três pessoas. São os primos de Hassan. Como não falam inglês, passamos a maior parte do tempo em silêncio.

Sentamos no chão da sala principal. Há um tecido que demarca a área da comida e um plástico por cima, onde os alimentos são servidos em montinhos. Comemos com as mãos. A comida é fresca e de boa qualidade, servida por dois empregados filipinos. Uma quantidade generosa de carne de bode e frango. Para a salvação da minha dieta vegetariana, me viro bem com os legumes refogados, acompanhados de arroz branco.

Intrigada para saber onde estão as mulheres da casa, pergunto a Hassan quando poderei conhecer sua esposa e o restante da família.

— Daqui a pouco, Barbara. Daqui a pouco — ele responde.

Após a refeição, é servido o chá. E Hassan nos convida a degustar "o maravilhoso mundo da erva *cat*", segundo sua própria designação. Prefiro recusar. Locky se junta a Hassan e seus primos, se encostando nas paredes para mascar *cat*.

Finalmente, Hassan anuncia que é hora de conhecer sua família. Locky faz menção de me acompanhar, mas é impedido, num gesto delicado, porém firme, do nosso anfitrião. Hassan afirma que somente eu posso ir. O encontro tão misterioso acontecerá no segundo andar da casa. Mesmo tensa, confio nele.

Subimos as escadas, até nos depararmos com uma grande porta branca. O pé-direito é alto. A casa em si é bastante espaçosa. Pelo pouco que consigo discretamente espiar, percebo que os cômodos parecem confortáveis. Passo algum tempo distraída, observando o espaço, até que Hassan retira do bolso da calça um molho de chaves, abre a porta, e vejo um mundo completamente novo se abrindo diante dos meus olhos, no interior daquele cômodo.

Mulheres. Muitas mulheres reunidas. Cerca de quinze ou vinte. Todas ajustando suas burcas, envergonhadas pela minha aparição repentina. Em árabe, Hassan explica a elas quem sou, de onde vim, por que estou ali. Logicamente não entendo bulhufas do que ele diz. Tento falar com elas em inglês, num ímpeto absurdo de promover uma pequena conferência feminista privada. No mínimo, para agradecer pela generosidade delas, ao me receberem na sua casa. Hassan aparentemente traduz o que digo. Mas não tenho qualquer resposta.

— Barbara, esta é a minha mãe, a minha esposa, as minhas irmãs... — e a lista de apresentações parece não ter fim.

"Esta cena não pode ser real", penso em silêncio. Numa casa espaçosa, com sofás, camas, quatro andares lindamente mobiliados, como é possível uma situação como esta em pleno século XXI?

— Hassan, elas já almoçaram? — ouso indagar.
— Depois dos homens. Sempre.
— Ah, claro...

Tentando disfarçar meu horror diante daquelas mulheres trancadas, confinadas, apinhadas num cômodo fechado, me despeço de todas e aguardo, tensa, enquanto Hassan fecha a porta à chave. Não consigo evitar a proliferação de perguntas na minha mente. Será que as mais jovens vivem nesse cômodo desde que nasceram? A que horas do dia elas podem sair? Em que ocasiões? Sinto uma vontade desesperadora de sair correndo, mas ao mesmo tempo gostaria de entender melhor a cena insana que acabo de presenciar. Eu, mulher, que descobri a felicidade na liberdade de percorrer tantos milhares de quilômetros pelo mundo, mal consigo compreender, ou mesmo aceitar, que essas mulheres possam viver assim, aprisionadas a alguns míseros metros quadrados.

Apesar do extremo desconforto que essa experiência me causou, Locky e eu não recusamos o convite de Hassan para viajarmos de carro até a fronteira de Omã com o Iêmen, no dia seguinte. Durante o trajeto, chamo a atenção de Locky ao avistar alguma cor ao horizonte, em contraste com o cenário monocromático do deserto.

— Amor, olha que linda aquela árvore florida, ao final da estrada.

— São flores cor-de-rosa — ele responde, também admirado. — Que bonito.

Decidimos ir até lá, para fotografar. Mas quando nos aproximamos, vem a decepção. Na verdade, não são flores. São sacolas plásticas cor-de-rosa, penduradas nos galhos de uma árvore seca. Invólucros de erva *cat*, que parece angariar adeptos até nas regiões menos populosas por aqui.

— Sacolas plásticas... — suspiro, desapontada.

Hassan nos leva a lugares com vistas privilegiadas a partir das montanhas. As curvas formam desenhos interessantes. Rochas pontiagudas, que servem de enquadramento para um pôr do sol deslumbrante. Por outro lado, não consigo evitar meu incômodo ao me encontrar com as poucas mulheres que se atrevem a andar pelas ruas das pequenas cidades que percorremos. Todas cobertas por burcas que não deixam aparentes nem mesmo os olhos, escondidos por uma tela. Crianças cuidam de crianças. Sinto um vazio. Um sentimento de impotência. Há pobreza por todos os lados.

Antes de partirmos, recebemos presentes de Hassan. Um lenço para Locky. Uma burca para mim. Agradeço, mesmo ciente de que jamais vestirei uma burca de livre e espontânea vontade.

⚓

SALALAH-AL MUKALA

Tanques cheios. Compras feitas. No simpático supermercado Lulu, perto do porto, conseguimos encontrar tudo que necessitamos, de comida a eletrônicos, além de algumas garrafas de gás para a cozinha do Papaya. Locky instala uma ducha no veleiro e uma bomba para eliminar a água armazenada após o banho. Colocamos nosso pequeno veleiro dingue no convés e organizamos todo o interior do barco. Depois de seis dias em Omã, chega a hora de navegar até a cidade de Al Mukala, no Iêmen.

A saída de Salalah é tumultuada. Partimos junto com 25 embarcações envolvidas no *rally* Vasco da Gama, que prevê uma viagem da Índia à Turquia, com duração de 18 meses. Deixamos todos passarem tranquilos. Preferimos ser os últimos. Gostamos da ideia de manter contato com nossos companheiros navegadores ao longo da nossa rota, mas ainda preferimos seguir nosso caminho num estilo independente.

Na segunda noite da nossa travessia, testemunhamos uma situação de grande risco. Jean, um velejador solitário participante do *rally*, pegou no sono e foi arrastado pela correnteza, vindo em nossa direção. Movidos por um forte senso de comunidade, todos os barcos que perceberam o deslize, inclusive o Papaya, começaram a fazer contato pelo rádio, insistentemente. Até que conseguimos acordá-lo. Foram momentos de intensa preocupação pela segurança dos veleiros e pela vida desse homem.

Uma vez, nós também nos colocamos em risco durante a travessia, quando Locky estava dormindo. Foi uma bobagem minha. Durante a vigília, resolvi preparar um café, confiando no piloto automático e na fácil ilusão de que a embarcação é capaz de velejar sozinha. Quando me dei conta, estava a apenas dez metros de distância do veleiro Tamanu, de um casal francês da Bretanha. O rádio estava alto, mas eles também não notaram que estávamos tão perto. Num lance de poucos minutos, consegui evitar a colisão, com o coração quase saindo pela boca.

Depois dessa, aprendi a lição. Quando vou começar a vigília, já levo tudo pronto: café na garrafa térmica, uma manta bem quentinha e um lanchinho para o caso de a fome apertar.

Estamos conseguindo abrir as velas, o que era inesperado para essa viagem. São ventos brandos, mas conseguimos passar dos 5 nós de velocidade.

Ao longo da travessia, cruzamos com vários barcos de pesca, que se acercam do Papaya para pedir comida, roupas ou o que pudermos oferecer. Por uma questão de segurança, evitamos a aproximação. Outros velejadores nos advertiram que se você oferece ajuda a um desses barcos, outros dez virão na sua direção. Para complicar a situação, alguns velejadores que oferecem aos pedintes bebidas alcoólicas, acabam criando problemas num país muçulmano onde o consumo de álcool é proibido.

Escutamos pelo rádio que um veleiro com motor Yamaha de 40 cavalos, com dois pescadores iemenitas a bordo, parou alguns barcos na mesma rota que estamos fazendo. Pouco a pouco, eles se aproximam do Papaya, pedindo água, cigarros e combustível para voltar para casa.

Tentamos ser amistosos, mantendo certa distância. Oferecemos algumas garrafas de água e arrancamos com o motor, para afastar qualquer tipo de problema. Continuo inquieta e com medo das histórias que ouvimos sobre os piratas nessa região próxima ao Golfo de Áden. Mas também sinto um aperto tremendo no coração, diante de tamanha miséria.

Para aliviar o estresse desses encontros e desencontros, avistamos um grande grupo de golfinhos e uma enorme arraia, com cerca de três metros, saltando na superfície do mar, bem em frente ao Papaya. Locky e eu ficamos atônitos, agradecidos e felizes.

13.50.319' N
48.28.894' E

A passagem entre o Mar da Arábia e o Golfo do Áden transcorre com o mar tranquilo. Nossa viagem agora é calma e confortável. Com as velas abertas em borboleta, velejamos perto da costa.

Como faz um calor de rachar, resolvemos parar para um mergulho. Lançamos a âncora e estipulamos o tempo de duas horas para nos refrescar, antes de retomar a navegação. Pegamos nosso dingue e navegamos até a costa. E nos entregamos à experiência de desfrutar de um paraíso isolado, admirando a beleza dos peixes e dos corais.

De repente, percebo que não estamos sozinhos. Um barco com dois motores de 40 cavalos se aproxima em alta velocidade do Papaya, que enxergamos ao longe, ancorado. Nervosa, aviso ao Locky. Nadamos afoitos até o dingue. E navegamos de volta ao veleiro, ao mesmo tempo em que o outro barco também se acerca dele, como se fosse uma competição para ver quem chega mais rápido.

Com quatro homens a bordo, vestidos de trapos brancos e surrados, o outro barco lança sua âncora a 15 metros de distância do Papaya. Enquanto isso, entro às pressas, de maiô, toda molhada, buscando algo para cobrir meu corpo por inteiro, enquanto sinalizo via rádio que estamos sendo abordados por estranhos. Estranhos com forte potencial de se revelarem piratas somalis. Locky permanece do lado de fora, tentando se comunicar com os homens à medida que eles se aproximam do nosso veleiro, a bordo de um bote.

Os homens não falam nada.

Tento manter o sangue-frio, consciente do risco que corremos. No rádio, chamo pelo nome várias embarcações conhecidas, que poderiam estar nas redondezas. Ninguém responde. Nenhuma viva alma.

Suponho que Locky pode estar precisando de ajuda lá fora. Pela janela, vejo que ele continua engajado numa comunicação sem palavras com os homens, que mantêm uma expressão nitidamente irritada e hostil.

"Eles podem estar querendo comida!", deduzo, a julgar pela aparência esquálida dos quatro. Pego uma cesta e começo a enchê-la de macarrão, arroz, biscoitos, cereais, leite, alimentos que acredito serem úteis para eles, assim como têm sido úteis para nós até agora.

Quando subo ao convés, levo um susto: eles agora mantêm o seu barco lado a lado com o Papaya. Podem subir a bordo a qualquer momento. Visivelmente, Locky não sabe mais o que dizer. Ou tentar dizer.

Rapidamente, entrego a cesta nas mãos do homem que estava à frente do grupo e parecia ser uma espécie de líder. Ele avalia o conteúdo. Pega a caixa de leite e a vira de cabeça para baixo. Parece querer decifrar o que é. Com um gesto, procuro mostrar que é algo para beber. Ele me olha como se pudesse invadir a minha alma.

"Nossas vidas estão nas mãos desses homens", penso, angustiada. "Se nos matarem, ninguém nunca vai saber o que aconteceu." Sou acossada por uma sensação de fragilidade extrema. Sabíamos que esta é uma região de risco. Mesmo assim, escolhemos estar aqui. Memórias dos últimos meses atravessam a minha mente como num filme. Quando nos conhecemos no Arctic Sunrise. Quando decidimos fazer do Papaya a nossa casa. Os caminhos que escolhemos navegar. Nossos mergulhos incríveis. Não seria justo morrer agora, desse jeito tão estúpido.

Continuo tentando me comunicar com eles. Pergunto o que querem. Se podemos ajudar com algo. O silêncio é matador. Cada um dos quatro mantém um pé sobre o barco deles e o outro sobre o nosso. Em formação de guerra. Como se estivessem prestes a invadir o nosso veleiro. A nossa casa.

Observo bem a aparência deles. Magérrimos. Sujos. Parecem estar no mar há alguns dias. Mas não vejo sinal de algum equipamento de pesca. E, para a nossa sorte, nenhum indício de que possuem armas a bordo.

O líder olha para mim e começa a apontar para sua genitália. Confusa e constrangida, tenho dificuldades para compreender seus sinais. Ele se agacha até a superfície do mar e afunda as mãos na água, fazendo espuma. Depois aponta novamente para a virilha. Tenho a impressão de que ele quer me dizer que há algo errado com seu pênis. Como pus. "Ele está enfermo!", concluo, num estalo.

Retorno correndo para o interior do Papaya. Em meio à bagunça das nossas coisas acumuladas, procuro pela caixa de primeiros socorros. Encontro antibióticos. Não faço ideia se poderão solucionar o problema. Não sou médica. Não conheço a complexidade do caso. Mas resolvo arriscar a melhor opção que me ocorre nesse instante.

Saio do barco até o *cockpit*, tão nervosa que, no meio do caminho, tropeço, caio, me ralo, e enfim me levanto para reencontrar o olhar invasivo desse homem. Entrego a ele o que tínhamos de mais precioso a bordo: comida e remédios. Antes de entregar a ele uma caixa de medicamentos, faço gestos sinalizando que ele deve tomar um comprimido pela manhã (gesticulo imitando a luz do dia) e outro pela noite (finjo que estou deitada, dormindo, com as mãos sobre o rosto).

Então as palavras brotam. Eles começam a discutir entre si, num idioma que não consigo identificar. Locky mudo, assim como eu. Depois de alguns intermináveis minutos, eles optam por retornar ao barco deles, levantar âncora e partir.

Permaneço parada, em estado de choque, enquanto observo o barco se afastar até sumir no horizonte. Parada e de pé, com o corpo congelado no mesmo lugar em que entreguei os nossos suprimentos àquele homem. Respiro fundo, pensando no valor da minha vida, da nossa vida, e no desespero em que esses homens provavelmente se encontram. Só consigo me mover de novo depois que não é possível mais avistar nenhum sinal da embarcação. Só então vou ao encontro do Locky. E ele me acolhe num forte abraço.

⚓

ÁDEN
12.47.461' N
44.58.772' E

Ainda estamos nos recuperando do maior susto que vivemos durante toda a travessia. Pelo menos já passamos pela área considerada mais perigosa para a abordagem de piratas. Ancoramos em Áden, no Iêmen, onde pretendemos descansar e reabastecer o veleiro, antes de partir para o Mar Vermelho.

A vegetação na cidade é escassa. O porto não conta com qualquer infraestrutura de turismo, nem disponibiliza recursos fundamentais para uma travessia longa, como água e combustível. Mesmo assim, decidimos celebrar a vida, após sentir na pele o risco de perdê-la. Organizamos uma pequena festa a bordo, com os petiscos e bebidas que nos restam, convidando os navegantes dos veleiros Tamanu e Makoko. Depois de momentos de tanta tensão, me faz bem trazer amigos a bordo e relaxar.

No dia seguinte, conhecemos o iemenita Salem, por intermédio de Sura e Liv, um casal de finlandeses que velejam juntos há mais de oito anos. Vamos a um restaurante popular, onde novamente nos sentamos no chão e comemos com as mãos. Sura e eu somos as únicas mulheres no estabelecimento. Enquanto experimento um saboroso tipo de pão, servido com dois molhos diferentes, escuto histórias de Salem. Ele conta que já morou na Rússia, onde trabalhava como engenheiro naval, durante a época da União Soviética. Foi forçado a se afastar da família. Aprendeu a falar russo e inglês fluentemente. E hoje, apesar das dificuldades enfrentadas por seu país, está feliz em retornar à sua terra natal. Segundo Salem, o Iêmen foi conhecido pelo mundo inteiro como a *Arabia* Félix. A Arábia feliz, ou bem-aventurada.

Adel, outro iemenita que conhecemos, oferece nos levar a um passeio pelas montanhas, na companhia do seu sobrinho Adham, que é também o tradutor da excursão, já que Adel não fala inglês. Ele nos busca no porto, para um percurso de duas horas de ida e duas horas de volta no seu carro, ao som de canções árabes religiosas e românticas. Canções cheias de *habib* (querido/a), palavra que consigo reconhecer nas letras. Na estrada, vejo mulheres que carregam contêineres e garrafas plásticas, sobre o lombo de burros, em busca de água. Assim como em Omã, homens se reúnem em grupos para mascar *cat*. Conversando com Locky, Adham resume em uma palavra o significado que a erva representa: poder.

Adham comenta sobre a forte rivalidade entre as regiões norte e sul do Iêmen, que se envolvem em disputas pelo acesso à água e a outros recursos. Já Adel confessa o desejo de tentar a vida num país rico, já que aqui só é possível conseguir um bom trabalho quando se conhece alguém que trabalhe para o governo. Quando descobre que Locky é canadense, pede ajuda para conseguir um visto. Entrega a ele um envelope contendo uma cópia do seu passaporte e três fotos 3x4, acreditando que Locky teria o poder de providenciar a sua entrada no Canadá. Me dói o coração perceber a ingenuidade desse homem, que não faz ideia da complexidade envolvida num processo imigratório.

Adham apoia a decisão do tio de tentar deixar o Iêmen, que vive uma forte crise social e econômica nesse primeiro trimestre de 2009, a fim de oferecer uma vida melhor à sua família. Ele nos fala sobre os valores iemenitas mais importantes. E inusitadamente me pede para tirar fotos segurando armas de fogo. Fotos dele e fotos minhas. Símbolos de status, segundo ele. Aflita, seguro a arma para não o desagradar. Mas não consigo evitar o sorriso amarelo diante do clique da câmera.

Depois do passeio, retornamos às proximidades do porto, num carro onde vejo mais duas ou três armas. Visitamos a casa do Adel, onde encontro um cenário parecido ao que testemunhei na casa do Hassan. Mulheres comendo num quarto separado, enquanto cuidam das crianças. E eu, a única mulher acompanhando os homens da casa durante a refeição.

Numa região com pouco ou nenhum turismo, acabamos virando atração. As crianças na rua querem tocar minha bata e meus cabelos. Apesar de tímidas, são muito educadas e sorridentes.

À noite, Salem nos acompanha até um mercado árabe, com barraquinhas ao ar livre e luzes improvisadas. Ele nos mostra os produtos iemenitas com orgulho. E também se veste com roupas típicas do Iêmen, demonstrando grande apreço pela cultura local. No mercado, conhecemos um pinguço que se dizia o príncipe de Áden, embora nos parecesse mais um árabe corajoso que ousou comprar álcool no mercado negro.

Retornamos ao Papaya cheios de boas aquisições e começamos a nos preparar para dormir. Até que escuto ao longe uma música pop bastante animada, nada comum a essa hora da noite. Curiosa para descobrir de onde vem, vasculho os arredores com o binóculo. E enfim me deparo com o Seaman's Club, repleto de mulheres rebolando e homens dançando com cervejas nas mãos.

— Caramba! Locky, vem ver isso!
— Uau. Que revelação, hein?

Só no dia seguinte descobrimos que o lugar é um clube de prostituição, voltado para navegadores que estão aqui de passagem rumo à Arábia Saudita. E descobrimos também que a maioria das dançarinas rebolativas são mulheres que vêm da Somália em busca de uma vida melhor.

Tristemente, parece que a busca por uma vida melhor, por aqui, é uma esperança longínqua, que cada um sustenta como pode.

RAS TERMA
13.12.95' N
42.31.65' E

De volta ao mar, com os ventos a nosso favor, velejamos com a melhor performance do Papaya desde que saímos da Malásia, a 13 nós. Driblamos o estreito de Bab-el-Mandeb, que divide a Ásia e a África, atingindo ilesos o tão esperado Mar Vermelho. Ancoramos em Ras Terma, na Eritreia, para pernoitar e repousar. Uma região bastante seca, repleta de casebres de palha muito humildes.

Pelo rádio, ouvimos a notícia de que o veleiro Cool Change, de 25 pés, acaba de esbarrar num recife que danificou o barco irremediavelmente. Ele será abandonado. Uma fatalidade que pode ocorrer a qualquer um de nós. Deslizes acontecem. E os recifes são realmente perigosos.

Amanhã arrumaremos as velas em asa de pombo, para seguir até a ilha de Shuma, ainda na Eritreia. Preciso urgentemente descansar por uma noite. Estou enfraquecida porque vomitei por várias horas, depois de comer algo no Iêmen que me fez muito mal.

HAWAKIL
15.04.792' N
40.16.199' E

Depois de uma noite difícil, sem ventos, que nos obrigou a usar o motor, ancoramos na baía de Hawakil, com 20 pés de profundidade.

Temos uma vista incrível para uma praia deserta, com belas formações de rochas vulcânicas ao fundo, sobre um solo seco, de vegetação desértica. Passamos o tempo livre mergulhando com golfinhos e peixes das mais variadas espécies.

Ao nosso lado, também estão ancorados os veleiros Makoko e Tamanu. Nossos amigos velejadores resolvem fazer um churrasco com o resultado de uma pescaria. Contribuo com vegetais que ainda temos a bordo, como batatas e outros legumes que tempero com alho, cebola e alecrim. Para a sobremesa, bolos e doces típicos do Iêmen. Nos entregamos a um delicioso mergulho noturno, iluminado pela lua cheia.

De volta ao Papaya, Locky e eu nos deitamos na nossa cama, num dos raros momentos em que podemos dormir juntos, ao mesmo tempo. Adoro navegar. Mas talvez adore ainda mais ancorar e relaxar ao lado do homem que amo, e que escolhi para compartilhar essa aventura.

SHUMA
15.32.149' N
39.59.534' E

Na última hora da minha vigília, vejo nascer o sol de março, que emana um aconchegante calor sobre as minhas costas, embora ainda seja inverno por aqui. Logo avistamos nossa próxima parada. Port Smyth, na ilha de Shuma.

Ajudo Locky a descer as velas e a fazer nossa ancoragem. Mais uma ancoragem fantástica na Eritreia, com muitas cores e muita vida. Pedras vulcânicas, vários pássaros, natureza potente. Avistamos na praia um antigo farol e algumas cabanas, aparentemente abandonadas. Colocamos o dingue na água, para conhecer de perto esse pequeno paraíso fantasma.

Nossos guias nos advertiram para tomar cuidado com possíveis destroços ou resíduos da guerra contra a Etiópia, entre 1998 e 2000, que deixou como triste herança centenas de milhares de minas espalhadas pelo território eritreu. Ainda assim, a praia nos parece irresistível. Nadamos perto dos recifes. Corremos e fizemos guerra de areia, às gargalhadas, como duas crianças. E nos perguntamos como é possível que se faça guerra num lugar tão bonito.

Caminhamos de ponta a ponta naquela faixa de litoral belíssima e deserta. Minha alegria é tamanha, assim como a forte conexão entre Locky e eu, que sugiro fazermos amor na beira da praia. Ele hesita, com medo de que alguém se aproxime de repente. Mas eu só quero desfrutar ao máximo o privilégio de estar com ele num lugar tão magnífico. Não quero pensar nas minas, nas guerras, no risco de alguém nos surpreender. Só quero amá-lo e me sentir amada. Enfim nos agarramos e rolamos na areia. Eu dançando por dentro. Sentindo as ondas tocando as nossas pernas, que se enroscam nessa tarde de amor incondicional e promessas de uma vida inteira juntos.

Ao pegarmos nosso dingue para retornar ao Papaya, percebo um aglomerado de garrafas de vidro próximas a algumas pedras pontiagudas. Chego mais perto e vejo que nelas está estampada a palavra *birra*. Garrafas de cerveja provavelmente vindas da Itália, num pedaço da África selvagem. É o mais perto que chegamos de uma presença humana que pudesse, de repente, aparecer para nos surpreender.

SHUMA-KOH NARAWAT
16.30.750' N
39.17.040' E

Apesar de ser difícil dizer adeus a esse pedaço de céu na terra, precisamos aproveitar os ventos que sopram a favor e seguir nossa rota, velejando rumo a Koh Narawat, no Sudão.

Nas primeiras horas da manhã, o calor já assola o convés do Papaya. Aproveito a ducha recém instalada por Locky para me refrescar com a água do mar. O sal sempre me renova e me fortalece para seguir viagem.

Passamos por ilhas maravilhosas no trajeto. Numa delas, onde a maré começa a subir, avistamos um grupo de camelos nadando tranquilamente de uma ilhota à outra.

Mantemos contato por rádio com outros veleiros, como Makoko, Tamanu e Launans. Ao ancorarmos em Koh Narawat, encontramos Jean Claude e Claudie, do Makoko, e os convidamos para jantar conosco, no convés do Papaya. Nada mal como desfecho para um dia de navegação: jazz contemporâneo, feijoada vegetariana e a companhia de amigos queridos.

KOH NARAWAT–SUAQUÉM/PORT SUDAN
19.06.469' N
37.20.290' E

Depois de uma agradável noite em Koh Narawat, navegamos mais algumas milhas até Suaquém, o porto mais importante do atual território sudanês durante a Antiguidade, que também foi o último no mundo a manter um mercado de escravos.

Os veleiros locais têm formatos de velas bem peculiares. Algumas quadradas, outras assimétricas. A população constrói veleiros com qualquer material disponível. Os tecidos usados são antigos, ou mesmo rasgados.

A cidade é muito pobre. No comércio local, vejo carnes expostas, entre moscas. Mas há poucas opções de frutas e legumes. Por isso, Locky e eu resolvemos pegar uma van até Port Sudan, a 57 km. Para variar, sou uma das únicas mulheres na van. Num primeiro momento, me sinto alvo de um certo estranhamento coletivo. Algum tempo depois, as pessoas ao redor já se comunicam comigo de forma amistosa, com largos sorrisos nos rostos. É impressionante como esse povo consegue ser tão sorridente em meio a tanta miséria. Tão sorridentes que me inspiram a experimentar de novo o sentimento de gratidão pela vida. Gratidão por tudo que já tive a sorte de viver, com saúde e alegria. Diante da minha câmera fotográfica, alguns locais posam exuberantes. Outros se recolhem abraçados pela timidez. Fico fascinada com os contrastes. Procuro aprender com cada detalhe que observo.

Port Sudan é mais urbanizada, com bancos, táxis e ruas mais limpas que em Suaquém. Ao entrar num mercado, me encho de esperança de comprar uma ou duas boas variedades de queijo. Mas tudo que encontro são pacotinhos de cheddar industrializados, cortados e embalados em fatias, com gosto de plástico. Como se não bastasse a decepção de não contar com qualquer outra opção, caio para trás ao descobrir que cada pacotinho de cheddar é vendido ao preço abusivo de 10 dólares. No fim, gastamos 100 dólares para comprar alguns alimentos frescos, deixando de fora as superestimadas fatias de queijo plástico. Só o suficiente para chegarmos até o Egito, onde esperamos encontrar melhores ofertas alimentícias.

⚓

MARSA FIJAB, MARSA UMBEILA, MARSA HALAIB & MARSA GIRID
20.01.969' N
37.11.498' E

Transcorridas 56 milhas desde Suaquém, nos acercamos de Marsa Fijab, ainda no Sudão. Uma baía com visual magnífico e acolhedor. Nossa entrada, porém, exige muita cautela, por causa dos corais, recifes e pedras pelo caminho. Como a profundidade da água também é rasa, tomamos cuidado para navegar em segurança.

Avançamos um pouco mais, subindo o litoral sudanês até Marsa Umbeila, para escapar de um forte vento noroeste com força de 25 a 30 nós. A baía também é linda, mas faz frio demais para mergulhar.

Prestes a adentrar o território egípcio, substituímos a bandeira do Papaya, cumprindo uma exigência internacional. Qualquer embarcação deve hastear a bandeira do país onde navega no momento. E depois de seis horas de um difícil trecho contra o vento, atingimos Foul Bay, em Marsa Halaib, no Mar Vermelho. Rodeado de coqueiros, é um lugar espetacular para praticar o mergulho. Um refúgio de águas claras, enfeitado por uma proliferação de corais.

Mais adiante, em Marsa Girid, encontramos um centro urbano um pouco mais estruturado, onde conseguimos combustível e água potável. Porém, os oficiais que nos recebem no porto não parecem muito confiáveis. Nos cobram um preço inicial pelo diesel, mas acabamos pagando o dobro. Nos dizem que a água é até gratuita, depois nos obrigam a pagar 20 dólares por litro. Gostaríamos de acreditar que são apenas confusos ou desorganizados. Mas é difícil não desconfiar da boa-fé desses agentes.

Marsa Girid carrega um importante legado histórico do Egito Medieval, pois era ponto de encontro de grandes caravanas no século XIII. O mercado de legumes é singelo. Mas consigo comprar pão, batata, tomate, limão, banana e até tangerina. Nossa, há quanto tempo não como uma tangerina. Um luxo.

MARSA GIRID-HURGHADA
22.24.409' N
36.25.349' E

Em abril de 2009, atravessamos o Trópico de Capricórnio, cruzando o Mar Vermelho com destino a Hurghada. Aproveitamos a boa janela para fazer o máximo de milhas possíveis e adiantar nossa viagem. Mas precisamos ancorar em Ras Abu Soma por algumas horas, para nos proteger do forte vento. Aqui vemos alguns *resorts*, onde turistas praticam windsurfe e velejam em *hobie cats*, pequenos veleiros para saídas curtas.

Desde que estivemos no Iêmen, não consigo mais encontrar um posto de correio. As cartas para a família e os amigos se acumulam. As saudades também.

No nosso último encontro com navegadores do veleiro Launans, tivemos a brilhante ideia de trocar uma porção de filmes. Isso tem nos rendido novas sessões de cinema, com direito a pipoca. Adoro curtir o nosso Cine Papaya!

HURGHADA, LUXOR & KARNAK
27.13.528' N
33.50.502' E

Não por acaso, traçamos nossa rota por lugares internacionalmente conhecidos por proporcionarem práticas de mergulho extraordinárias. Hurghada é um desses lugares, procurado por visitantes do mundo inteiro. E apresenta a vantagem de conjugar as belezas naturais com uma infraestrutura urbana bem desenvolvida.

Nossa chegada à marina é bastante conturbada. Ninguém fala inglês. Precisamos de muita paciência durante os trâmites burocráticos de praxe. Mas ao desembarcarmos, fico deslumbrada com a quantidade de restaurantes à nossa disposição. Tomamos até cerveja! Apesar de muçulmano, o Egito é mais liberal quanto ao consumo de álcool do que outros países que visitamos recentemente.

Aproveitamos a estadia na terra dos faraós para visitar cidades próximas carregadas de história. Guardarei para sempre na memória as imagens do magnífico Templo Deir el-Bahari, nas cercanias de Luxor. Um complexo de sepulturas com símbolos coloridos decorando as paredes, à beira do Rio Nilo, que começaram a ser construídas cerca de 2 mil anos antes de Cristo. Visitamos lojas que demonstravam o processo de fabricação do papiro. Também foi muito especial caminhar pelas gigantescas colunas de hieróglifos no grande Templo de Karnak.

HURGHADA, SUEZ, ISMAILIA & CAIRO
29.40.919' N
32.34.456' E

Carregando na memória lembranças muito especiais de ruínas e templos antiquíssimos, navegamos rumo ao Canal de Suez, para fazer a travessia do continente africano ao asiático. Descobri recentemente que o grande idealizador do canal foi o faraó Ramsés II, no século XIII a.C. Mas somente no ano 500 a.C. o projeto foi concluído pelo rei Dario I, um conquistador persa no Egito, que tornou possível uma ligação direta entre o Mar Vermelho e o Mar Mediterrâneo. Um projeto de engenharia que nos faz admirar a ousadia e habilidade técnica de povos tão antigos.

Nas proximidades do Golfo de Suez, Locky e eu enfrentamos uma tempestade de areia fortíssima, que não nos permite enxergar um palmo à nossa frente. Ancoramos à primeira oportunidade, com areia por todos os cantos do barco. Passada a tempestade, recebemos um prático a bordo para nos orientar durante a travessia do Canal de Suez. O serviço nos custa 280 dólares. E não é facultativo.

É enorme o fluxo de embarcações, inclusive navios cargueiros ou turísticos, que fazem cruzeiros pela região. Precisamos esperar outros barcos que têm prioridade. Ouvi dizer que eles compram essa prioridade, fazendo agrados ao prático ou pagando mais caro por um lugar na frente da fila.

Enquanto aguardamos nossa vez, escutamos pelo rádio que, a 700 km da costa somali, um cargueiro norte-americano é vítima de um ataque de piratas, que mantêm o capitão como refém. Um navio de guerra está a caminho, com a missão de resgatar a tripulação. Ainda estão tentando contato, na expectativa de uma negociação. Parece que os problemas com piratas na região vêm aumentando a cada ano. Respiro aliviada ao lembrar que saímos ilesos de um encontro com tamanha ameaça.

Nessa etapa da viagem, conhecemos o navegante escocês Bill, dono do The British Tiger, um veleiro de 25 pés. Uma figura estilo *hippie* e sem grandes preocupações, ele fuma maconha no *cockpit* e adora contar as aventuras que viveu ao longo de vinte anos de navegações pelo mundo. Ele já navegou inclusive pelo Brasil, onde morou por dez anos, de forma ilegal.

— Essa coisa de papelada é muito chata. Às vezes é bom infringir a lei. A gente se sente mais forte — explica ele. E engata mais uma de suas histórias.

— No Brasil, me envolvi com uma mulher casada, dona do restaurante em frente ao local onde eu deixava o veleiro ancorado. Foi um belo romance. Mas quando o marido descobriu, ele me denunciou. Então tive que deixar o país. Se não fosse por isso, talvez estivesse lá até hoje.

Decidimos parar em Ismailia, uma cidade segura e bem localizada à costa oeste do canal, a meio caminho entre Suez e Port Said. Nossa intenção é deixar o Papaya por uns dias para uma última incursão por terras egípcias. Uma sábia decisão, que nos permitiu visitar lugares realmente inigualáveis, como o Museu do Cairo e as pirâmides de Gizé.

ISMAILIA, PORT SAID & TEL AVIV
31.29.872' N
32.44.863' E

Terminamos a travessia do Canal de Suez com o piloto Hassan a bordo. Em Port Said, um barco a motor veio buscá-lo. Ele foi um prático tranquilo, não fez muitas exigências. Muito diferente do piloto que orientou o Rainbow Warrior, na minha primeira travessia do canal, que infernizou a tripulação pedindo dinheiro, cigarros, álcool e até perfume.

De Port Said partimos diretamente para a marina de Tel Aviv, onde fazemos os trâmites de entrada em Israel. Policiais entram a bordo com cachorros, em busca de drogas e armas, nos fazendo diversas perguntas. Talvez o escocês Bill não se safasse desse controle canino. É o procedimento de imigração mais demorado que já fizemos. Precisamos apresentar comprovantes profissionais e um segundo documento oficial além do passaporte. E precisamos explicar por que passamos por tantos países muçulmanos antes de aportar em Israel.

Livres do processo burocrático, saímos do Papaya em busca do que fazer pela cidade. Na própria marina, conhecemos um casal de navegadores israelenses muito simpáticos. Eles nos contam que, dentro de alguns dias, o Estado de Israel irá comemorar 61 anos de independência do domínio britânico.

Alugamos um carro para explorar Tel Aviv e cidades próximas. Em alguns momentos do dia, escutamos uma sirene, e todos os carros param em respeito e homenagem à independência do país. Os motoristas esperam que a sirene chegue ao fim, para voltar a dirigir. Assim procedemos também, claro.

Pelos caminhos que trilhamos, me deleito com a abundância de referências artísticas, culturais e históricas, sem falar na maravilhosa oferta de alimentos frescos, restaurantes e lojinhas. Na Antiga Jerusalém, vibro ao caminhar pela Via Dolorosa e ao ter a chance de tocar o Muro das Lamentações. Em Ein Gedi, flutuamos no Mar Morto, admirando as montanhas da Jordânia. À noite, de volta à capital, nos contagiamos com a música fervilhante e o clima festivo das ruas decoradas de bandeirinhas. Vemos animadas caravanas de judeus ortodoxos dançando *techno*. E um magnífico espetáculo de fogos, que nos traz alegria e vontade de viver.

Passamos a noite no Papaya, onde escutamos notícias do mundo via rádio. Notícias, por exemplo, sobre o H1N1, um novo vírus que provoca a chamada gripe A e se espalha por vários pontos do planeta, com casos suspeitos inclusive no Brasil.

De volta à estrada, visitamos lugares fascinantes como Cesareia, considerada a Roma de Israel, onde caminhamos pelos muros outrora percorridos pelo Rei Herodes, no século I a.C. Dirigimos até Haifa para conhecer o pomposo jardim Bahaya. Depois passamos por Acre, cidade repleta de igrejas, templos e obras de arte, algumas datadas de 2 mil anos antes de Cristo. Atingimos a fronteira com o Líbano, para subir a bordo do teleférico Rosh Hanikra, que nos leva a grutas incríveis, de 400 metros de altura. Retornamos ao Papaya pela rota do Monte Carmelo, vislumbrando as belezas de um parque nacional protegido pela Unesco.

No nosso último dia, pegamos a estrada rumo ao norte, para visitar

Nazaré e Tiberias. Passamos pelo Rio Jordão, onde Jesus foi batizado. E fazemos algumas comprinhas para abastecer o Papaya durante a travessia até a Turquia.

À noite, Locky e eu preparamos uma pequena festa de despedida. Convidamos a bordo o casal israelense que conhecemos na marina, e outro casal de velejadores que reencontramos por aqui, meses depois de um primeiro contato que tivemos na Tailândia. Dançamos ao som do *reggae* de Alpha Blondy, enquanto nos preparamos para dizer adeus a esse país que nos acolheu tão bem.

ALANYA

Dois dias tranquilos de navegação nos trouxeram até a cidade costeira de Alanya, no sul da Turquia. Nossa primeira providência é colocar o dingue na água para visitar algumas grutas e praias nas redondezas.

Novamente alugamos um carro e dirigimos até o antigo porto da cidade. No caminho, passamos por sítios arqueológicos, castelos antigos e ruínas deterioradas. Algumas montanhas estão cobertas de vegetação, outras cobertas de neve. Mas a temperatura primaveril é agradável. E a vista, espetacular.

Na marina de Alanya, retiramos o veleiro da água. Pagamos uma taxa de 100 dólares por mês para mantê-lo limpo, arrumado e protegido da chuva e do vento. Locky e eu concordamos que, nesse momento, precisamos fazer uma pausa para visitar nossas famílias e trabalhar, até porque precisamos angariar recursos para as próximas viagens.

A Turquia é o ponto de chegada dessa primeira rota que sonhamos percorrer juntos no Papaya. Uma rota de fortes emoções, finalizada em junho de 2009, dois anos depois do dia em que nos conhecemos, a bordo do Rainbow Warrior.

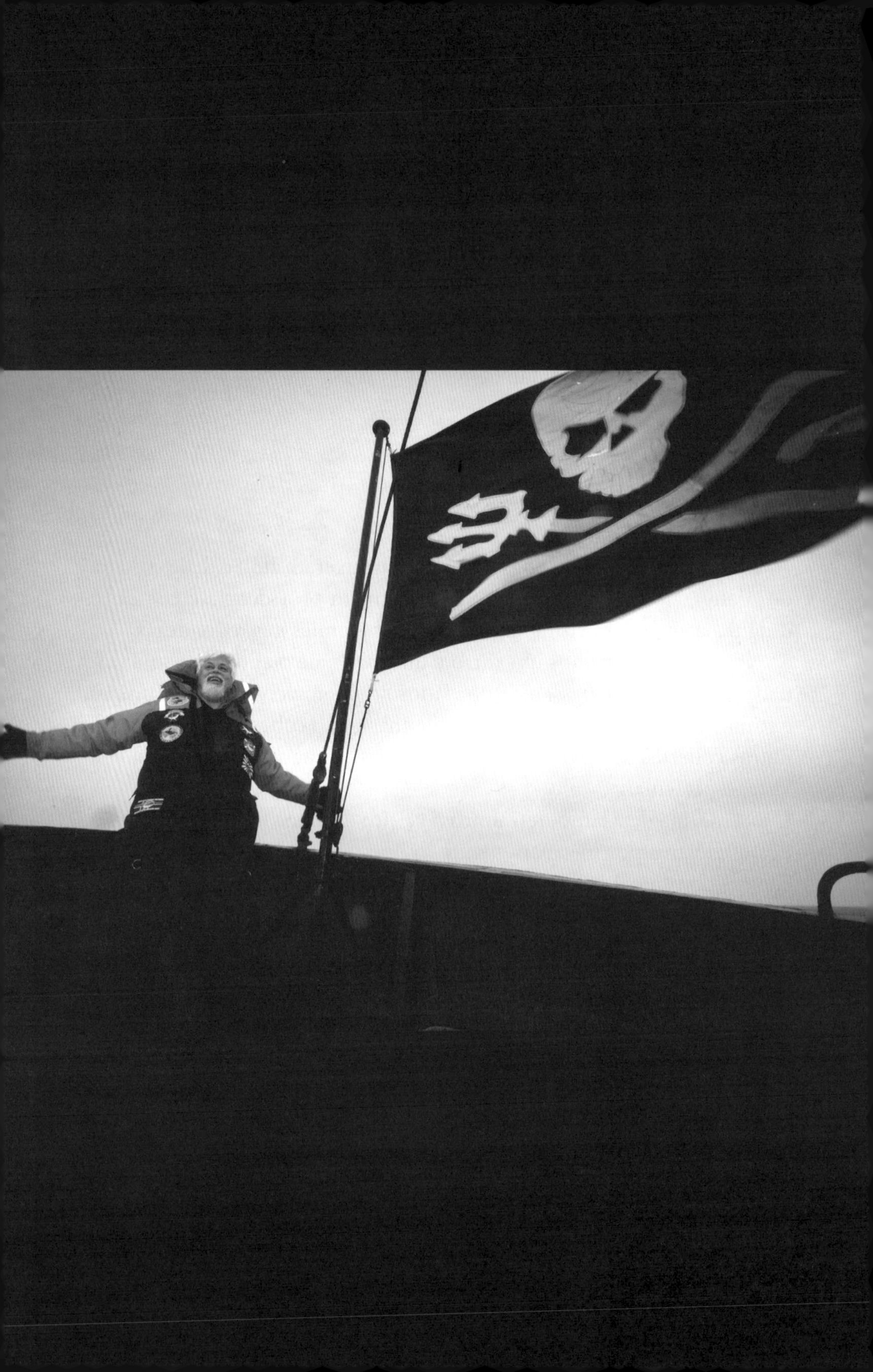

CAP 05

SINGAPURA

Na embaixada brasileira em Singapura, Locky e eu aguardamos ansiosos pela atendente que entrou por uma porta e agora demora a sair.

Há dias lutamos contra uma burocracia tremenda. Preciso com urgência de um visto para a Austrália. Locky, por ter nacionalidade franco-canadense, não costuma enfrentar as mesmas dificuldades. Desse visto depende que possamos embarcar juntos num navio da Sea Shepherd, ONG que luta pela preservação da vida marinha, fundada por Paul Watson, um dos cofundadores do Greenpeace. Apesar de ambas se dedicarem ao ativismo ecológico, as duas mantêm abordagens e práticas bastante distintas. O Greenpeace aposta num trabalho de conscientização e educação ambiental, por isso planeja estratégias de comunicação que chamem a atenção das pessoas e conquistem visibilidade na grande mídia. Assim como o Greenpeace, a Sea Shepherd se propõe a investigar e documentar crimes ambientais, mas ela tende a intervir de forma mais direta e ativa, quando necessário, para impedi-los. Alguns métodos ativistas da Sea Shepherd chegam a ser polêmicos, como o uso de um arsenal de armas não letais, incluindo suas célebres "bombas de fedor" — garrafas embebidas de ácido butírico, capazes de empestear o convés de uma embarcação inimiga a ponto de inviabilizar o trabalho da tripulação a bordo.

Penso em trabalhar para a Sea Shepherd desde o término de minhas missões pelo Greenpeace. Passei por uma longa entrevista telefônica, que durou quase duas horas, para justificar meu interesse e minhas intenções ao migrar de uma organização à outra, o que me deixou a impressão de que há certa concorrência entre elas. Com nossa carta de alforria em mãos, Locky e eu precisamos voar à cidade australiana de Brisbane, onde está aportado o imponente Steve Irwin, com seus 59 metros de comprimento. Quer dizer, se a atendente da embaixada em Singapura liberar o meu visto, claro.

Dois dias depois da primeira ida à embaixada, tive que voltar para preencher uma nova papelada. Solicitar um visto de negócios de curta duração, em vez de um visto de turismo. Faço tudo como ela pede. Depois de um belo chá de cadeira, tudo indica que meu visto será aprovado. Mas a novela diplomática não termina por aí. Com a embaixada vazia, prestes a fechar, sou chamada pela atendente, acompanhada por um superior. Os dois assumem um ar muito grave, me repreendendo por ter cometido um crime. Na realidade, foi um deslize, sem nenhuma má-fé: quando vi que meu passaporte não tinha nenhuma página em branco, arranquei um visto canadense que já tinha expirado, para abrir espaço para o australiano. Péssima ideia. Os funcionários da embaixada fazem questão de frisar a gravidade da infração. Que esse documento não pertence a mim, mas ao governo do meu país, e eu jamais poderia remover algo que faz parte dele. Procuro manter uma postura de seriedade e respeito. Locky faz o mesmo. Suspense. Toda essa advertência quer dizer um "Não!" ou um "Ok, vou te quebrar o galho desta vez, mas que isso não se repita!"? Acho que perceberam a ingenuidade do meu gesto. Finalmente, meu visto é liberado e anexado à página 13 do passaporte.

Mais aliviados, Locky e eu saímos para um passeio. A cidade está agitada com uma corrida de Fórmula 1 que vai acontecer no domingo, com treinos hoje e amanhã. Decidimos jantar num restaurante com vista para o treino, o que me parece bastante exótico. Muito barulho e animação. As ruas lotadas de gente. Os táxis também. Voltamos para o hotel a pé, numa caminhada de uma hora.

Singapura impressiona pelo ar cosmopolita e moderno. É raro encontrarmos pessoas pobres, dormindo nas ruas ou pedindo esmolas. As ruas, aliás, são limpíssimas. Ao mesmo tempo, é uma cidade multicultural, que abarca várias outras "pequenas cidades", como a Little Thailand (onde aproveitei para fazer as unhas e massagens nos pés) e a Little India (onde fiz belas fotos e desfrutei de deliciosos restaurantes vegetarianos).

Quase três meses se passaram desde que Locky e eu deixamos o Papaya na marina de Alanya, na Turquia. Precisamos levantar fundos para nossa próxima navegação a dois. A oportunidade de embarcarmos juntos numa missão de alguns meses me agrada bastante. Uma missão de combate à caça ilegal de baleias na Antártida, o continente mais frio e seco do planeta. A matança, protagonizada principalmente por navios de pesca japoneses, acontece todos os anos, em pleno santuário baleeiro. Um local protegido por acordos globais, porque acolhe uma importante biodiversidade marinha, com baleias de várias espécies. Como a região é inóspita e dificilmente navegável, a fiscalização da caça baleeira no santuário oscila entre deficiente e inexistente. No verão, algumas bases polares chegam a receber uma população provisória de cerca de quatro mil pessoas, a maioria cientistas ligados a um dos 29 países que mantêm pesquisas no continente. Mas as condições climáticas dificultam a sobrevivência de qualquer população permanente. Grande parte das terras não pertence a nenhum país, o que enfraquece a vigência das regras e dos acordos políticos internacionais. Por isso, nos últimos seis anos, a Sea Shepherd vem se dedicando a intervir, buscando impedir as atividades de pesca ilegal. Para atingir esse objetivo, os navios e as tripulações da ONG fazem o que estiver a seu alcance. Ousam, inclusive, se colocar entre o arpão e a baleia. Literalmente. Os baleeiros japoneses, por sua vez, não estão nada contentes com os prejuízos que têm acumulado a cada temporada de caça. A ideia é pressioná-los até que desistam de vez das caçadas irregulares. Mas é claro que eles resistem o quanto podem. E também contra-atacam. Essa disputa se acirra a cada verão. Chegou até a inspirar uma série documental do canal Animal Planet, chamada *Whale Wars*. Neste ano de 2009, Paul Watson batizou a operação de Waltzing Matilda, nome de uma canção tradicional australiana, em homenagem ao país que mais tem apoiado as ações da Sea Shepherd.

BRISBANE

Por fim, chegamos à Austrália, país que se diz o mais antigo do mundo, habitado por populações aborígenes há mais de 40 mil anos.

Locky e eu subimos a bordo do Steve Irwin, que mais parece um grande labirinto a ser explorado. O nome é uma homenagem a um famoso apresentador de TV australiano, que filmava documentários interagindo com animais selvagens, como cobras, escorpiões, crocodilos e tubarões.

Steve faleceu em 2006, após ser atingido no peito pelo aguilhão de uma raia. Antes disso, havia declarado sua intenção de embarcar numa missão da Sea Shepherd na Antártida. Sua família apoia a Organização até hoje.

Logo percebemos a construção, em andamento, de um grande tubo de metal. É uma arma não letal, para ser usada em prováveis confrontos com navios baleeiros, usualmente chamada de canhão d'água, capaz de puxar água do mar e expeli-la num forte jato contra o inimigo. Ouve-se o barulho das máquinas de soldagem durante toda a noite. Rapidamente entendemos a fama que a Sea Shepherd conquistou, de partir para cima dos caçadores de baleia sem dó nem piedade. Uma fama que tem seu fundamento.

Essa posição extrema também caracteriza o discurso da maioria dos 25 tripulantes a bordo, das mais diferentes idades e nacionalidades, que levam muito a sério o trabalho que fazem. Os postos mais elevados são remunerados, mas todos os outros são voluntários. Felizmente para as nossas economias, ao menos o Locky está ocupando a posição de primeiro oficial. Aliás, é a primeira vez que ele ocupa um posto tão alto num navio, o que vai ser ótimo para suas milhagens e acúmulo de experiência. Quanto a mim, divido meu horário entre plantões de vigília e registros fotográficos da viagem, além dos treinamentos. Saindo de Brisbane em outubro, a previsão é descermos pela costa australiana até o início de dezembro, parando em cidades estratégicas para obter apoio e doações para a campanha.

YAMBA-SYDNEY
29.24.99' S
153.24.23' E

Ancoramos em Yamba, para receber a visita de surfistas que apoiam a atuação da Sea Shepherd. Entre eles, o célebre David Rastovich, da Transparent Sea, um grupo de surfistas que percorre o trajeto de 700 km entre Byron Bay e Bondi Beach, quando acontece a fantástica migração das baleias jubarte. Comprometidos com causas ambientais, eles também fazem regularmente limpeza de praias e contribuem com projetos de proteção aos oceanos. Rastovich chegou a participar pessoalmente da última campanha da Sea Shepherd em Galápagos, fazendo a retirada de redes de pesca no Farley Mowat, outro navio da Organização. Desta vez, ao visitar a tripulação do Steve Irwin, nos presenteou com vários pares de óculos escuros, para serem usados durante a expedição na Antártida.

Levantamos âncora, com destino a Sydney. A visibilidade está turva, e o mar agitado, com ondas de três metros. Mas antes do fim do dia, ganhamos mais um presente: a oportunidade de admirar a presença de baleias jubarte. Lindas!

29.08.66' S
153.45.08' E

Tenho feito meus plantões de vigília junto com o capitão Alex Cornelissen, um simpático morador de Galápagos, onde deixou sua esposa e sua filhinha de oito meses para embarcar no Steve Irwin. Faz alguns anos que ele trabalha no escritório da Sea Shepherd. Embarcado, ele começou trabalhando como cozinheiro voluntário. Esta é sua quinta expedição à Antártida. Alex me mostra nossa rota no mapa. E conversamos sobre os abusos cometidos pelos navios baleeiros, em nome do lucro obtido pelo comércio ilegal da carne das baleias. Daí a importância da atuação da Sea Shepherd, ano após ano. Acho inacreditável que eles tenham afundado onze navios baleeiros entre 1979 e 1998. A ONG tem mesmo algo de extremo e peculiar.

O mar, durante os nossos plantões, tem sido palco de um verdadeiro espetáculo. Além das baleias jubarte, às vezes aparecem albatrozes, uma visão que me deixa profundamente emocionada. As asas desse pássaro, de ponta a ponta, podem medir entre 2 e 3 metros. Incrível!

Aproveito as chances que tenho de fotografar a rica vida marinha australiana, além da rotina da tripulação do Steve Irwin. Faço fotos bacanas também da chegada à capital, registrando o belo cenário formado pela Ópera e a ponte da baía de Sydney.

SYDNEY
31.22.75' S
153.15.51' E

Nosso plano é permanecer em Sydney por uma semana, com a intenção de atrair voluntários para a missão. Logo que aportamos, montamos um *open boat*, com um pequeno estande na frente do navio. Rapidamente se cria uma enorme fila de interessados em visitar o Steve Irwin. Mostramos o deck principal, o heliporto, a ponte de comando e o *lounge*, finalizando com um vídeo informativo sobre a campanha e a repercussão na mídia sobre as ações da Organização. São altos os custos da operação Waltzing Matilda, estimados num total de 1,5 milhão de dólares, sobretudo por causa da grande quantidade de combustível necessária na busca pelos navios de caça baleeira. Na saída do navio, há uma caixa para doações diretas e uma tenda com a venda de camisetas. Há também outra tenda, onde parte da tripulação distribui panfletos que destacam a importância da colaboração de cada um para o sucesso das operações da ONG.

É frequente que visitantes perguntem se a Sea Shepherd faz parte do Greenpeace. Percebo um discreto desconforto em alguns voluntários, no momento de responder. A verdade é que, apesar de ter sido um dos cofundadores do Greenpeace em 1971, Paul Watson ficou muito insatisfeito com os rumos da Organização nos anos seguintes, e até hoje é um crítico ferrenho de muitas de suas atitudes. Fundou a Sea Shepherd em 1977, a fim de promover ações mais diretas, efetivas e coerentes com os discursos ambientalistas.

Após desmontarmos o *open boat*, às cinco da tarde, aproveito para caminhar pelas animadas ruas de Sydney, cidade que rapidamente conquistou minha simpatia. Paro num supermercado para comprar alguns artigos que certamente não encontrarei para vender na Antártida. Sabonete, xampu, condicionador, pasta de dentes, alicate de unha e, como ninguém é de ferro, um pequeno acervo de chocolates.

No dia seguinte, me dedico à rotina do *open boat*. Conheço Karina e Daniel, dois voluntários brasileiros. E combino um encontro após o expediente com Andreza, uma amiga de escola que mora em New Castle, a apenas três horas de trem daqui. Ela e seu marido passam para buscar Locky e eu depois do expediente. Nos levam a um delicioso restaurante vegetariano em Pitt Street e depois a um *pub* animadíssimo na área da cidade conhecida como The Rocks. Um repertório para ninguém colocar defeito, de Neil Young a Neil Diamond. Degustando uma Guinness, minha cerveja favorita, curtimos uma noite de muita cantoria e boas memórias.

SYDNEY-HOBART
37.37.59' S
150.26.51' E

A estadia em Sydney foi melhor do que esperávamos! Batemos um recorde em arrecadações para a ONG. Somente em dinheiro vivo, foram doados 32 mil dólares. Recebemos também roupas de frio, alimentos vegetarianos e equipamentos de rádio, além de canivetes e uma cafeteira.

Animados, partimos para a cidade de Hobart, na Tasmânia, numa travessia com duração de dois dias. Além das baleias e albatrozes, golfinhos nos fazem companhia, exaltando nossa admiração pela exuberante vida marinha do Pacífico. Pela primeira vez, avisto o alimento preferido das baleias, o *krill*. Uma enorme mancha roxa no mar formada por um conjunto de crustáceos.

Os plantões com o capitão Alex são sempre instrutivos. Ele me dá ótimas dicas na ponte de comando. Chegou a desligar o piloto automático para que eu conduzisse o navio por alguns minutos. Uma sensação maravilhosa. Também tenho aprendido bastante com Daniel Villa, um dos três engenheiros da sala de máquinas, que me levou num pequeno *tour* pelo local, onde ele trabalha junto com Stephen e Erwin. Acho admirável que consigam manter essa parte do navio tão limpa e organizada. São dois motores enormes e um eixo impressionante.

Mantenho a rotina de plantões de seis a dez da manhã. Depois, edito minhas fotos e envio ao escritório, para serem publicadas no site internacional da ONG. Também escrevo textos para o blogue da Sea Shepherd Brasil. Começo a fazer entrevistas com alguns tripulantes, para enriquecer esse material.

Toda a alimentação a bordo é vegana, ou seja, livre de qualquer alimento de origem animal, como carne, laticínios, ovos e até mesmo mel.

Laura, nossa cozinheira, é muito talentosa. A comida é gostosa, bem-feita e variada. Dia desses, ela preparou um bolo de limão chamado *Lemon Explosion*. Tão magnífico que merecia de fato ser batizado com nome e sobrenome.

Entrevista com a cozinheira Laura Dakin:

Como foi seu primeiro contato com a Sea Shepherd?
Em 2005, nas ilhas Bermudas, visitei o navio Farley Mowat. Logo perguntei se poderia trabalhar como voluntária. Fui aceita, mas o navio estava partindo no dia seguinte. Só tive tempo para passar em casa, fazer minhas malas e voltar correndo para embarcar.

Seu primeiro trabalho a bordo foi como engenheira-assistente. Como sua função se reverteu para a de cozinheira?
Sim, passei dois meses trabalhando como engenheira-assistente, mas não gostava muito. Quando surgiu uma oportunidade de trabalhar na cozinha, resolvi fazer uma tentativa e ver no que iria dar.

Você já trabalhava como chef quando não estava a bordo?
Definitivamente, não! Esta foi minha primeira experiência. Eu não sabia nada sobre gastronomia. Para ser sincera, era uma cozinheira ruinzinha...

Mas reza a lenda que você já foi a cozinheira da banda de rock Red Hot Chili Peppers. É verdade?
Trabalhei para o vocalista, o Anthony Kiedis, por mais ou menos um mês. Nem sei se os outros integrantes também são veganos. Talvez o Flea. Foi durante uma turnê da banda nos Estados Unidos.

Sua cozinha sempre foi vegana? Por que o veganismo recusa a utilização de produtos como ovos ou laticínios?
Sim. As razões para seguir o veganismo são muitas. Primeiro, pelas questões ambientais. Segundo, pelos maus-tratos que sofrem os animais... É uma escolha pessoal, ética, em respeito pelos direitos deles.

Das campanhas em que você participou na Organização, desde 2005, qual foi sua preferida?

Adorei trabalhar desarmando redes de pesca predatória em Galápagos. A cada linha ou anzol que retirava de um animal, eu podia sentir que era mais uma vida salva. Uma vida de volta! Foi uma experiência bem significativa, que me ajudou a dimensionar o valor da vida.

Para você, qual a importância de participar desse trabalho de preservação ambiental, nesses últimos quatro ou cinco anos?

É importante o suficiente para que eu queira continuar fazendo esse trabalho por muito tempo. Quando você se envolve com isso, é difícil parar. Na realidade, é impossível. Porque toda a sua vida começa a mudar. Seus valores também. Por isso, estar aqui é uma necessidade, que já faz parte de mim.

Durante as ações mais arriscadas, você costuma sentir medo?

Só durante aquelas tempestades mais sérias, que duram uma eternidade... Aí, sim, tenho medo! *(Risos.)* Mas durante as ações, o que brota em mim é uma certa raiva, que não deixa espaço para o medo, e me faz sentir forte o suficiente para lutar.

Você arriscaria a sua vida pelas baleias?

Definitivamente, eu colocaria minha vida em risco pelas baleias. É por isso que estou aqui, obviamente. Este é o meu trabalho. Claro que eu não entraria num dilema do tipo: "Ou eu ou elas". Mas não me deixo deter pelo risco.

HOBART
42.07.34' S
148.37.27' E

Céu cinzento. Mar calmo. Avistamos a Tasmânia, circundada de lindas ilhotas de pedras vulcânicas. Parecem enormes castelos naturais.

Aportamos por volta das sete da noite. Quase toda a tripulação decide sair para um *pub* próximo. Prefiro ficar por pouco tempo, porque me sinto esgotada, de volta à rotina no mar. Tempo suficiente para socializar com meus novos companheiros e tomar uma Guinness geladinha, antes de me entregar aos braços de Morfeu.

Hobart é tranquila e graciosa. No meu dia de folga, caminho pelo David Park. E quando começa a chuva fina, vou me refugiar no cinema. *O Último Dançarino de Mao*. Gostei tanto do filme, que comprei o livro.

O fluxo de visitantes no *open boat* não é tão grande quanto em Sydney, mas conseguimos diversas doações para a campanha. De alimentos a computadores. Recebemos a visita da Senadora Christine Milne, conhecida por se dedicar a causas ambientais. Diante das câmeras da mídia local, ela deixa nítido seu comprometimento com os valores da Sea Shepherd. Numa transmissão ao vivo, pede a autoridades australianas que agilizem os vistos do capitão Paul Watson e do primeiro oficial Peter Hammastedt. Ela oferece uma doação de frutas e suco de maçã para a tripulação.

No tempo livre, leio o livro do Ítalo Calvino, *Seis Propostas para o Próximo Milênio*, que comprei numa livraria em frente ao Rendez-Vous Café, onde vou usar a internet. Toda vez que chego lá, está tocando Ella Fitzgerald. Um privilégio. Alex consegue falar por Skype com a esposa e a filha, que está completando nove meses. Depois disso, ele passa o resto do dia emotivo e saudoso, contando os dias para reencontrá-las.

Começamos a sentir a queda das temperaturas. Por enquanto, a média de 13 graus ainda é bastante suportável. Me sinto morna. O corpo aquecido com uma manta chinesa e um cachecol. Num céu de fogo, há uma mistura de cor-de-rosa e vermelho. Tomo meu rotineiro chá de menta, vendo as águias dançarem conforme o vento muda de direção. Os amigos fazem falta. Penso neles sem parar. Por outro lado, aguardo ansiosa pela chegada de dezembro. Me encontrar com o azul dos *icebergs*. Uma paisagem tão mágica que preciso tocar, enxergar de perto, para acreditar que existe de verdade. Os sentimentos se misturam num turbilhão. Saudade, liberdade, curiosidade. E a responsabilidade pelas vidas que habitam nosso Oceano Meridional.

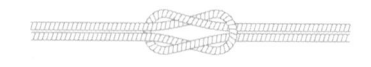

GEELONG
38.05.02' S
144.40.74' E

Três buzinadas e deixamos o porto de Hobart às 8h30 da manhã, para uma curta travessia até Geelong.

Lá chegando, recebemos a notícia de que alguns tripulantes vão desembarcar para trabalhar na manutenção de um novo barco, doado à Sea Shepherd por um misterioso ricaço norte-americano. A ideia é prepará-lo a tempo de colocá-lo em ação até dezembro. Além do Steve Irwin e dessa embarcação sigilosa, atualmente escondida em alguma ilha do Oceano Índico, contaremos com o apoio de outro barco da ONG, o trimarã Ady Gil, assim batizado em homenagem a um importante ativista israelense, defensor dos direitos dos animais.

No porto industrial de Geelong, as doações não param de chegar. Leite de arroz e de soja, legumes e grãos diversificados. Até o segurança do porto nos oferece uma doação de frutas. Chegam também as duas últimas peças para finalizar a construção do canhão d'água. Cada uma pesa 600 kg, então precisam ser transportadas individualmente por um guindaste que tem capacidade de levantar uma tonelada. Recebemos também três facas especialmente desenhadas para libertar baleias capturadas por redes de pesca. Com cerca de dois palmos de comprimento, elas têm dentes finos, são bem grossas e ligeiramente curvadas.

Mais surfistas simpatizantes da Sea Shepherd vêm demonstrar seu apoio, convidando a tripulação para um almoço no restaurante Peace Kitchen. Uma apetitosa comidinha caseira e vegana, com vista para o mar de Geelong. A atmosfera é bastante convidativa, com velas e almofadas coloridas, meio à moda indiana. Um dos quadros pendurados na parede, intitulado *Leviatã* e cedido ao restaurante pela pintora Blaze Warrender, representa a história de vida do capitão Paul Watson.

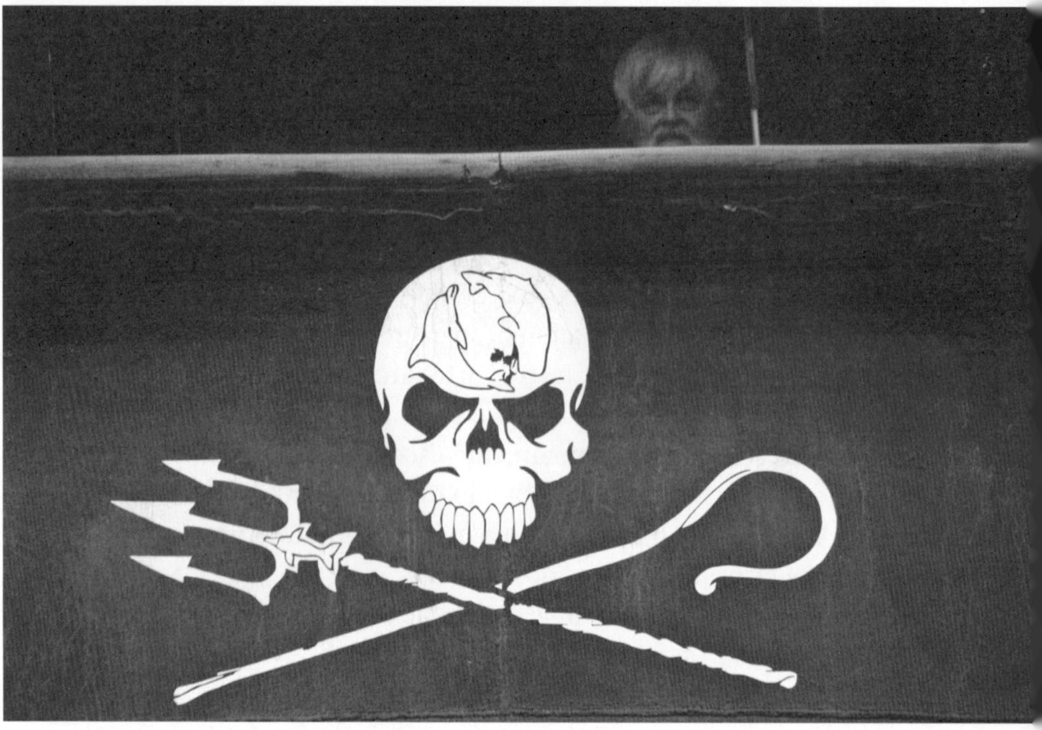

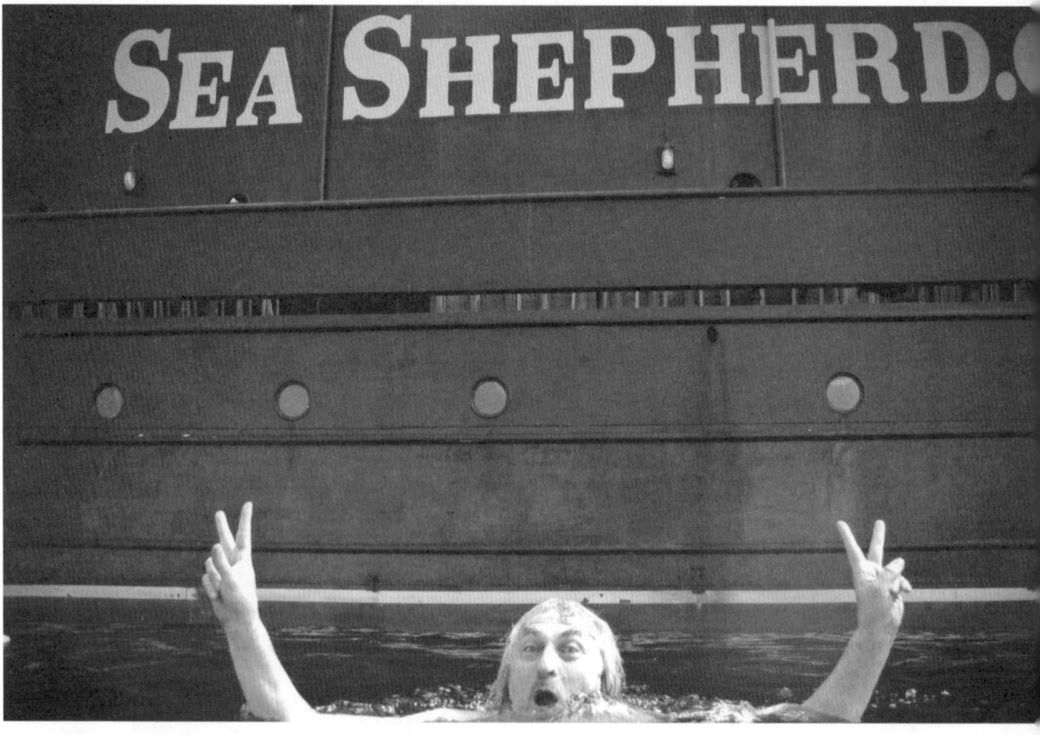
SEA SHEPHERD.

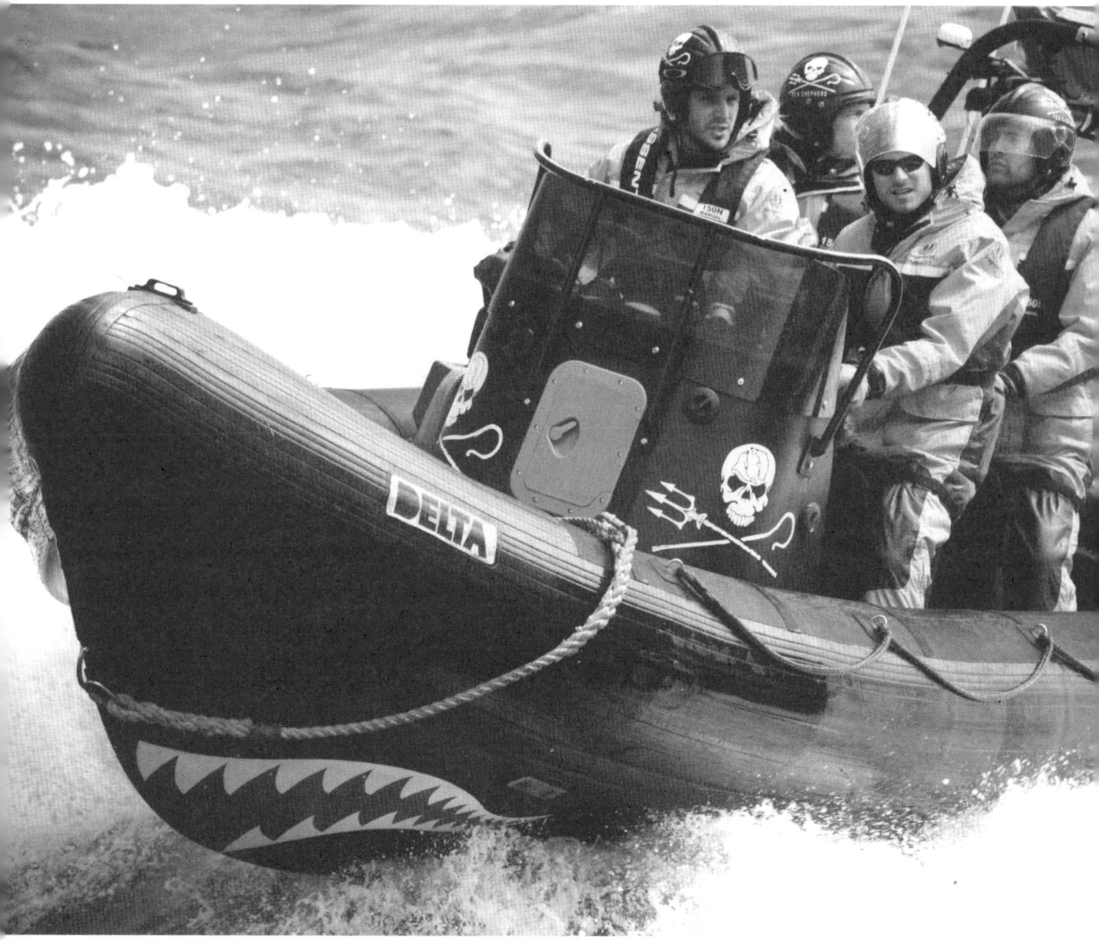
DELTA

GEELONG-FREMANTLE
38.19.85' S
144.53.91' E

Seguimos viagem com destino a Fremantle. Mas enfrentamos problemas com o piloto automático. Então passo praticamente todo o meu plantão conduzindo o navio. Uau!

Alguns treinamentos ocorrem a bordo. Com os infláveis. Com a grua. Salvamentos. Incêndios. Abandono do navio. O de praxe.

Mais da metade da tripulação está resfriada. Inclusive o capitão Alex, que está de péssimo humor. Tem sido difícil dividir os plantões com ele. Também é difícil suportar os ares de superioridade da marinheira inglesa Sophie. Talvez por ser namorada do chefe dos marinheiros, Dan, ela acha que sabe de tudo e que pode dar ordens a todo mundo. Algumas pessoas, quando passam tempo demais vivendo num navio, assumem uma postura estranha, territorialista. No meio da travessia a Fremantle, Sophie deixa seu capacete cair no mar. Somos obrigados a parar o navio e jogar um inflável na água, para resgatá-lo. Por sorte, o resgate é acompanhado por um espetáculo de albatrozes ao redor do Steve Irwin. Um show que aniquila qualquer vestígio de mau humor.

Na noite de Halloween, fazemos uma festa a bordo com música e cachorro-quente vegano. Algumas pessoas esbanjam inspiração, improvisando fantasias engraçadas de bruxas e fantasmas. Com câmera fotográfica em punho, garanto os registros desse momento de descontração.

Quase chegando em Fremantle, enfrentamos ventos fortes, por volta de 40 nós, e o mar agitado, com ondas de até quatro metros. A passagem pelo Cabo Leeuwin provoca uma boa chacoalhada no navio, como não é raro acontecer nos entornos dos cabos. Vários objetos caem no chão, outros saem do lugar. Mas é bonito ver as ondas quebrarem na janela da cabine.

Entrevista com o chefe dos marinheiros, o egípcio Dan Bebawi:

Desde 2006, você se envolve em missões e navegações a bordo do Steve Irwin. Qual é a sua lembrança mais marcante desses últimos anos?

A combinação mais intensa do que vivi de bom e de ruim a bordo aconteceu na minha primeira campanha de Oceanos. Saímos da Escócia com destino à Antártida, a fim de interceptar navios de caça no santuário baleeiro. Mas depois de 60 ou 70 dias de navegação, sem qualquer sinal dos navios, nosso combustível estava acabando, então tivemos que alterar a rota, para voltar à terra sem cumprir nossa missão. Isso foi muito angustiante. Me lembro de um dia específico. Uma noite, na verdade. Era meia-noite, o barco já navegava rumo ao norte, enquanto eu me sentia frustrado e depressivo. Até que finalmente avistamos os navios baleeiros! Lá estavam eles! Cumprimos nosso papel, no meio de uma montanha-russa de emoções e expectativas. No fim, acabamos nos saindo muito bem.

Você praticamente vive embarcado há mais de três anos. Ter sua namorada a bordo te ajuda a se sentir em casa, já que está tanto tempo longe da família?

Acho ótimo poder trabalhar e me relacionar com alguém que gosta das mesmas coisas que eu. Ela não está aqui por minha causa, mas porque nós dois acreditamos que é preciso lutar por uma mesma causa.

Então do que você sente falta?

Ah... Sinto falta dos meus amigos.

Em situações de confronto com outros navios, durante as ações, você se sente amedrontado?

Claro! Qualquer um se sentiria amedrontado se vários navios o rodeassem, a uma distância de cinco metros, se aproximando para provocar uma colisão de propósito, no meio da Antártida. Tudo isso é muito louco. Só que eu estou aqui por uma razão. E isso me faz seguir adiante.

Você já foi preso em algumas campanhas, certo? Como foram essas experiências?

Quando você tenta mudar o modo como as coisas são, você pode afetar os negócios de alguém. E esse alguém pode perder muito dinheiro, então... Não acho que fiz nada errado ou ilegal. Isso é o que importa.

Qual a sua opinião sobre a série **Whale Wars***, produzida desde o ano passado pelo Animal Planet, usando imagens de missões da Sea Shepherd?*

Como tripulante, devo dizer que o que aparece na televisão nem sempre corresponde exatamente ao que acontece a bordo. Eles mudam as datas e a ordem dos acontecimentos. Gostam de valorizar intrigas, perseguições e outros problemas da tripulação. Por outro lado, muitos espectadores jamais conheceriam o trabalho da Sea Shepherd se não fosse pelo *Whale Wars*. Recebemos muita visibilidade com a série, o que atraiu doações e apoios preciosos. Ou seja, é um pouco esquisito ver o modo como eles narram os acontecimentos na televisão, mas acho que vale a pena.

FREMANTLE
32.28.53' S
114.48.43' E

Ancoramos em Fremantle, emocionados com a alegre recepção de duas baleias, bem perto do navio. As temperaturas se elevam de repente, nos lembrando que estamos em novembro. É quase verão. A brisa da noite é agradável. Mas o calor dos dias parece propício à proliferação de moscas, que se espalham por todos os cantos do navio.

Depois que atracamos no cais, o capitão Alex desembarca para finalmente matar as saudades da família. Locky assume o comando do Steve Irwin por alguns dias. Enquanto estamos aportados, somos orientados a usar o banheiro do cais, e não do navio. Também não podemos tomar banho nem lavar roupas a bordo. Uma tarefa um pouco complicada, tendo em vista que a tripulação se dedica diariamente a trabalhos árduos de manutenção, organização e preparativos para a travessia até a Antártida.

A fim de relaxar um pouco, Locky e eu aproveitamos um tempo livre para ir ao cinema com Daniel, o segundo engenheiro, e Scott, contratado para desenvolver artefatos de defesa que possam ser usados durante ações de combate direto contra os navios baleeiros. Assistimos ao filme *Lunar*, sobre um astronauta em missão na lua que enfrenta uma espécie de crise existencial. Também marcamos presença numa festa que tem como tema os anos 1950 e faz parte de uma campanha contra a energia nuclear. Ocasiões como essas são importantes para desanuviar as ideias.

De volta ao cais de Fremantle, testemunhamos uma cena belíssima e inesperada. Um grupo de pelo menos duzentas enguias nadam enfileiradas perto da popa do Steve Irwin, sob a lua brilhante que projeta nas águas um tom prateado encantador.

Recebemos novas mulheres a bordo. Amy, a diretora de comunicação da Sea Shepherd. Susan, uma simpática engenheira canadense. E Vera, a nova assistente de cozinha húngara. O inglês de Vera é limitado, mas ela é tão doce que dá vontade de abraçar. Mas a chegada mais esperada é, logicamente, a do próprio Paul Watson. Minha primeira impressão dele é a de uma pessoa bem-humorada e com muito foco. De agora em diante, Paul assume o posto de capitão do Steve Irwin, trabalhando diretamente com Locky na função de primeiro oficial.

Além de novos tripulantes, recebemos importantes visitas, como a do parlamentar australiano Don Randall, um fã confesso da Sea Shepherd. Passamos também por uma fiscalização policial. E um inspetor holandês está a bordo para uma vistoria de três dias, em busca de possíveis indícios de ações terroristas. Apesar de fazer seu trabalho com profissionalismo, ele também deixa transparecer sua admiração pela ONG. A vistoria permite que o Steve Irwin mantenha a bandeira holandesa.

Os dias são corridos, com preparativos intensos e constantes para a travessia à Antártida. Começamos a trabalhar às seis da manhã, sem hora para acabar. Ainda preciso comprar um par de luvas grossas para mim. Mas toda vez que chega o horário livre, após o expediente, a maioria dos estabelecimentos comerciais da cidade já estão fechados. Alguns, aliás, fecham às 17h25. Nunca vi isso. Idiossincrasias locais.

Mas não posso reclamar de Fremantle. Um grande número de restaurantes, cafés e lojas expressam seu total suporte à Organização, expondo panfletos nas vitrines e promovendo o nome da Sea Shepherd. No centro cultural da cidade, ao lado da bandeira da Austrália, está hasteada a bandeira da ONG, nossa querida Jolly Roger adaptada — a caveira pirata, o cajado do pastor, o tridente de Netuno.

Antes de partir, fazemos uma exibição do documentário *At the Edge of the World*, que retrata as ações da Sea Shepherd na Antártida, no Film & Television Hall de Fremantle. Um grande sucesso. A sala de cinema lotada. Após o filme, degustamos um saboroso coquetel de petiscos veganos e bebidas bem geladas, para nos refrescarmos do calor de 40 graus que tem feito. E também para celebrar a grande jornada que está por vir. Amanhã navegaremos, enfim, à Antártida!

FREMANTLE-DUMONT D'URVILLE
32.28.53' S
114.48.43' E

Sete de dezembro de 2009. Jornalistas, voluntários e simpatizantes da causa verde se aglomeram no porto de Fremantle para se despedir do Steve Irwin. Os fãs da família Irwin também marcam presença, prestando homenagens ao apresentador. Desde o momento em que zarpamos, somos acompanhados por helicópteros e veleiros durante pelo menos vinte minutos.

Sinto um forte arrepio no corpo. Como se só agora tivesse real consciência da importância da missão em que estou envolvida. Por um momento, me ocorre o pensamento de que somos um bando de loucos, sozinhos no meio do oceano, dispostos a se colocar em risco para salvar baleias. Depois, me lembro de que não estamos sozinhos. Temos o apoio de milhares de pessoas mundo afora, que acreditam no nosso trabalho. E, acima de tudo, temos o apoio uns dos outros. Estamos todos no mesmo barco, literalmente!

36.11.72' S
115.34.09' E

Mantemos uma velocidade média de 240 milhas por dia. Nesse ritmo, levaremos uma semana para atingir nossa rota inicial: a base francesa Dumont D'Urville, no chamado Polo Sul magnético, abaixo da posição GPS de 60 graus ao sul. Um lugar onde há ondas de 20 metros de altura, com ventanias de mais de 100 km/h que podem durar vários dias, ininterruptamente. E onde vamos presenciar um verão realmente extraordinário, pois o sol nunca se põe. (O que não ajuda a elevar as temperaturas, em geral inferiores aos 30 graus negativos.)

Adiantamos os relógios em três horas. O mar começa a ficar agitado. Pelo menos dez pessoas da tripulação estão sofrendo de enjoos constantes. O outro fotógrafo da campanha, meu parceiro Michael, está tão pálido que mal consegue deixar o camarote. Ofereço a ele um pouco de chá de gengibre. Dizem que ajuda.

Além da agitação do mar, parte da tripulação também acha difícil se habituar aos câmeras do Animal Planet que embarcaram conosco, captando imagens para o *Whale Wars*. Eles nem perguntam o que podem ou não filmar. Já vêm com tudo, esperando por cenas interessantes. Alguns tripulantes concordam em carregar um microfone preso à roupa, durante todo o dia de trabalho. Outros se recusam a participar do programa, acreditando que isso seria como se vender a um canal de televisão. Nem tanto ao céu nem tanto ao mar, Paul Watson parece ciente da importância de a ONG ganhar visibilidade na mídia. Quando não está na ponte de comando, ele passa grande parte do tempo no camarote, dando entrevistas a jornalistas pelo telefone, que são transmitidas via satélite.

Também aponto a minha câmera para os tripulantes, mas tentando ser menos intrusiva. Peço à médica Merryn para fotografá-la, enquanto organiza os medicamentos dentro dos armários, e aproveitamos para bater um papinho. Na campanha passada, ela se envolveu com o engenheiro Daniel Villa. Porém, decidiram se separar, porque ele não quer mais voltar a morar na cidade. Faz quatro anos que ele vive no navio, em campanhas consecutivas. E ela não estava disposta a manter o mesmo estilo de vida. Ainda assim, trabalha como voluntária para a Sea Shepherd todos os anos. Pessoalmente, gosto muito dos dois e torço para que voltem a ficar juntos. É tão difícil encontrar alguém com quem compartilhar os mesmos objetivos e sonhos... Me sinto uma pessoa de sorte. Estou muito feliz por viver essa grande aventura ao lado do meu amado marido. No dia a dia a bordo, passamos quase todo o tempo separados. Mas sei que esta situação é temporária. Em breve, voltaremos ao nosso querido Papaya, para novas navegações a dois.

39.05.77' S
117.16.41' E

Dentro de aproximadamente seis horas atingiremos a posição GPS de 40 graus ao sul. Mas temos um motivo ainda mais forte para nos sentir ansiosos. Detectamos a presença de um navio próximo, fazendo a mesma rota do Steve Irwin. Um navio japonês. Ele mantém uma distância de 7,5 milhas náuticas de nós. Toda a tripulação se reveza com binóculos em punho, além da equipe do Animal Planet, que permanece na ponte de comando 24 horas por dia, aguardando qualquer novidade. Alteramos nossa velocidade, para testar se o navio está mesmo nos seguindo. Constatamos que sim. O plano agora é permanecermos atentos. E não perdermos esse navio de vista.

43.40.59' S
120.10.77' E

Passamos dos 40 graus, e o navio japonês continua nos seguindo à mesma distância de 7,5 milhas náuticas, sem tentar qualquer contato. Ainda não conseguimos visualizá-lo com os binóculos.
Apesar da tensão, comemoramos os aniversários dos engenheiros Erwin e Stephen, com um delicioso bolo e uma incrível mousse, preparados pela *chef* Laura e sua assistente Nicola. A tripulação se empolga em disputas acirradas no Nintendo Wii, que esquenta a televisão do *lounge* por horas a fio. Paul Watson é viciado nos jogos de beisebol e tênis, sem falar no pôquer. Não sou fã de jogos eletrônicos, mas até que me divirto

com o Band Hero, ou assistindo ao pessoal jogando tênis imaginário com controles remotos.

46.13.71' S
121.46.68' E

Pela primeira vez, avistamos um *iceberg*. Fico impressionadíssima com essa magnífica massa de branco, misturada com um azul irreal. Não é comum que *icebergs* se desloquem tão ao norte. Talvez uma consequência do aquecimento global.

Pelo terceiro dia consecutivo, somos seguidos pelo barco japonês. Alguns tripulantes desconfiam que seja o Shonan Maru, navio baleeiro já conhecido de campanhas passadas. No final do dia, ele chegou a se aproximar a uma distância de 2,9 milhas náuticas. Possivelmente, espera a nossa saída da Zona Econômica Exclusiva da Austrália, nosso país aliado. É provável que transmita nossa posição aos outros navios japoneses, para dificultar nosso trabalho de interceptá-los.

50.07.65' S
124.01.43' E

Chegamos aos furiosos 50 graus. O mar continua bravo. Vemos mais dois *icebergs* passando. E notamos que as noites têm sido cada vez mais curtas.

O tal navio japonês continua na nossa cola, agora mantendo uma distância entre 3 e 5 milhas. A ansiedade se perpetua. É cada vez mais difícil manter a calma, sabendo que a qualquer momento teremos que enfrentar uma frota de navios de caça baleeira. Mesmo quando vou dormir, mantenho uma antena ligada.

Meu trabalho de fotógrafa tem sido intenso, tanto ao captar imagens, quanto ao organizá-las e catalogá-las. Passo algumas horas em frente ao computador, editando as fotos e dando títulos descritivos a cada uma delas. Nosso sistema de *e-mails* via satélite tem funcionado bem, mas a caixa postal é compartilhada por toda a tripulação, e todas as mensagens são lidas pelo Pedro, o segundo oficial, que controla o fluxo de dados para evitar o vazamento de qualquer informação prejudicial à campanha. Os arquivos enviados precisam estar em baixa resolução. E não podemos receber mensagens com atalhos ou anexos.

51.39.76' S
125.02.47' E

Para tentar uma aproximação que ajude a identificar o navio japonês que continua nos seguindo, um dos nossos infláveis, o Delta, é colocado na água. Dan, o chefe dos marinheiros, assume a direção, acompanhado pelo australiano James, responsável pela comunicação via rádio e pelo suporte geral, além de Michael, o fotógrafo, e Dave, um câmera do Animal Planet. O máximo que eles conseguem se acercar da embarcação, evitando ser detectados, é uma distância de uma milha e meia, grande demais para avistarem os detalhes que buscamos, como nome e número de registro do navio. Michael e Dave ainda se esforçam para obter imagens com suas lentes em *zoom*. Mas nada feito. Seguimos navegando em constante estado de alerta.

54.54.21' S
127.20.56' E

Passamos por um enorme *iceberg*, de cerca de um quilômetro de largura. O capitão Paul decide aproveitar esse refúgio natural para despistar o maldito navio japonês. Então nos escondemos e esperamos. Qual não foi a nossa surpresa, e a dos baleeiros também, quando de repente nos encaramos frente a frente, numa verdadeira batalha.

Eles partem para cima de nós, com o canhão d'água acionado e a tripulação concentrada no convés. Hipnotizada pelo tom de azul que emergia das ondas quebrando naquele imenso bloco de gelo, me esforço para fotografar em condições extremas. As ondas quebram também no casco do Steve Irwin, gerando uma explosão de chuva salgada por todas as direções. Angustiada, fico dividida entre a necessidade de proteger minha câmera e a urgência de fotografar registros do navio japonês que nos persegue. Em fuga, damos ao menos quatro voltas ao redor do *iceberg*, com o navio inimigo ameaçando uma colisão, para nos intimidar.

Aliviados, conseguimos escapar ilesos. O risco de uma colisão em pleno Oceano Meridional, com pouquíssimas embarcações por perto para nos socorrer, representa um grande perigo para as vidas de todos os tripulantes. Pelas fotos tiradas por Michael e por mim, confirmamos que realmente se trata do Shonan Maru II, com número de identificação 7225166.

O capitão Paul aproveita uma entrevista agendada com o *West Australian News* para denunciar o ataque. Michael e eu corremos para preparar as fotos no computador e enviá-las ao escritório da Sea Shepherd. Como nossa comunicação é precária, não conseguimos ter noção de possíveis repercussões do episódio na mídia internacional.

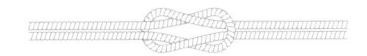

61.09.85' S
135.57.25' E

Ultrapassamos os 60 graus. Agora navegamos oficialmente em águas antárticas, em pleno santuário baleeiro, ainda com o Shonan Maru II atrás de nós. Para nosso alívio, recebemos a notícia de que o Bob Barker, o misterioso navio recém-adquirido pela Sea Shepherd, já está a caminho, para nos apoiar na operação Waltzing Matilda. O nome do barco é uma homenagem a um célebre apresentador de televisão australiano, que é vegetariano, defensor dos direitos dos animais e apoiador de várias ONGs ambientalistas. O trimarã Ady Gil também se prepara para a missão, mas ainda permanece no porto de Hobart, com problemas técnicos.

Enfrentamos neve pela primeira vez na viagem, enquanto o número de *icebergs* no caminho aumenta progressivamente. O segundo oficial Pedro informa à tripulação que todos devem usar a veste salva-vidas cor de laranja, chamada de *mustang suit*, a cada saída para a área externa. Os trabalhos no convés passam a ser restritos, devido às difíceis condições climáticas. Michael e eu nos vestimos a caráter e saímos para fotografar, tentando registrar duas baleias-de-minke que avistamos a cerca de dez metros do navio. Mas ainda não é dessa vez que consigo capturar uma imagem desses animais espetaculares. Prometo a mim mesma que me tornarei mais ágil.

63.43.31' S
140.59.37' E

As minhas vigílias das 12h às 16h têm sido abençoadas. Vejo (e fotografo) pinguins, leões-marinhos e diversas aves aquáticas, como o petrel gigante e o petrel pintado. Além dos *icebergs* tradicionais, avisto alguns de cor escura, um tom de cinza quase negro, com pedacinhos de gelo que compõem desenhos dos mais diferentes formatos. Um elefante. Um castelo. E até uma esfinge. Um universo à disposição de uma imaginação fértil e inspirada.

Meus instantes de contemplação da natureza se interrompem bruscamente, quando o Shonan Maru II volta a investir contra o Steve Irwin em posição ofensiva, com o canhão d'água ligado, a cerca de 50 metros de distância. Os baleeiros ativam também uma arma acústica, conhecida como LRAD (*Long Range Acoustic Device*, o que pode ser traduzido como Dispositivo Acústico de Longo Alcance). A arma dispara um sinal sonoro capaz de provocar náuseas e desorientação. A tensão na ponte de comando aumenta. Paul Watson assume o timão. Ficamos especialmente assustados porque nosso piloto de helicóptero, Chris, acaba de pousar, após um voo com o intuito de verificar as condições climáticas à nossa frente. Ele ainda está desmontando as asas do helicóptero quando o Shonan Maru II se aproxima, novamente ameaçando uma colisão. O engenheiro Erwin corre para ajudá-lo, junto com os técnicos Bevin e Joshua. O grupo consegue enfim recolher o helicóptero para dentro do navio. E o navio japonês se afasta, mudando sua rota.

Recebemos três notificações via rádio do Shonan Maru II, insistindo para nos afastarmos da área. A intenção deles, certamente, é evitar nosso encontro com a frota que, a essa altura, já deve estar dando início à matança das baleias. Seguimos nosso percurso normalmente. Porém, os marinheiros preparam nosso arsenal de garrafas de ácido butírico, caso seja necessário um eventual contra-ataque.

DUMONT D'URVILLE
66.34.45' S
141.51.65' E

Uma imensa camada de gelo sobre a superfície da água nos afasta da estação francesa Dumont D'Urville, num percurso de aproximadamente 30 milhas náuticas. Mas esse grande lençol branco não é páreo para o casco do Steve Irwin, que avança desenhando rachaduras no gelo e depois o quebrando em pedaços grossos, deixados para trás.

Superado mais esse obstáculo, voltamos a águas navegáveis de um azul intenso e impressionante. Avistamos orcas e baleias-fin, ao lado de *icebergs* cada vez mais gigantescos. E quando nos acercamos o suficiente, Locky e Chris se preparam para voar de helicóptero até a Terra Adélia, um dos distritos das Terras Austrais e Antárticas Francesas (TAAF), com cerca de 430 mil km². Nessa região, é abundante a presença dos encantadores pinguins-de-adélia. Fascinado por essas criaturas, Locky me confessa o desejo de ter comigo uma filha chamada Adélie.

Ele leva as fotos que tirei da primeira ofensiva do Shonan Maru II para mostrar à chefe do distrito, Marie France Roy. Alguns tripulantes pedem que ele leve também correspondências para serem postadas, numa experiência única de enviar cartas desde um território antártico. Aproveito para escrever postais aos meus amigos e cartas aos meus pais, mesmo sabendo que não serão respondidas. Cartas breves, expressando meu respeito e agradecimento por terem me dado a vida. E minha felicidade por estar agora num lugar incrível, mais uma vez experimentando a natureza em toda a sua intensidade.

De volta ao Steve Irwin, Locky e Chris trazem um tesouro a bordo, doado pelos franceses: uma considerável variedade de queijos, manteiga e nada menos do que quatro dúzias de ovos. Um presente e tanto para os vegetarianos não veganos, como nós três, que somos minoria por aqui. O capitão Paul, que também não é vegano mas respeita a opção da maioria, nos convida para um *petit comité* no seu camarote. Oferece uma sopa de grãos, feita por ele mesmo, acompanhada por uma deliciosa baguete francesa, que temos o prazer de lambuzar com as nossas delícias lácteas proibidas. Nessa noite, descobrimos que Paul escreve poesia. Ele chega a proclamar três poemas para nós. Poemas sobre tempestades em alto-mar. Ou sobre paixões estarrecedoras em meio a tensas navegações.

A proximidade com a base francesa nos deixa mais seguros para relaxar e abrir o bar do navio, numa noite de sociabilidade para a tripulação. A *chef* Laura conta com a ajuda do piloto Chris para preparar alguns drinques e servir o pessoal. Tomo apenas uma cerveja, porque preciso avançar, ainda hoje, num trabalho pendente de edição de fotos.

MAWSON'S HUTS FOUNDATION
67.00.24' S
142.35.82' E

Para descontrair os ânimos, o capitão Paul propõe um desafio à tripulação: um nado com os pinguins nas águas glaciais da Antártida. Ele promete preparar até um certificado para os tripulantes que aceitarem a proposta.

Apesar de achar a proposta tentadora, resisto a abandonar o conforto quentinho dos meus três pares de meia, duas calças, três camisas e dois casacos. Mas, no fim, a aventureira dentro de mim fala mais alto. E saio ao convés para encontrar os outros aventureiros que toparam essa loucura. Para me ambientar, prefiro começar fotografando os outros saltando: Daniel, James, Nicola, Sophie... Sem falar no Brent, que decide nadar completamente nu! Esse sim, merece aplausos! Alguns câmeras do Animal Planet também encaram a água gelada, numa brincadeira divertida de olhar. Mas enquanto fotografo os outros, sinto meus pés congelarem ao vento austral, protegidos apenas por um par de chinelos. Não posso mais esperar. Sem pensar duas vezes, dou três pulinhos e... Chuá! Um choque tremendo! Impossível ficar mais de cinco segundos. Subo de volta a bordo, me equilibrando na escada de corda, e corro como um raio para o camarote, onde deixei o aquecedor ligado, me esperando. Ainda bem, porque já não sinto mais os dedos das mãos e dos pés, que aos poucos vão voltando ao normal.

Estamos ancorados perto da base australiana Mawson's Huts Foundation, construída há mais de cem anos. Seis semanas por ano, ela abriga dez residentes temporários, que fazem estudos e pesquisas com objetos encontrados no gelo. Ao notar nossa presença, os cientistas nos convidam a visitar a base. Paul, Laura, o pessoal do Animal Planet e eu embarcamos no inflável Delta, para pisarmos em solo antártico, recebidos por uma quantidade surreal de focas, aves e pinguins. Passamos duas horas rodeados pelos animais, alguns a uma distância de apenas um ou dois metros de nós, como numa espécie de sonho. Os pinguins-de-adélia, favoritos do Locky, me parecem bem agitados. Já os pinguins imperadores, embora maiores, transmitem um ar mais sereno. Ainda assim, mantêm uma postura intimidadora, exigindo respeito. Não me atrevo a chegar tão perto dos leões-marinhos quanto chego dos pinguins, apesar de ambas as espécies serem igualmente selvagens.

Os cientistas nos oferecem um chá com biscoitos no seu pequeno abrigo. E nos mostram o laboratório repleto de relíquias arqueológicas e vestígios de exploradores do início do século XX. Visitamos inclusive a cabana de madeira originalmente usada por esses exploradores, ainda preservada. Uma cabana pequena, mas equipada com um fogão, um quarto escuro para a revelação de filmes e uma sala com prateleiras recheadas de livros da mesma época.

Para retribuir esse convite inesquecível, Paul chama os integrantes da base para jantar conosco no Steve Irwin. Com a ajuda de Leela, nossa tradutora japonesa, Laura prepara um menu especial: sushi vegano, com *strudel* de maçã de sobremesa. Após a refeição, saio para o convés, tentando digerir as maravilhas que vivi nesse dia extraordinário. Como se não tivesse motivos suficientes para comemorar, hoje ainda completo um ano de casamento com Locky. Queria que 19 de dezembro de 2009 durasse para sempre, como um dia sem fim no verão antártico.

64.33.86' S
145.21.44' E

Com a proximidade do Natal, organizamos um amigo oculto, com presentes que devem ser reciclados ou feitos a mão. Até porque não temos nenhuma opção de *shopping* ou lojinhas aqui perto. Ao enfiar a mão no saquinho cheio de nomes, tenho a alegria de retirar o nome do Scott. E rapidamente penso no presente ideal. A cada lugar que ancoramos, ele sempre me pede para fotografá-lo segurando um jornal local de West Virginia, chamado *Hillbilly Holler*. Parece que ele e os amigos da vizinhança da sua casa têm uma tradição de tirar fotos em diferentes partes do mundo segurando um exemplar do jornal. Pensei então em preparar um jornalzinho, à imagem e semelhança do *Hillbilly Holler*, com as fotos dele estampadas como notícias. Acho que pode ficar engraçado.

 O clima de descontração é interrompido quando o engenheiro Stephen comunica à tripulação que sentiu um forte cheiro de solvente, e pouco depois descobriu um vazamento de combustível do navio. Por sorte, o problema foi detectado rapidamente, e não perdemos mais do que meio litro. Ainda bem, porque amanhã vamos levantar âncora e voltar a navegar, indo ao encontro do Ady Gil

---

62.35.74' S
148.12.52' E

 Mal zarpamos e lá está ele atrás de nós. O Shonan Maru II é mesmo obstinado.

 A tripulação planeja uma ação direta para nos livrarmos dele. A ideia é fazer uma aproximação a bordo do inflável e tentar sabotar a hélice do navio. Isso deverá obrigá-los a gastar um tempo até consertá-la, e assim poderemos escapar. O capitão Paul solicita a colocação do Delta na água. Mas quando estamos prestes a liberar o inflável, o Shonan Maru volta a nos surpreender, acercando-se em alta velocidade, com o canhão d'água ligado em potência máxima. O ataque nos gera forte tensão, porque parece mais ousado e corajoso do que da última vez. O mar também está bastante agitado. Somos obrigados a abortar a ação, guardar o Delta e fugir do baleeiro, que aciona também sua ensurdecedora arma acústica.

 Por mais de 40 minutos, eles nos perseguem em zigue-zague, repetindo a ameaça:

— Atenção, atenção! Aqui é o capitão do Shonan Maru II. Fiquem longe. Ou vocês serão presos.

 Nervosos, Michael e eu permanecemos no convés, tentando registrar o máximo que podemos deste novo e agressivo ataque. Num dado momento, um forte jato do canhão d'água acerta em cheio a proa do Steve Irwin, danificando irreversivelmente a câmera do Michael. Ainda bem que ele tem outra.

A tensão diminui quando o Shonan Maru II decide se afastar.

Pouco depois, no horizonte, avistamos emocionados a chegada do Ady Gil, o trimarã negro de aspecto fantasmagórico, invisível aos radares. Parece até que ele pode voar pelas profundezas do mar, como num filme de ficção científica.

56.00.66' S
157.20.77' E

Diante das tentativas frustradas de despistar o Shonan Maru II, Paul decide que o melhor a fazer é retornar à Austrália, reabastecer o Steve Irwin e depois retornar ao santuário baleeiro junto com o Ady Gil e o Bob Barker.

Muitos tripulantes, inclusive eu, achamos decepcionante voltar à terra antes de conseguirmos impedir qualquer atividade pesqueira irregular. Mas ainda temos mais de dois meses de missão pela frente. Nesse meio tempo, muita água vai rolar.

Aproveito alguns minutos de rara calmaria a bordo, para entrevistar o meu simpático amigo oculto de Natal, Scott.

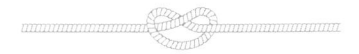

Entrevista com o norte-americano Scott West, do serviço de inteligência a bordo:

Qual é a sua profissão?
No momento estou aposentado, mas passei mais de dezoito anos investigando crimes ambientais federais, nos Estados Unidos. Agora atuo junto à Sea Shepherd, também nessa área.

Esta é sua primeira experiência de navegação com a Organização. Como você se sente, até agora?
Estou feliz por estar aqui. Esperei quase vinte anos por esta oportunidade, porque minhas relações profissionais com o governo americano impediam-me de me envolver com uma ONG com o perfil da Sea Shepherd.

Foi você quem desenvolveu os "brinquedos" disponíveis para esta campanha. Levou muito tempo para concebê-los ou as ideias brotaram com facilidade na sua mente?

Reaproveitamos estratégias que funcionaram bem nas campanhas anteriores. E analisamos as táticas que os japoneses usam contra nós, para nos tornarmos mais criativos. Com base nisso tudo, observamos os recursos que temos disponíveis e buscamos otimizá-los para que as melhores ideias se tornem realidade. Como em toda "brincadeira", existe um lado humorístico na história. Esse ano, por exemplo, como estamos em pleno Natal, injetamos ácido butírico até dentro das bolas que decoram o nosso pinheiro natalino.

Você tem alguma declaração a fazer sobre a Comissão Baleeira Internacional e a situação crítica de desproteção do santuário das baleias na Antártica?

Existe uma frase, do ex-presidente norte-americano Abraham Lincoln, que diz: "Uma lei que não é aplicada, não é uma boa ideia." Nós precisamos garantir a aplicação da lei. Os governos do mundo querem passar por cima das leis. É por isso que existe a Sea Shepherd. Para impedir crimes ambientais e reforçar a importância da lei.

Uma mensagem para os baleeiros?

Bem, os baleeiros ilegais são criminosos, que mantêm suas atividades, incólumes, há muitos anos. Mas isso vai ter que acabar.

53.43.69' S
159.16.56' E

É dia de Natal. A ceia começa a ser preparada desde manhãzinha. Laura conta com a ajuda de Nicola e Vera, suas fabulosas assistentes. Ao passarmos pela ilha de Macquire, rumo a Hobart, vemos um lindo grupo de pinguins-reais nadando próximo ao Steve Irwin. Contamos também com a indesejável companhia do insistente Shonan Maru II, que continua nos seguindo a uma distância que varia entre 5 e 9 milhas. O mar está violento, com ondas de quase dez metros.

Telefono para os meus pais, para enviar um grande beijo de Natal desde o oceano, mais uma vez fascinada com os milagres da tecnologia via satélite. Como de costume, meu pai chora ao telefone. Ele continua emotivo e sensível, mantendo o hábito de repetir frases sábias que aprendeu em leituras religiosas, ou numa das reuniões do AA que frequentou nos últimos dezessete anos. No fundo, ele é uma figura caricata. Às vezes me pego rindo, só de pensar no jeito dele. Temos muito em comum. Ambos adoramos festejar, fazer e manter amizades, conhecer gente nova e lugares especiais. Minha mãe, por sua vez, é meu oposto. Conservadora, tímida, *workaholic*. Mas parece estar aprendendo a viver melhor nos últimos dois anos. Recentemente passou a reduzir a carga de trabalho e a viajar mais. Bom para ela.

Nosso amigo oculto de Natal arranca gargalhadas de toda a tripulação, com Phil vestido de Papai Noel e Paul se encarregando da distribuição dos presentes. Alguns tripulantes se arriscam até a sentar no colinho do nosso querido capitão, para tirar uma foto. Eu mesma não resisti. Nessa noite, todos ficamos mais próximos e trocamos desenhos, almofadas, presentes bastante criativos. Parece que Scott gostou do seu *Hillbilly Holler* personalizado. Quem me sorteou foi o marinheiro suíço Tor, que me presenteou com o desenho de uma rosa numa antiga carta náutica, com a mensagem: *"We will never die"*.

46.07.45' S
150.09.10' E

Pouco a pouco, o mar se acalma. E os dias são cada vez mais bonitos. Sobretudo quando enfeitados por albatrozes e baleias-piloto, que eventualmente aparecem para nos saudar. Voltamos a presenciar alguma escuridão durante a noite, mas só depois das onze horas. Voltamos também a trabalhar no convés, já que o clima permite.

Hoje temos uma grata surpresa. No momento em que atingimos a Zona de Exclusividade Econômica australiana, o Shonan Maru II imediatamente para de nos seguir. Respiramos aliviados, mas um pouco inseguros por não sabermos onde os baleeiros pretendem ancorar. Talvez esperem pela nossa volta. Teremos que sair da Austrália de um modo mais discreto e estratégico do que da última vez.

HOBART (2)
42.07.34' S
148.37.27' E

Ao longe, podemos enxergar Hobart em festa, com a bela vista para os veleiros participantes do *rally* anual. É um circuito pequeno, até Sydney, mas atrai barcos de várias nacionalidades, não só australianos. As velas cruzam o horizonte exibindo desenhos multicoloridos e compondo um belo contraste com o azul ciano do céu.

A cidade se agita: ruas cheias, atrações culturais e bandeiras de regata por toda parte. Passeando com a tripulação, descobrimos um incrível festival de vinhos, com quiosques vendendo petiscos de dar água na boca. Mais uma vez, consigo matar a saudade do queijo, todo derretido sobre uma pizza *veggie* para ninguém colocar defeito. Monto meu estoque de chocolate, para a segunda parte da viagem. À noite, saímos para um barzinho agradável chamado Syrup, em seguida vamos dançar no Telegraph. Estava mesmo precisando sacodir o esqueleto, num espaço mais amplo do que meu modesto camarote.

No último dia de 2009, deixamos o porto de Hobart, presenciando a alegria de mais de cinquenta golfinhos saltitantes à proa do navio. Que sentimento de liberdade! Na noite de *réveillon*, navegamos sob a lua cheia, que desponta por trás das nuvens, iluminando as ondas de um mar belamente revolto. Eu não poderia pensar num cenário mais inspirador para celebrar a chegada de 2010.

HOBART-BAÍA DE COMMONWEALTH
43.17.18' S
140.50.00' E

Às duas e meia da madrugada, cruzamos o limite da Zona de Exclusividade Econômica australiana. Fechamos todas as janelas e apagamos as luzes do Steve Irwin, evitando chamar a atenção de possíveis navios espiões.

Ondas de oito metros nos chacoalham para lá e para cá. É difícil pegar no sono. Coloco um CD do Fela Kuti, enquanto retoco algumas fotos.

No dia seguinte, tenho o privilégio de receber uma massagem profissional da Leela, nossa tradutora de japonês. E como se não bastasse esse luxo a bordo, a *chef* Laura prepara para o almoço uma das suas especialidades que mais amo: um molho de pasta de amendoim bem cremoso, para colocar em cima do arroz. De ótimo humor e câmera em punho, aproveito alguns momentos de tranquilidade para fotografar pássaros marinhos brincando com as ondas, na popa do navio.

51.50.53' S
139.59.06' E

Conferimos as últimas informações do Twitter do Taz Patrol, um grupo de seis defensores de baleias que navegam num pequeno barco a motor pelo santuário, à busca da frota baleeira. Descobrimos que os japoneses enviaram um avião a Hobart há cinco dias — no mesmo dia em que saímos do porto — para espionar nossa rota. Felizmente, as fortes tempestades, somadas à nossa total discrição, dificultaram as buscas deles. Até o Shonan Maru II nos perdeu de vista. Nosso plano funcionou!

Outra novidade é que o Taz Patrol localizou a maior parte da frota baleeira. Há doze horas, avistaram os navios Yushin Maru I, II e III na Baía de Commonwealth, próxima à costa francesa de Terra Adélia. A posição do Shonan Maru II é atualmente desconhecida. É possível que ele tenha retornado à terra para buscar reforços ou combustível para abastecer os outros navios.

55.54.21' S
140.32.97' E

Mais notícias quentes!

O Bob Barker finalmente encontrou e socorreu o Ady Gil. Mas as duas tripulações mal tiveram tempo de respirar aliviadas, porque logo encontraram também o Nisshin Maru, um dos quatro navios caçadores da frota, que carregam os arpões para matar as baleias. Imediatamente, o Ady Gil e o bote do Bob Barker se uniram para executar uma ação de sabotagem da âncora do Nisshin Maru, a fim de colocá-lo fora de operação, salvando assim as vidas de algumas baleias. O problema é que o Ady Gil enfrentou uma escassez de combustível, e o Bob Barker não tinha o suficiente para compartilhar. Para agravar a situação, o Shonan Maru II reapareceu inesperadamente e partiu para um ataque direto e agressivo contra o Ady Gil, talvez percebendo sua condição vulnerável. Assim como fez conosco, o navio japonês se aproximou do trimarã disposto a provocar uma colisão, se aproveitando da sua vantagem de porte e estatura. Como resultado do choque, a parte frontal do Ady Gil se deformou completamente, provocando um novo vazamento de água a bordo. Ao ver que o trimarã ameaçava se partir ao meio, o capitão Pete Bethune anunciou na rádio um pedido de socorro, usado apenas em casos de emergência, na expectativa de que o Shonan Maru II pudesse ao menos se importar com o fato de que havia seres humanos a bordo. A mensagem foi completamente ignorada. Severamente danificado, o Ady Gil começou a afundar. A tripulação do Bob Barker tentou rebocá-lo à base francesa Dumont d'Urville. Mas as fortes ondas do Oceano Antártico romperam os cabos que conectavam as duas embarcações, tornando inevitável o naufrágio do Ady Gil. O investimento da Sea Shepherd de 1,5 milhão de dólares nesse trimarã *high-tech*, infelizmente, foi por água abaixo.

A tripulação do trimarã sentiu na pele a força do impacto que sofreu. Um câmera do Animal Planet fraturou duas costelas. Os tripulantes passaram um tempo considerável em contato com as gélidas águas antárticas, correndo um sério risco de hipotermia. Assim que possível, eles foram removidos para o Bob Barker e receberam socorro médico. Foi sorte poderem contar com um navio amigo nas redondezas. Se tivessem se ferido a ponto de perder a consciência, poderiam ter morrido.

60.30.91' S
140.53.32' E

Emissoras de rádio, televisão e internet do mundo inteiro entram em contato com o Steve Irwin, em busca de detalhes sobre a batalha na baía de Commonwealth. Paul e Locky se revezam na atenção aos jornalistas, concedendo uma entrevista atrás da outra.

Como o confronto ocorreu em águas australianas, o ministro do meio ambiente da Austrália, Peter Garret, entrou em contato com as duas embarcações envolvidas, o Ady Gil e o Shonan Maru II, e também com o governo do Japão, pedindo esclarecimentos, e reafirmando a necessidade de se assegurar a preservação da vida nos oceanos. Já a vice-primeira-ministra australiana, Julia Gillard, deu uma declaração oficial, afirmando que foi um milagre que a colisão não tenha resultado num acidente mais sério, resultando em mortes humanas. Ela dirigiu às autoridades responsáveis um pedido para que seja conduzido um minucioso processo de investigação sobre o ocorrido.

Em meio a um turbilhão de manchetes, o anúncio de um novo navio à disposição da Sea Shepherd fez com que "Bob Barker" se tornasse o termo mais acessado no Google, neste dia sete de janeiro de 2010.

63.01.80' S
136.30.02' E

O Steve Irwin está em luto pela perda do nosso trimarã.

Em contato com a Sea Shepherd Brasil, fico sabendo que o fato teve grande repercussão também na mídia brasileira, noticiado pela Globo, SBT, Record, Rede TV e outras importantes redes de jornalismo. O site nacional da Organização foi tão acessado que houve uma queda durante o período de uma hora.

Mesmo assim, dias depois, ainda não recebemos notícias sobre qualquer providência efetiva que tenha sido tomada quanto ao caso. O governo australiano não enviou nenhuma embarcação para patrulhar a região. A empresa responsável pelos navios baleeiros japoneses não foi criminalmente indiciada. As autoridades japonesas estão longe de punir o capitão do Shonan Maru II. Muito pelo contrário. Um porta-voz do Instituto de Pesquisas Cetáceas japonês responsabiliza o capitão Pete Bethune, do Ady Gil, por tê-lo colocado numa posição de risco, para que a colisão acontecesse propositadamente. No entanto, as filmagens do Animal Planet não deixam dúvidas: o trimarã não estava se movendo no momento em que o navio japonês o atingiu, com a intenção evidente de afundá-lo.

63.32.24' S
111.00.72' E

Mesmo com toda a repercussão na mídia global, a operação Waltzing Matilda ainda está distante do objetivo de impedir a matança no santuário baleeiro. Continuamos procurando a frota japonesa de navios arpoadores. Para isso, o piloto Chris dirige o helicóptero em três voos de busca pelos arredores. Tenho o privilégio de participar de um deles, no único lugar disponível a bordo, ao lado do condutor. Apesar da ansiedade e do nervosismo envolvidos nesse momento tão delicado, posso dizer que sobrevoar o Oceano Antártico de helicóptero é uma das experiências mais fantásticas que vivi nos meus 26 anos de existência. Com o sol incidindo em posição lateral, projetando sobre a paisagem uma bela iluminação amarelada, avisto baleias-jubarte por todos os lados. E mais de mil pássaros voando ao redor de um *iceberg* maravilhoso.

Mais tarde, subo a bordo do inflável Delta para tirar algumas fotos do Steve Irwin. Com tantas ondas quebrando em decorrência do mar agitado, é difícil manter o equilíbrio e fotografar com a minha nova bolsa a prova d'água. Uso a oportunidade como uma espécie de treinamento para o dia em que terei que fotografar novamente sob a mira dos jatos d'água dos baleeiros.

61.55.52' S
97.18.81' E

Recebemos notícias de que o Bob Barker está com problemas no dessalinizador, então a tripulação precisa derreter blocos de gelo para obter água para beber, cozinhar e tomar banho. A bordo do Steve Irwin, também enfrentamos problemas: nosso helicóptero tem feito um ruído estranho e preocupante, exigindo reparos em terra. Rumamos para as ilhas Kerguelen, território das Terras Austrais e Antárticas Francesas, onde poderemos prestar assistência aos companheiros do Bob Barker, antes de voltarmos a Fremantle, para fazer consertos no helicóptero.

No fim do dia de trabalho, organizo uma pequena apresentação de slides, com fotos tiradas desde a primeira saída em Hobart até o presente momento. Todos parecem se divertir bastante, entre brincadeiras e comentários capazes de descontrair um pouco o ambiente, que tem se mantido tenso.

ILHAS KERGUELEN
49.21.59' S
70.30.18' E

Navegando a noroeste, avistamos montanhas dos mais variados formatos, algumas com neve no topo, outras com vegetação. Ancoramos numa das ilhas Kerguelen, maravilhados com o cenário espetacular à nossa volta, pontilhado de gaivotas.

Entramos em contato com a base francesa e, minutos mais tarde, recebemos alguns dos pesquisadores a bordo do Steve Irwin. Entregamos a eles nossos passaportes, para podermos visitar a ilha. Adoro a ideia de ter um carimbo no meu passaporte de um território genuinamente austral. Que luxo!

Em terra, logo deparamos com pinguins-imperadores de quase um metro de altura, ao lado de focas-elefantes quase tão grandes quanto o Delta, nosso inflável que deixamos no píer ao desembarcar. A pequena ilha abriga oitenta habitantes no verão e cinquenta no inverno. Todos são simpáticos e receptivos, e contam um pouco sobre seu trabalho de pesquisa na região. Alguns pesquisadores nos convidam para almoçar. Mas como mantemos os relógios ajustados ao horário de Hobart, a refeição nos cai como um jantar. Os pratos são variados e deliciosos. Muito queijo, vinho e a tradicional baguete francesa. É extraordinário poder degustar o melhor da *cuisine française* em plena Antártida!

Vou ao correio, para postar minhas dezoito correspondências atrasadas. Fico sabendo que elas vão atrasar ainda mais: só sairão da ilha em abril, daqui a três meses, quando o próximo navio postal passar por aqui.

Ao voltar a bordo do Steve Irwin, recebo a notícia de que o Bob Barker está a poucas milhas de nós, podendo surgir no horizonte a qualquer minuto. A visibilidade está terrível, com uma névoa que nos impede de distinguir qualquer objeto a cinquenta metros de distância. O Delta é posto ao mar para ir ao encontro do Bob Barker, enquanto mantemos contato via rádio, para combinar nosso plano de aproximação. Enfim, avistamos o nosso navio amigo chegando numa cena magistral, desbravando o nevoeiro denso, na nossa direção. O combinado é que os dois navios se emparelhem lado a lado, estibordo com estibordo. Posicionamos duas enormes bordas na lateral do Steve Irwin. E, enfim, concluímos uma aproximação bem-sucedida.

Trabalhamos muitíssimo para providenciar toda a transferência necessária de água, comida, combustível e cobertores para as tripulações dos dois barcos que agora dividem o espaço de um. Só conseguimos descansar às duas da madrugada, quando espontaneamente tem início uma pequena festa catártica no Steve Irwin, que reúne algumas pessoas a fim de celebrar esse encontro tão precioso. Converso com ex-tripulantes do Ady Gil, ansiosos para dar um fim a essa viagem, indo para o conforto de suas casas, ao lado dos amigos e familiares. Bastante compreensível. A festa se prolonga até as seis da manhã, quando começa a dividir espaço com os trabalhos de soldagem no convés. É preciso consertar o *jet ski* do Ady Gil, que ficará à disposição do Steve Irwin, guardado entre os dois infláveis.

Nos despedimos temporariamente do Bob Barker, que está com um problema no radar, então deve permanecer na ilha por mais dois dias. Quanto a nós, seguimos até Fremantle amanhã, para a missão do conserto do helicóptero.

ILHAS KERGUELEN-FREMANTLE
49.19.03' S
72.04.27' E

É um pouco desanimador ter que retornar novamente à Austrália, antes de nos encontramos com os navios de caça. Nos consolamos com os belíssimos dias que têm feito ao longo da navegação. A cada hora o céu apresenta uma cor diferente. Impressionante.

Laura prepara um jantar "quase brasileiro": uma feijoada vegana com farofa. De sobremesa, serve dois bolos especialmente preparados pelo aniversário da cura do câncer do Dave, nosso engenheiro canadense. Todos o abraçamos com carinho, felizes por sua saúde e vitória.

A equipe do Animal Planet exibe dois vídeos para a tripulação, com imagens da colisão entre o Shonan Maru II e o Ady Gil. Imagens de boa qualidade, em alta resolução, captadas de diversos ângulos. Ora do Bob Barker, ora do próprio Ady Gil. Ao ver as cenas, fico de queixo caído. Realmente uma grande sorte que ninguém tenha se ferido gravemente.

O dia no *lounge* termina com uma jogatina de pôquer, entre Paul e o pessoal do Animal Planet, enquanto um grupinho se aglomera diante da televisão, curtindo um filme de terror, com muita pipoca rolando.

46.49.95' S
84.36.93' E

Estamos em quarentena.

Não podemos usar a lavanderia, pois foram descobertos ovos de baratas nas roupas de ex-tripulantes do Ady Gil, que subiram a bordo do Steve Irwin. Para impedir uma infestação no navio, todas as roupas deles têm prioridade na lavagem. Concordo plenamente com a medida de segurança. Não deve ser nada agradável navegar dias a fio, em alto-mar, num barco cheio de baratas!

Uma fantástica matéria contra a caça baleeira é publicada no jornal *Asahi Shimbun*, escrita por Shohei Yonemoto, professor de controle ambiental mundial na Universidade de Tóquio, onde são conduzidos estudos avançados de ciência e tecnologia. Segundo Yonemoto, nos últimos anos, mais de nove mil baleias-de-minke foram mortas ilegalmente pela frota japonesa, com o velho pretexto de "pesquisa científica". Os baleeiros japoneses faturam cerca de 64,5 milhões de dólares por ano, vendendo carne de baleia. Não é por acaso que resistem tanto a deixar o santuário em paz.

Faço uma visita ao camarote da minha nova amiga da Estônia, Annastacia. Passamos algumas horas conversando e compartilhando histórias. Mostro a ela algumas músicas que adoro e fotos das minhas viagens pelo mundo. Ela me mostra registros de instalações de arte que desenvolveu quando morou na França, fazendo um mestrado em arte contemporânea. Annastacia é uma excelente designer gráfica, além de ser uma mulher sensível e muito simpática. Nunca conheceu seu pai, que abandonou a família quando ela tinha apenas alguns meses de idade. Projeta na arte sua eterna busca pelo autoconhecimento, como se precisasse desvendar uma parte que falta de si mesma.

41.31.83' S
99.16.30' E

Com o mar calmo e a navegação tranquila, o convés fica repleto de atividades. Merryn, Dan e Leon se exercitam na barra, enquanto James toca violino, atraindo os albatrozes. Fazemos treinamentos diversos, de primeiros socorros a nós de marinheiro, envolvendo os novos e antigos tripulantes. Vários vão desembarcar em Fremantle, por diferentes motivos, inclusive Tor, Dan, Sophie, o meu parceiro fotógrafo, Michael, e toda a tripulação do Ady Gil, com exceção do capitão Pete Bethune, que seguirá conosco na nossa terceira viagem à Antártida.

Admito que também sinto falta da civilização, após tantas semanas de navegação. Então traço alguns planos pessoais para a chegada em Fremantle. Fazer unhas e depilação. Renovar meu estoque de chocolate. Sair para dançar. Tomar uma Guinness bem gelada. E comprar um travesseiro novo, porque o do navio é fino demais. Tenho acordado com dores nas costas e no pescoço diariamente.

Após o jantar, o Lawrence, ex-tripulante do Ady Gil, decide dar aulas de boxe aos interessados. Um pouco mais tarde, cantamos parabéns pelo aniversário do Craig. Depois das velas sopradas, brincamos de cantarolar no karaokê do Wii.

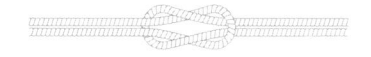

FREMANTLE (2)
32.28.53' S
114.48.43' E

Às sete da manhã, estamos de volta à doce, serena e receptiva cidade de Fremantle. Mídia e simpatizantes da Organização tomam conta do porto. E lá vai o capitão Paul enfrentar o habitual batalhão de entrevistas. Enquanto isso, o técnico Josh sobe a bordo para o reparo do helicóptero, junto com os tripulantes que vêm substituir aqueles que partem. Inclusive minha nova parceira fotógrafa, Ana.

Aproveito a rápida conexão de internet do café Tropicana — onde, aliás, comemoramos o aniversário do Paul em dezembro — para enviar fotos e textos recentes ao escritório da Sea Shepherd. Quanto aos planos civilizados que listei, decidi deixá-los de lado quando meu querido marido me fez uma proposta muito melhor: passarmos a noite juntos num hotel, para descansarmos, tomarmos um bom banho de banheira e desfrutarmos do conforto de uma bela cama *king size*. Isso que é vida de rei.

FREMANTLE–KAAP NORVEGUIA
32.19.62' S
114.58.50' E

Helicóptero consertado e testado em dois voos. Josh é mesmo supercompetente. Fez um ótimo trabalho. Chris parece muito mais feliz agora, podendo enfim colaborar na busca aérea pelos baleeiros. Estamos prontos para deixar a cidade de Fremantle, rumo à Antártida mais uma vez.

Faço uma pequena reunião com Ana, explicando as melhores táticas para fotografar durante as navegações. Conversamos um pouco sobre tudo, ainda no processo de nos conhecermos melhor. Ela trabalhou anos com fotografia publicitária. Agora quer mudar o foco da carreira para algo mais construtivo e útil para o mundo. Que bom!

Recebemos informações de que a frota baleeira se encontra em Kaap Norveguia, próximo à base japonesa de pesquisa de Syowa. É para lá que nossas duas embarcações navegam agora, para tentar impedir a matança das baleias.

47.48.92' S
106.41.63' E

Com o tempo fechado, a tripulação foge do convés e se apinha no *lounge*. Vera e Susan começam um quebra-cabeças de 750 peças. Gustav finaliza uma linda ilustração de um veleiro clássico, com um pássaro ao fundo. Locky combina com James a logística para os dias de confronto com a frota baleeira, definindo os papéis de cada um nas ações diretas. Chad prepara pipoca e oferece a mim, a Annastacia e a Ana, que ainda se recupera do enjoo dos primeiros dias de agitação marítima.

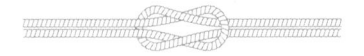

55.51.79' S
106.35.15' E

Esperei tanto por esse momento... E eis que ele finalmente acontece!

Às 23h45 de uma noite de fevereiro, o céu vira palco de um dos fenômenos mais estonteantes que já testemunhei. A famosa aurora austral! Uma mistura de nuvens verdes e roxas se formam e se deformam no ar. Fazem uma dança mágica, compondo uma paisagem onírica ao lado da lua cheia e das estrelas brilhantes. Inesquecível.

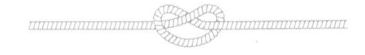

58.11.56' S
106.29.71' E

Laura prepara um *workshop* para ensinar os interessados a fazer massas de pães e doces. Resolvo participar, obstinada a aprender uma receita do magnífico bolo de canela em caracol que ela faz com maestria. Modéstia à parte, fico felicíssima com o resultado, que aparentemente agradou às cobaias que provaram o meu primeiro *cinnamon roll*.

À tarde, há vários treinamentos a bordo com cordas, guindastes e infláveis. A tripulação se prepara muito bem para o encontro com a frota baleeira. Os treinos se intensificam quando recebemos a notícia de que, neste exato momento, o Bob Barker está seguindo o Yushin Maru III a uma distância de apenas duas milhas.

63.03.31' S
87.45.96' E

Locky me acorda às seis da manhã por um bom motivo: pela janela do nosso camarote, é possível admirar um dos *icebergs* mais fantásticos que vi em toda a viagem. Um *iceberg* totalmente negro, com um formato pitoresco que lembrava os contornos de um enorme sapo. Para completar o belíssimo quadro, baleias-de-minke e jubarte nadam livres pelo entorno.

Nossa alegria contemplativa é interrompida por uma notícia bombástica. O capitão Chuck Swift, do Bob Barker, faz contato com o Steve Irwin para comunicar que o Yushin Maru III provocou uma colisão proposital contra eles. Navegamos à velocidade máxima, agora contando com informações seguras da posição da frota baleeira. Numa reunião de tripulação, é divulgada a previsão de que encontraremos os navios japoneses dentro de algumas horas.

De fato, a previsão se confirma.

A batalha começa às cinco da manhã, quando avistamos quatro navios da frota baleeira no radar, a uma distância de 5 milhas de nós. Faz alguns dias que o Bob Barker os persegue. E desde que ele encontrou a frota, nenhuma baleia foi caçada.

Aproveitando a vantagem de estarem em maior número, os baleeiros usam a tática de formar um losango ao nosso redor. À nossa frente, está o Nisshin Maru. Dos lados esquerdo e direito, respectivamente, o Yushin Maru I e II. E, atrás de nós, o já conhecido Shonan Maru II. Apesar de cercado, o Steve Irwin respira um novo ambiente, com a tripulação otimista e motivada, ciente de que viemos até aqui para fazer exatamente o que fazemos agora.

O mar se agita, com ventos de 40 nós e ondas de 6 metros. O Nisshin Maru começa atacando com o canhão d'água ligado, ameaçando colisão. Numa tentativa de fazê-los parar, alguns dos nossos tripulantes procedem com uma ação de sabotagem da hélice do navio japonês, lançando na água um enorme cabo de metal. Ana está mareada. Faço o que está ao meu alcance para registrar, sozinha, cada acontecimento. Ambos os navios saem ilesos desse primeiro embate. Porém, durante a noite, o Nisshin Maru aponta um *laser* de cor verde em direção ao Bob Barker e ao Steve Irwin. Fazemos o mesmo na direção dele.

Na manhã seguinte, chove muito e a visibilidade piora. A frota adversária mantém a formação em torno do Steve Irwin, que está paralelo ao Bob Barker. Usamos um aparelho de som superpotente, chamado *sound commander*, para dizer aos japoneses que interrompam imediatamente suas atividades ilegais no santuário baleeiro. Na proa, alguns tripulantes se organizam para inaugurar o novo canhão d'água do Steve Irwin. Mas não é possível se acercar o suficiente do Nisshin Maru, pois o navio inimigo, por diversas vezes, ameaça seriamente colidir contra nós. Assim, nos vemos obrigados a tentar outra estratégia. Todos os ativistas se preparam para lançar bombas de fedor no convés do Nisshin Maru, na próxima vez em que ele se aproximar, ameaçando colisão. Porém, o navio japonês nos surpreende, se afastando do santuário repentinamente e passando a manter uma distância de 2 milhas náuticas de nós.

A orientação é que os nossos dois barcos continuem perseguindo a frota japonesa até que o combustível acabe. O nosso e o deles. Sem combustível, não poderão caçar.

59.05.37' S
64.13.02' E

O capitão Paul quer encurtar nossa distância do Nisshin Maru a menos de uma milha náutica. Para isso, acionamos o segundo motor do Steve Irwin, para aumentar a velocidade de navegação.

À tarde, voltamos a usar táticas acústicas para incomodar nossos adversários e impedi-los de caçar. Por mais de sete horas seguidas, amplificamos o som de alarmes policiais e mensagens de alerta sobre o crime ambiental cometido pela frota japonesa. Ao longo de toda a ação, o Shonan Maru II e o Yushin Maru II continuam cercando o Steve Irwin e o Bob Barker.

Chad, James e Pete deixam o Steve Irwin a bordo do inflável Delta, acompanhados por dois câmeras do Animal Planet, carregando tinta vermelha para lançar sobre a palavra *Research* ("pesquisa"), nos cascos dos navios japoneses.

Chris decola no helicóptero, sobrevoando o campo de batalha por quase duas horas. Num dado momento, o Shonan Maru II começa a atacá-lo com o canhão d'água. Nosso piloto se sai bem da situação de risco, optando por pousar no convés do Bob Barker por alguns minutos, antes de retornar ao Steve Irwin.

Durante o embate, tanto o Shonan Maru II quanto o Yushin Maru II chegam a nos cortar numa distância menor que 5 metros. Meu coração quase sai pela boca. Fico surpresa por não acontecer uma real colisão.

Desde que o Bob Barker encontrou a frota baleeira, este é o sétimo dia em que conseguimos impedi-los de caçar. Até agora, nenhuma baleia foi morta. Uma grande vitória para nós.

59.22.18' S
48.52.62' E

Neva muito pela manhã. Temos ventos fortes e pouca visibilidade, o que impede qualquer ação com o helicóptero. Tentando nos deixar confusos, a frota baleeira altera o curso diversas vezes. Mas continuamos firmes na perseguição.

Quando não estou fotografando, estou editando fotos. As horas de sono são poucas. As refeições são escassas. Em geral, belisco algo rápido, enquanto organizo o material. Depois vou mostrar as imagens ao Paul, que seleciona as melhores para serem publicadas no site da Sea Shepherd.

Com melhores condições climáticas, partimos para uma nova ação de sabotagem, dessa vez do motor do Nisshin Maru. Se conseguirmos atirar com nosso canhão d'água no funil que se conecta ao motor do navio japonês, eles poderão ter problemas que os obrigarão a interromper a navegação. A ação envolve o helicóptero e dois infláveis, um do Steve Irwin e outro do Bob Braker.

Num dado momento, o Nisshin Maru se aproxima do nosso navio com o canhão d'água ligado. Sinto que preciso fotografar esse ataque, porque posso conseguir uma foto histórica, relevante para comprovar a audácia da frota japonesa. Entre os jatos d'água, dois arco-íris se formam entre os navios combatentes, o que confere um aspecto poético e idealista ao ativismo que nos move. Nesse momento de bravura, sou atingida em cheio por um jato fortíssimo de água salgada. Preocupada com a minha câmera, que fica encharcada, assim como o meu corpo, também muito molhado e começando a sofrer de frio, corro para o camarote, onde limpo como posso a câmera e a lente, com uma toalha embebida de água doce. Infelizmente, não consigo salvar meu equipamento. E jogo minhas mãos para o céu em agradecimento, por ter providenciado uma câmera sobressalente para a missão.

58.00.54' S
62.56.31' E

Faz dez dias que lutamos. Nenhuma baleia morta.
Mantemos uma distância de uma milha do Shonan Maru II e 0,7 milha do Nisshin Maru.
Planejamos uma ação bastante arriscada, por iniciativa de Pete Bethune, o capitão do Ady Gil. Uma vez que perdeu o trimarã, afundado pelo Shonan Maru II, ele sente que precisa se engajar em medidas extremas, para que essa operação seja definitiva e a caça ilegal no santuário baleeiro não volte a acontecer. Pete quer entrar escondido no baleeiro japonês e forçar o capitão a levá-lo de volta ao seu país, a Nova Zelândia. Ou, melhor ainda, forçar o capitão a seguir sua destinação inicial, o Japão. Lá, Pete poderá exigir uma declaração oficial do governo quanto às decisões do Shonan Maru II de colidir intencionalmente contra uma embarcação menor e depois negar resgate à tripulação que lhe pediu socorro.
Enquanto os envolvidos planejam a ação para amanhã cedo, ajudo outros tripulantes a fazer uma enorme transferência de comida e combustível para o Bob Barker, usando botes. Aproveito para enviar de presente à tripulação amiga uma foto impressa da última ação direta, pelo Dia de São Valentim, 14 de fevereiro — data internacional para o Dia dos Namorados, mas também uma ocasião para celebrar as amizades e outros relacionamentos afetuosos. Nesta noite especial, que nos faz lembrar a existência do amor, apesar da guerra, Laura prepara um delicado *brownie* de chocolate em formato de coração.

57.18.02' S
71.07.44' E

São 7h24 da manhã.
Enquanto tomo um chocolate quente, recebo a alegre notícia de que a operação Bethune foi um grande sucesso. A ação começou às seis horas e durou apenas trinta minutos. Antes de partir, Peter recebeu o carinho e os abraços da tripulação, que lhe desejou sorte nessa missão ousada. To-

dos esperam que ela tenha grande repercussão na mídia internacional. Um verdadeiro *grand finale* para a operação Waltzing Matilda.

Lary dirigiu o *jet ski* para levar Pete até o Shonan Maru II, levando também o câmera Joe, para registrar imagens da ação. Os três vestiam roupas especiais de mergulho. Da ponte de comando, mais de dez pessoas acompanharam o trajeto do *jet ski* pelo radar, até o momento em que Lary retornou com Joe, mas sem Pete.

Acabado meu chocolate, corro para acompanhar o contato feito por nossa tradutora japonesa, via rádio, com o Shonan Maru II. Agora está confirmado: Pete está a bordo. Leela lê a carta escrita por ele, anunciando o motivo pelo qual embarcou no navio adversário. Depois disso, não recebemos mais qualquer resposta.

57.28.91' S
76.45.32' E

Mais um dia de ação intensa entre o Steve Irwin e o Nisshin Maru.

Arrumamos uma artilharia de imitações de ovos de crocodilo, com mensagens deixadas por doadores de Fremantle durante o evento da Sea Shepherd na prefeitura. Dez minutos depois, lá se vão os ovos, lançados no convés do navio japonês. Não chegamos muito perto, apenas o suficiente para que os ovos cheguem do outro lado. E para que eles liguem de novo aquele infernal canhão d'água.

Curiosamente, o Shonan Maru II mudou o curso rumo ao sul, mesmo com Pete a bordo. O Nisshin Maru, por sua vez, parece navegar para a Austrália. E continua sendo acuado por nós. O Steve Irwin dá várias voltas ao redor do navio baleeiro, que chega a parar por trinta minutos, depois se esforça para se livrar de nós, contra-atacando com o canhão d'água.

A fim de intimidar e confundir o Nisshin Maru, Chris sobrevoa a embarcação por mais de cinco horas. Ao mesmo tempo, o Delta é lançado à água para entrar em ação. Lary e outros ativistas carregam propulsores, que funcionam com o ar de garrafas de mergulho, para lançar bombas de fedor no navio, desde o inflável. Para isso, precisam se aproximar a uma distância máxima de 150 metros, a capacidade atingida pelo propulsor.

Subitamente, o Shonan Maru II muda de rumo e desaparece no radar. O mais estranho é que os outros navios japoneses também somem em seguida. Uma vez que estão com Pete a bordo, acreditamos que estejam a caminho do Japão.

Uma das cenas mais marcantes, durante o enfrentamento do Steve Irwin ao Nisshin Maru, foi a aparição de várias baleias jubartes e até mesmo duas orcas entre as embarcações. Como se estivessem ali para renovar nossa motivação para a luta.

64.40.18' S
72.44.42' E

Ao acordar, me surpreendo com o maior *iceberg* que avistamos aqui na Antártica. Quarenta quilômetros de largura! Desde o convés, viro a cabeça para medi-lo com os olhos, mas esse imenso pedaço de gelo parece não ter fim.

Ainda temos catorze dias de combustível, o que significa que podemos fazer mais quatro dias de ações. Depois disso, precisamos retornar à Austrália. O Bob Barker, por sua vez, tem mais combustível para continuar perseguindo e confrontando o Nisshin Maru. Dando início ao clima de despedida, preparo um DVD para cada tripulante, com fotos de toda a campanha, nesses quatro meses e meio em que estou a bordo do Steve Irwin. Gostaria de continuar lutando para impedir a matança das baleias. Mas a verdade é que já fizemos muito por elas, até o momento. Completamos o tempo recorde, jamais atingido numa operação anterior da Sea Shepherd, de quinze dias sem que nenhuma baleia seja morta.

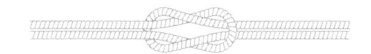

64.06.49' S
80.11.98' E

Recebemos notícias de que o consulado da Nova Zelândia conseguiu falar com o Pete Bethune. Aparentemente, ele está bem, com seu próprio camarote e livre para caminhar e fazer refeições a bordo.

No nosso último dia no santuário baleeiro, o helicóptero faz diversos voos entre o Steve Irwin e o Bob Barker, para levar as pessoas que vão permanecer na Antártida por mais tempo e buscar as outras que pretendem partir conosco para Hobart. Deixamos também comida e equipamentos que eles podem precisar nessa parte final da viagem, que ainda deve durar duas semanas.

No caminho de volta, avistamos um grandioso *iceberg* de pelo menos três quilômetros de largura e o quádruplo de altura. Como um presente incalculável, Chris leva cada um dos tripulantes para uma visita ao topo do gigantesco bloco de gelo.

Como só cabem duas pessoas por vez no helicóptero, nosso querido piloto é obrigado a realizar 48 voos, entre idas e vindas. Sou a primeira a embarcar, no banco do carona. A primeira a ser deixada no topo do *iceberg*. Quando Chris levanta voo para buscar o próximo tripulante, me vejo completamente só por alguns minutos, no alto do penhasco. Notas imaginárias de Chet Baker se confundem com o som das ondas quebrando lá embaixo. Penso em *Alone Together*. Ainda não acredito que estou nesse lugar. Sozinha, e ao mesmo tempo sentindo uma sinergia extraordinária com a majestosa natureza ao redor. Me entrego inteiramente a esse momento de espiritualidade e paz, até que chegam outros companheiros ávidos por essa inestimável experiência. James e Annastacia não escondem os sorrisos. E eu não escondo as lágrimas. De prazer e alegria.

Lá do alto, o Steve Irwin não passa de um pontinho preto, perdido na fantástica imensidão azul e branca.

63.28. 33' S
87.33.64' E

Recebemos um pedido de assistência do Bob Barker, que está com problemas no motor. Esperamos nossos amigos à deriva, entre os *icebergs*, porque não podemos ancorar sobre uma profundidade de 3.812 metros.

Para nossa sorte, a neve que caía nos dá uma trégua e por trás das nuvens surge um sol fabuloso. O reflexo da luz solar projeta sobre os *icebergs* o azul turquesa mais deslumbrante que já vi. Tão deslumbrante, que nos convida a fazer saídas de bote para filmar e fotografar os arredores. Quando chega a minha vez de entrar no inflável, me preparo para tirar fotos do Steve Irwin entre os blocos de gelo antártico, quando, de repente, sem esperar... começo a identificar sinais próximos, bem próximos, da respiração de baleias. Minhas pernas cambaleiam, mas procuro me manter calma, conter a emoção ao sentir que estou prestes a realizar o antigo sonho de fotografá-las de perto. Decidimos contornar um *iceberg* com o bote, buscando um melhor ângulo do navio... e pronto: aqui estão elas! Baleias jubarte! Várias! Nesse exato instante, percebo que toda a minha vida confluiu para que eu chegasse até ali. Lado a lado com essas criaturas majestosas, livres. Simplesmente indescritíveis. Sem dúvida, esse é o momento mais comovente de todos que passei junto à Sea Shepherd. Respiro fundo, para não tremer demais, e tiro fotos inacreditáveis de rabos de baleia. Lindas. Como o pôster que decorava o meu quarto na adolescência, dez anos atrás.

Nesse dia 24 de fevereiro de 2010, me dei conta de que nasci para fazer isso. Fotografar a beleza da vida selvagem. E não posso mais conceber outra carreira possível para mim.

Entrevista com o capitão Paul Watson:

Quais as diferenças entre as maneiras de atuar da Sea Shepherd e de outras Organizações ao redor do mundo?

Acredito que a Sea Shepherd e o Instituto Sea Shepherd Brasil são as únicas Organizações que se opõem de fato à caça ilegal da vida marinha selvagem. Nós não só protestamos, nós intervimos. E fazemos isso de acordo com princípios dos acordos internacionais das Nações Unidas pelo meio ambiente.

As atividades da Sea Sherpherd se concentram mais em campanhas pelas baleias do que pelos golfinhos ou focas. Qual seria a razão principal para tal?

Nossas campanhas primordiais são contra a caça baleeira na Antártida. Mas também atuamos nas ilhas de Galápagos, vinculados à guarda florestal do Parque Nacional, além de contarmos com a polícia federal do Equador para intervir contra a pesca ilegal local. As prioridades dessas campanhas envolvem ações contra a exploração de tubarões, pepinos-do-mar, peixes, leões-marinhos e focas.

Houve recentemente um incidente entre o navio baleeiro japonês Shonan Maru II e o trimarã Ady Gil, conduzido por Peter Bethune, de origem neozelandesa. Em situações como essa, os governos dos dois países tentam encontrar uma solução pacífica?

Em 23 anos, nunca testemunhei uma solução diplomática ao impasse da caça ilegal no santuário baleeiro do Oceano Austral. É exatamente por isso que estamos envolvidos no caso. Nós entendemos bem as leis da conservação marinha e nossas táticas são desenvolvidas para serem não violentas e de acordo com a lei. Nunca tivemos um tripulante acusado criminalmente e condenado. Nunca fomos sequer processados. E nunca machucamos ninguém.

Qual é a sua opinião sobre o envolvimento do governo australiano nas ações da Sea Shepherd?

Temos o apoio da população australiana, o que nos permite operar desde os portos da Austrália. Mas o governo australiano, como qualquer governo do mundo, tende a priorizar o comércio econômico em detrimento do meio ambiente, ou da opinião de seus próprios cidadãos.

Quantos tripulantes você tem a bordo? Já houve alguma perda de algum deles ao longo desses anos?

Nossa organização tem crescido consistentemente. Mas todas as doações que recebemos vão diretamente para as campanhas. Nossos apoiadores vêm até nós. Graças à nossa divulgação boca a boca, e à série de televisão *Whale Wars*, nosso número de membros cresceu consideravelmente nos últimos dois anos. Nossa lista de voluntários tem mais de 2 mil nomes. Cerca de cem participam, neste momento, da campanha contra a caça baleeira ilegal realizada pela frota japonesa.

Qual o número de baleias mortas pelos japoneses em suas "pesquisas"?

Em média, os japoneses mantêm a matança anual de 935 baleias-de-minke, 50 baleias-fin e 50 baleias jubarte. Nos últimos anos, a Sea Shepherd tem diminuído esses números pela metade.

Quantas baleias a Sea Shepherd salvou até agora?

Entre 2005 e 2006, foram 84 baleias. Entre 2006 e 2007, mais de 500. Entre 2007 e 2008, foram 483. E entre 2008 e 2009, um total de 384. Acredito que, este ano, teremos nossa campanha mais eficaz. Espero que possamos diminuir essa cota pela metade. Saberemos mais detalhes ao final da temporada, quando os japoneses apresentarem as estatísticas.

Essa batalha não tem fim?

Se houver um navio japonês baleeiro no santuário baleeiro, haverá um navio da Sea Shepherd para se opor à caça.

O que é esperado de um tripulante de um dos navios da Sea Shepherd?

Paixão, compaixão e coragem. Não é todo mundo que apoia a Sea Shepherd. Somos ativistas que acreditam que a lei de conservação internacional deve ser imposta e cumprida. Petições, demonstrações, segurar cartazes documentando crimes ambientais, isso não funciona. Estamos numa guerra para salvar nosso planeta. As pessoas precisam se dar conta de um fato: se os oceanos morrerem, todos nós morreremos.

Depois de confrontar os navios japoneses na Antártida, qual será o próximo passo?

Os navios da Sea Shepherd chegarão a Hobart no dia 6 de março de 2010. Dez dias depois, partirão juntos ao Mediterrâneo, para proteger o atum de barbatana azul, que corre sério risco de extinção, contra os caçadores ilegais que alimentam o mercado japonês.

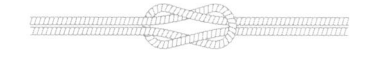

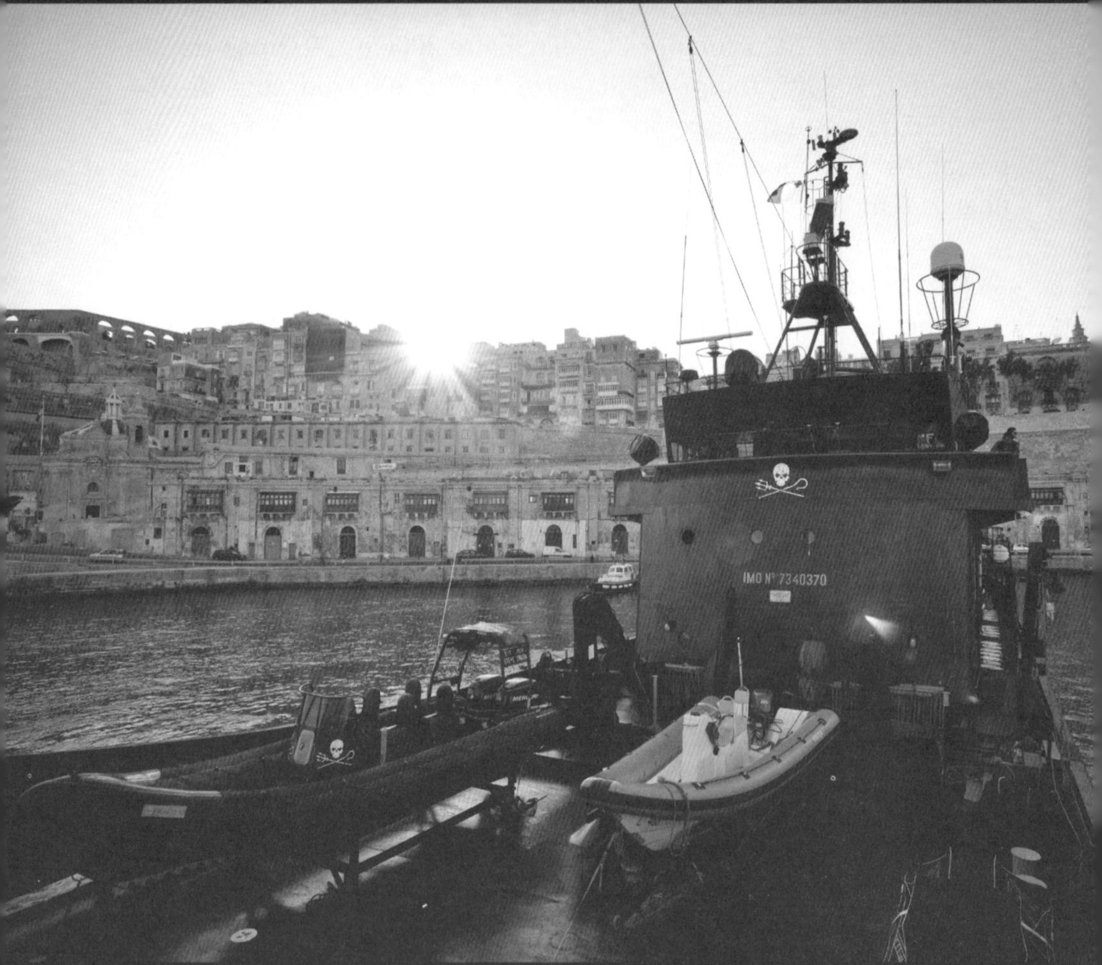
IMO Nº 7340370

CAP 06

COSTA DA LÍBIA
33.34.22' N
13.26.05' E

No primeiro dia de junho de 2010, teve início a operação Blue Rage. O nome é uma referência à impiedosa matança do atum de barbatana azul no Mediterrâneo, por onde o Steve Irwin navega há duas semanas, em busca de fazendas ilegais de pesca. Zarpamos de Cannes, na França, e seguimos viagem rumo ao litoral norte-africano. Paramos alguns dias na ilha de Malta, que tem a peculiar localização quase equidistante entre Europa, África e Ásia. E chegamos à costa da Líbia.

A tripulação já estava indócil e um bocado desmotivada, por não conseguir libertar um só peixe depois de longos dias de investigação e documentação, recorrendo ao nosso helicóptero, ao nosso inflável Delta e ao esforço dos nossos bravos mergulhadores a bordo.

Até que enfim chega o dia de uma importante ação direta. O alvo: duas fazendas irregulares a 30 milhas náuticas do Steve Irwin. Voo no helicóptero com Chris para documentar as atividades dos dois barcos de pesca ilegal identificados: o Cesare Rustico e o Rosaria Tuna. Percebemos que o Cesare Rustico deixa a área ao notar a aproximação do navio. O Rosaria Tuna permanece, colocando o inflável na água, com três pescadores que navegam em direção a uma das fazendas de atum. O Steve Irwin se aproxima, buscando colidir com a fazenda irregular, no intuito de desmontá-la, liberando os peixes. Esse gesto provoca uma reação enfurecida dos pescadores, que se acercam diretamente de nós, colidindo primeiro com a popa, e depois com a lateral do navio. Um dos tripulantes adversários lança mão de um longo bastão, com uma espécie de âncora afiada na ponta, a fim de nos intimidar.

O helicóptero precisa retornar ao Steve Irwin para abastecer. Decido ficar no navio para fotografar a ação de outro ângulo, substituída nos ares pelo nosso câmera neozelandês, Simeon. Nesse momento, o capitão Paul resolve recuar com o Steve Irwin e deixar que os mergulhadores entrem em ação. Eles nadam por baixo d'água até a parte submersa da fazenda, cortam a grande rede que contém os atuns e finalmente conseguem libertá-los. Debruçada na proa do navio, segurando firmemente a minha câmera, vibro de alegria junto aos outros ativistas, ao vermos os primeiros atuns fugindo da fazenda, livres.

Recebemos a informação de que alguns pescadores prestaram queixa a um navio militar líbio, que se encaminha ao local do embate para verificar os fatos. Cientes dos entraves que alguns governos nacionais impõem ao cumprimento de acordos internacionais, preferimos partir em retirada. O Delta retorna a bordo com os mergulhadores. E o Steve Irwin deixa a costa da Líbia com um sabor de vitória.

HOBART (3)
42.07.34' S
148.37.27' E

Ao fim de algumas semanas na Antártica, aportamos na já familiar cidade australiana de Hobart, onde começamos os preparativos de transição entre a operação Waltzing Matilda e a operação Blue Rage, prestes a começar.

Eu ainda trazia no coração a memória recente da grandiosidade dos *icebergs* e da vivacidade das baleias que fotografei de perto, emocionada. Durante toda a viagem pelo Oceano Austral, tirei mais de 10 mil fotografias. Foi um esforço e tanto selecioná-las, para preparar 41 exemplares de um DVD surpresa, de presente para a tripulação. Gastamos 550 toneladas de combustível e conseguimos seguir a frota japonesa por 16 dias, sem que nenhuma baleia fosse morta ao longo das 4 mil milhas que percorremos junto aos baleeiros.

Como de costume, fomos recepcionados em Hobart por uma farta vida marinha, com adoráveis golfinhos e leões-marinhos. Sem falar nos veleiros e outras embarcações amigas, que acenavam alegremente à nossa chegada. Foi muito gratificante ser bem recebida ao final dessa longa operação, que durou cinco meses de bastante trabalho e dedicação.

Porém, tão logo aportamos, subiram a bordo policiais a fim de investigar nossas atividades na Antártica. Passamos quatro horas sob inspeção no navio, sem podermos sequer entrar em nossos camarotes. Todos concentrados no *lounge*. Os policiais buscavam evidências de tudo que fizemos ou deixamos de fazer em mares austrais. Fui obrigada a entregar todo o meu material fotográfico para fazerem cópias. O computador do Paul também foi completamente devassado. Até seus poemas foram copiados. Um advogado local, simpatizante da Sea Shepherd, veio ao nosso socorro, deixando claro que não precisávamos responder a qualquer pergunta se não nos sentíssemos confortáveis para isso. Depois dessa chegada um tanto desagradável, fomos autorizados a desembarcar e passear um pouco pela cidade.

Foi estranho me acostumar de novo às regras da vida na civilização. O barulho. Os sinais de trânsito. Atravessar ao sinal verde. Aguardar ao vermelho. Em compensação, tomei meu primeiro sorvete em meses. Uma bola de *blueberry*, outra de chocolate. Nunca foi tão bom degustar um sorvete olhando as vitrines das lojas, sem rumo.

Voltei ao Steve Irwin quando vi o Bob Barker se aproximar. Embarquei correndo para fotografar a chegada do outro navio e a aglomeração de voluntários esperando para recepcioná-lo. Estavam todos eufóricos pela nossa vitória na Antártida. A tripulação montou um *open boat* a bordo do Bob Barker, que precisava de alguns reparos, por isso permaneceu no porto de Hobart por um bom tempo. Os planos para o Steve Irwin eram diferentes. O navio tinha saída prevista para dali a alguns dias, rumo à campanha em defesa do atum no Mediterrâneo.

Locky e eu trocamos o jantar vegano a bordo por um restaurante mexicano em frente ao porto, para matar as saudades dos nossos adorados queijos. Mais tarde, fomos convidados a uma divertida festa no Hotel Brisbane, com ativistas envolvidos em campanhas de preservação das florestas locais. Houve uma espécie de competição de dança, que serviu como válvula de escape para os momentos de tensão que vivemos nas últimas semanas da operação Waltzing Matilda.

Acompanhamos de perto a transmissão do Oscar de 2010. O prêmio de melhor documentário foi para o filme *A Enseada (The Cove)*, que denuncia o massacre de golfinhos em Taiji, no Japão. As tripulações do Steve Irwin e do Bob Barker se uniram numa foto histórica, que tive a honra de registrar, parabenizando os realizadores por essa merecida conquista.

As duas tripulações se uniram também num passeio ao Parque Nacional de Hobart, organizado por dois voluntários australianos da Sea Shepherd. Foram duas horas de viagem até lá, com direito a uma vista esplêndida, repleta de cangurus, vacas e ovelhas. Passamos por uma floresta habitada por ativistas que instalam plataformas em árvores de até 70 metros de altura, para impedir que sejam cortadas pela indústria madeireira local. Eles moram em barracas, mantendo o mais autêntico estilo hippie de vida. Alguns jovens, outros aposentados, que unem o desejo de lutar pela preservação ambiental à vontade de manter um cotidiano mais relaxado e próximo à natureza. Na caminhada pelo parque, sentimos o cheiro da terra molhada e nos revigoramos pelo contato com a vasta natureza verde das montanhas ao redor.

Outro momento marcante da estadia em Hobart foi a visita do senador Bob Brown, do partido verde australiano, ao Steve Irwin e ao Bob Barker. Mais uma vez, o parlamentar veio prestigiar o trabalho da Sea Shepherd, declarando seu interesse em acompanhar a situação do capitão Pete Bethune. Assim que chegou a Tóquio, a bordo do Shonan Maru II, Pete foi detido pela polícia japonesa. Recebemos a notícia com apreensão, às vésperas das reuniões preparatórias da Comissão Baleeira Internacional, na Flórida. Um dos principais assuntos em pauta, como sempre, são as condições impostas à caça baleeira na Antártida. Esse assunto não poderia deixar de suscitar uma discussão quanto ao trabalho da Sea Shepherd na região e a situação de Pete Bethune, preso no Japão. Países como Islândia, Noruega, Coreia, São Cristóvão (onde estive, junto ao Greenpeace, em 2006) e, logicamente, o Japão se posicionam contra a moratória internacional que impõe limites à caça baleeira para fins comerciais. Por outro lado, há países que sustentam uma posição veemente a favor, como Austrália, Alemanha, Bélgica, Nova Zelândia, Holanda, Reino Unido, Suécia, México, Argentina, Peru e Brasil.

Ficou decidido que o Steve Irwin, a caminho do Mediterrâneo, passaria pela Nova Zelândia, país de origem do Ady Gil, a fim de pressionar as autoridades locais a se pronunciarem quanto ao dilema diplomático envolvendo o capitão Pete Bethune.

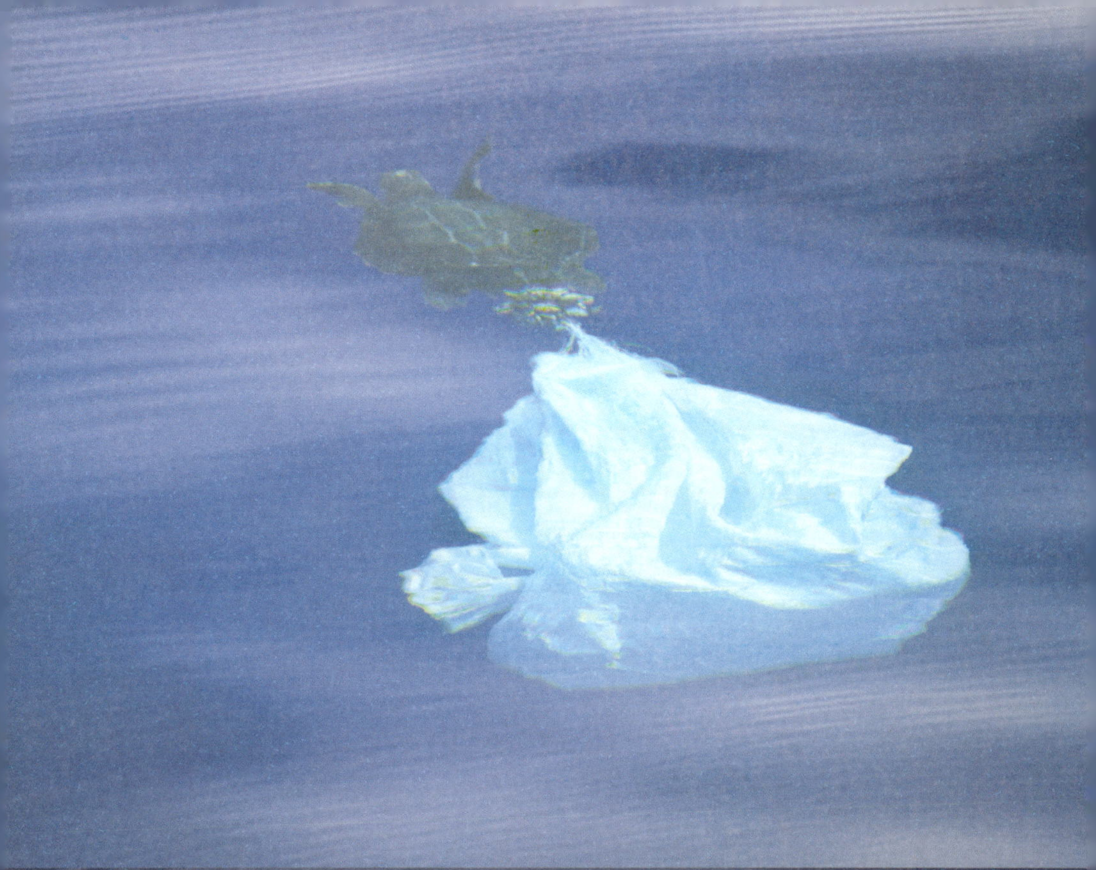

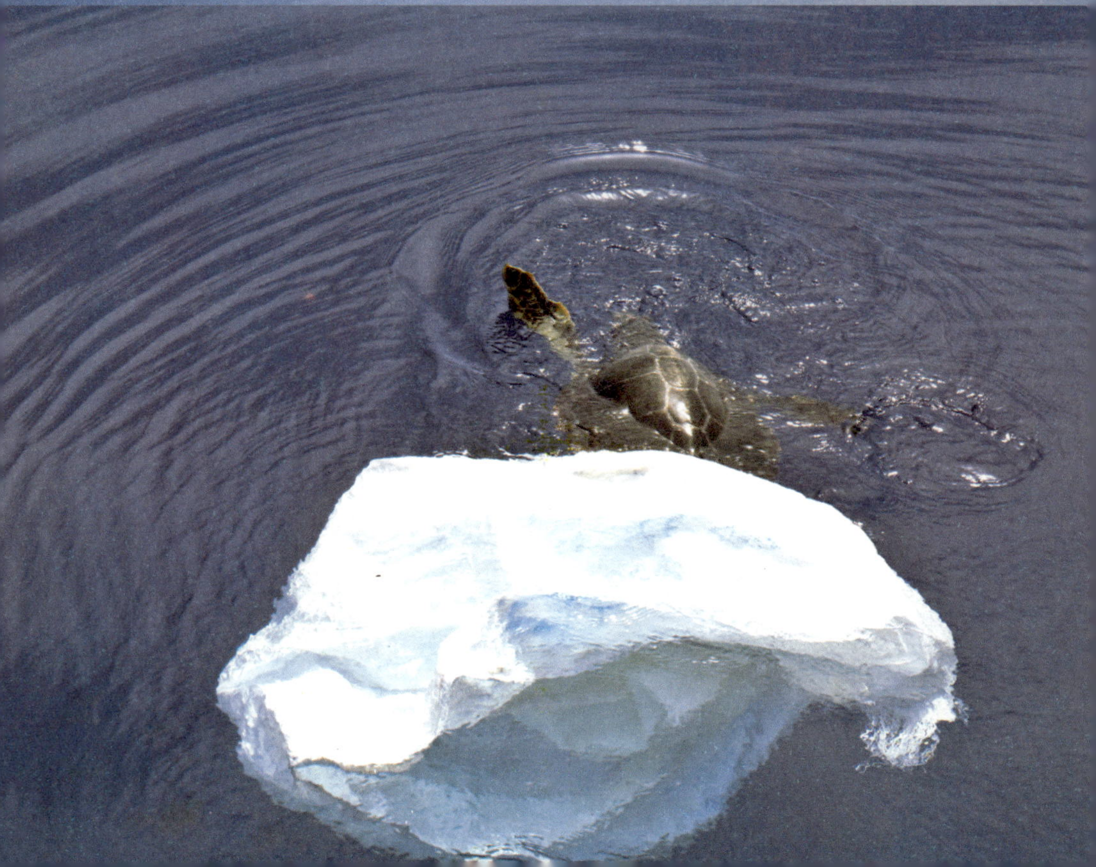

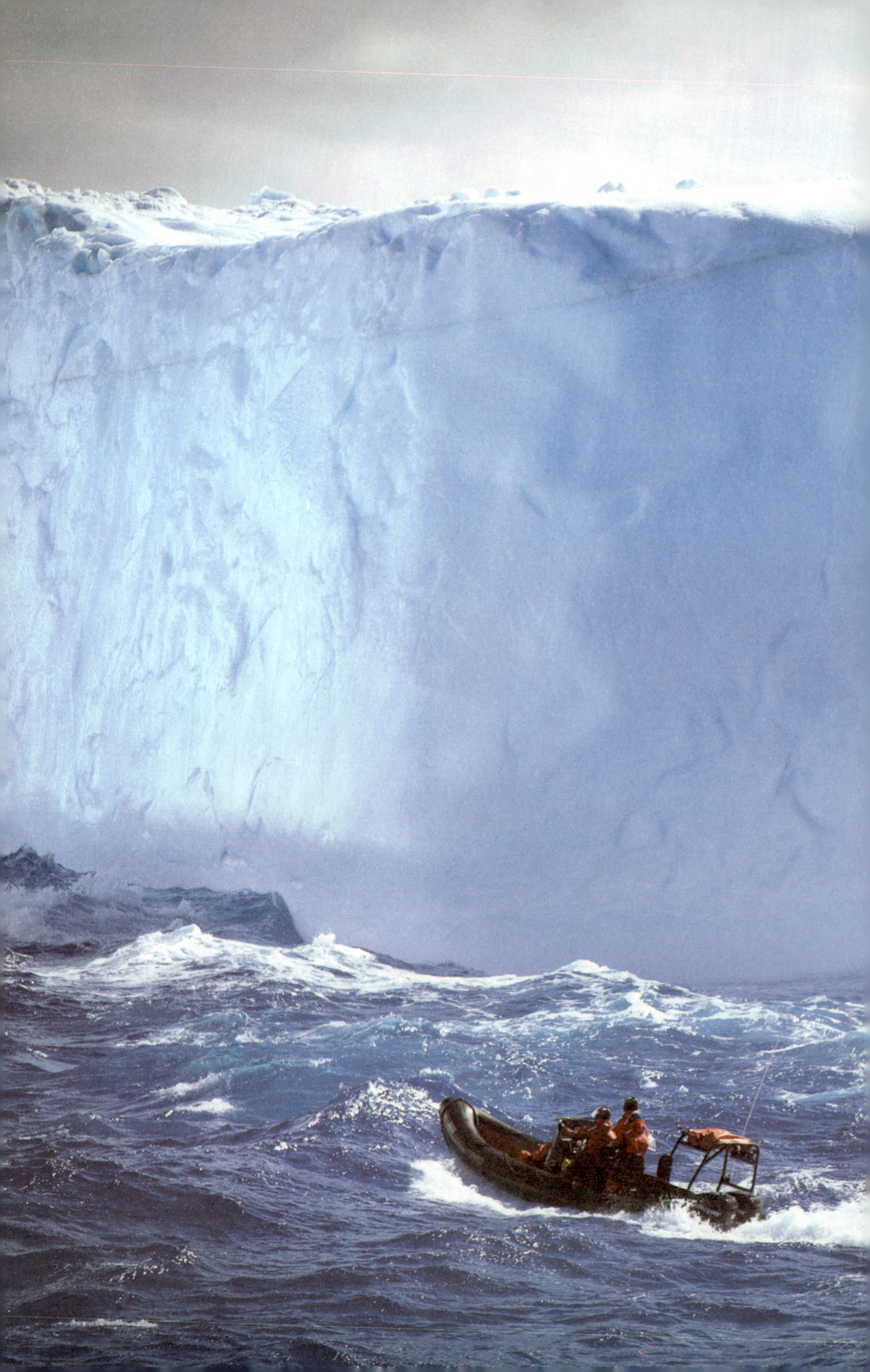

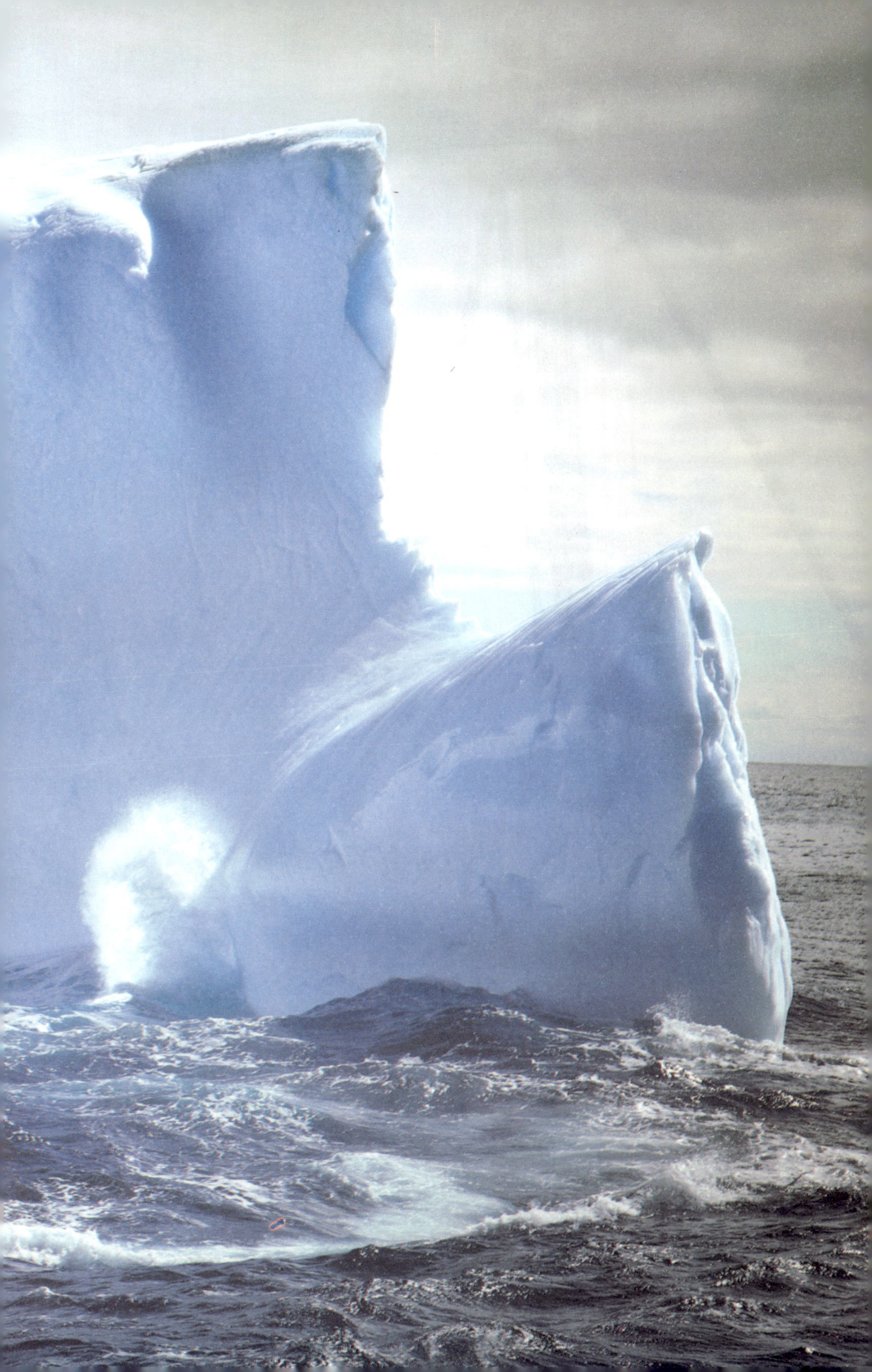

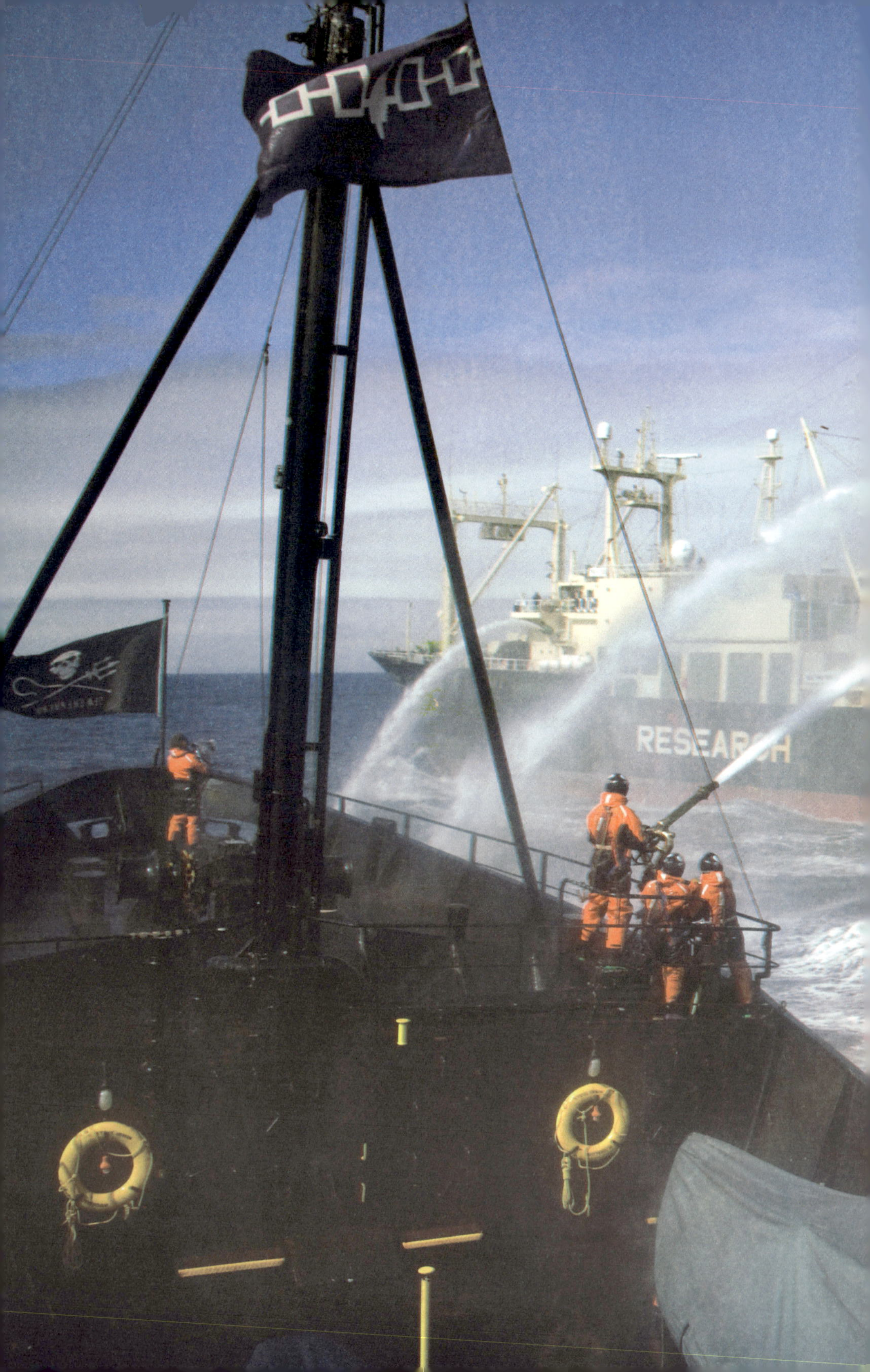
RESEARCH

新丸
東京

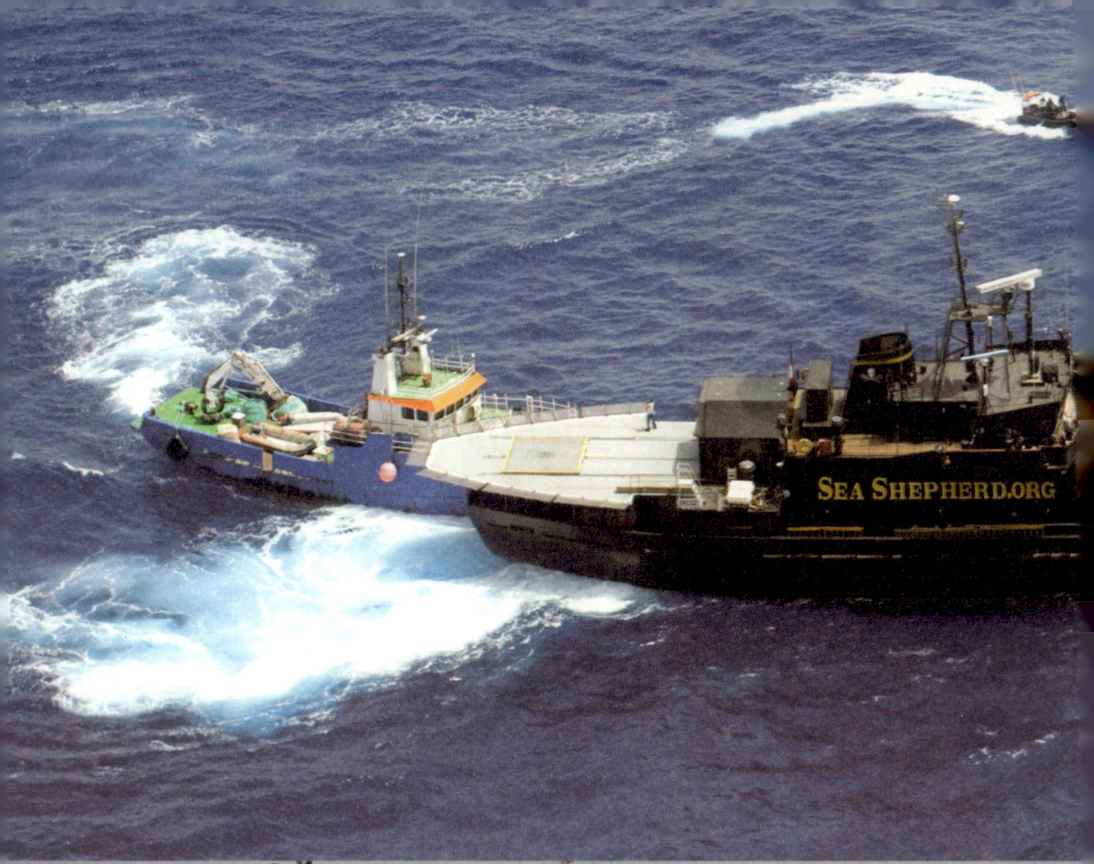
SEA SHEPHERD.ORG
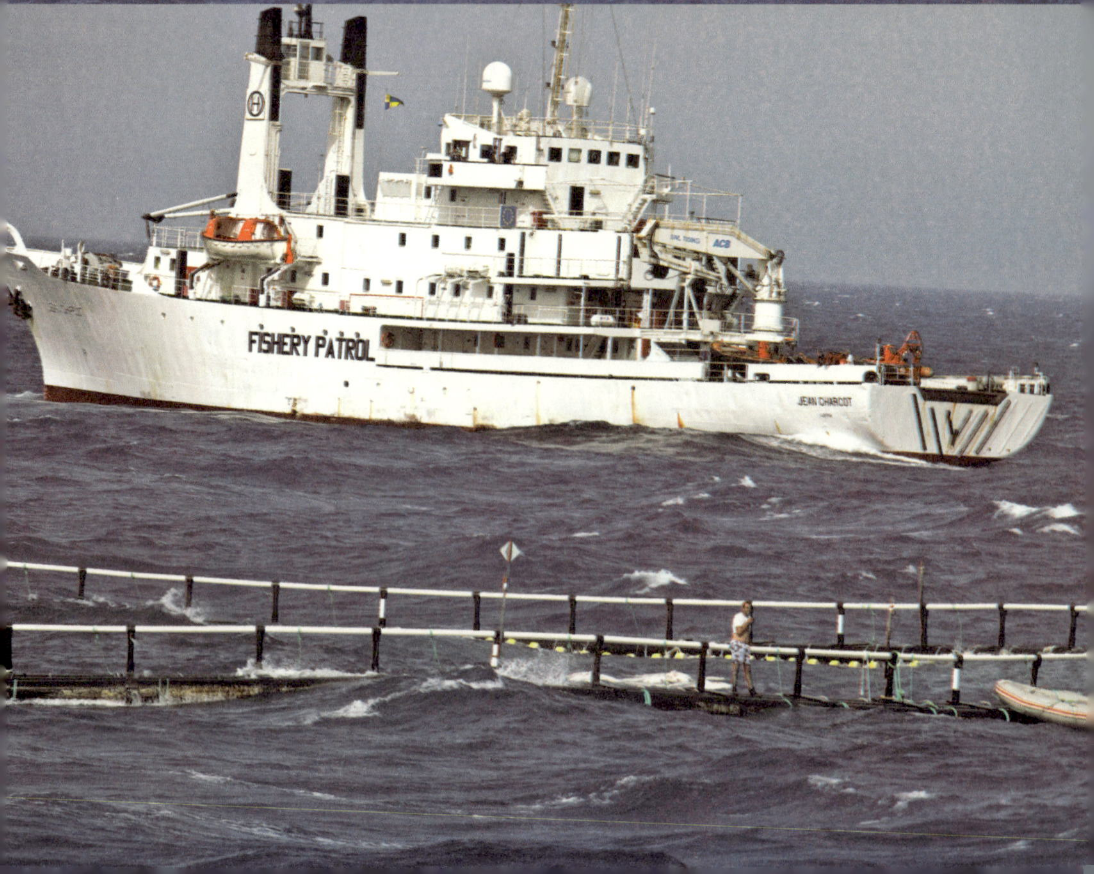
FISHERY PATROL
JEAN CHARCOT

STEVE IRWIN

SEA SHEPHERD.ORG
STEVE IRWIN
GREENPEACE
ARCTIC SUNRISE

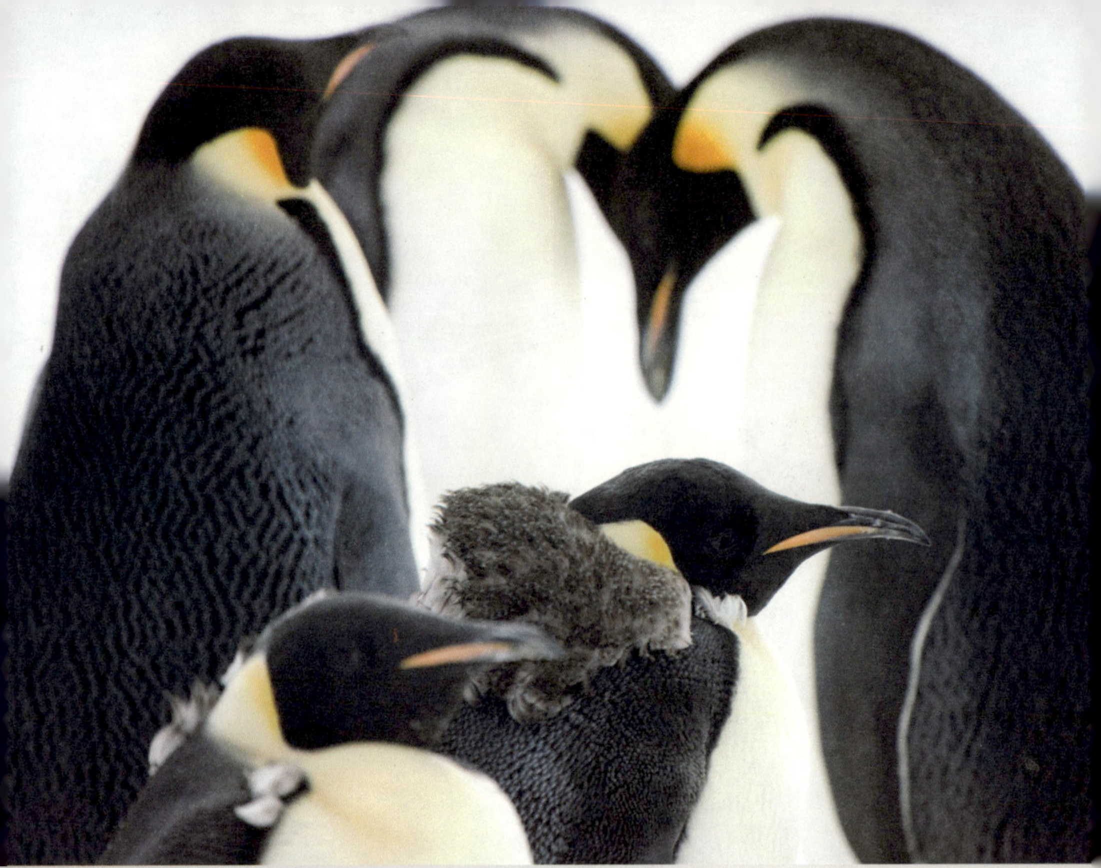

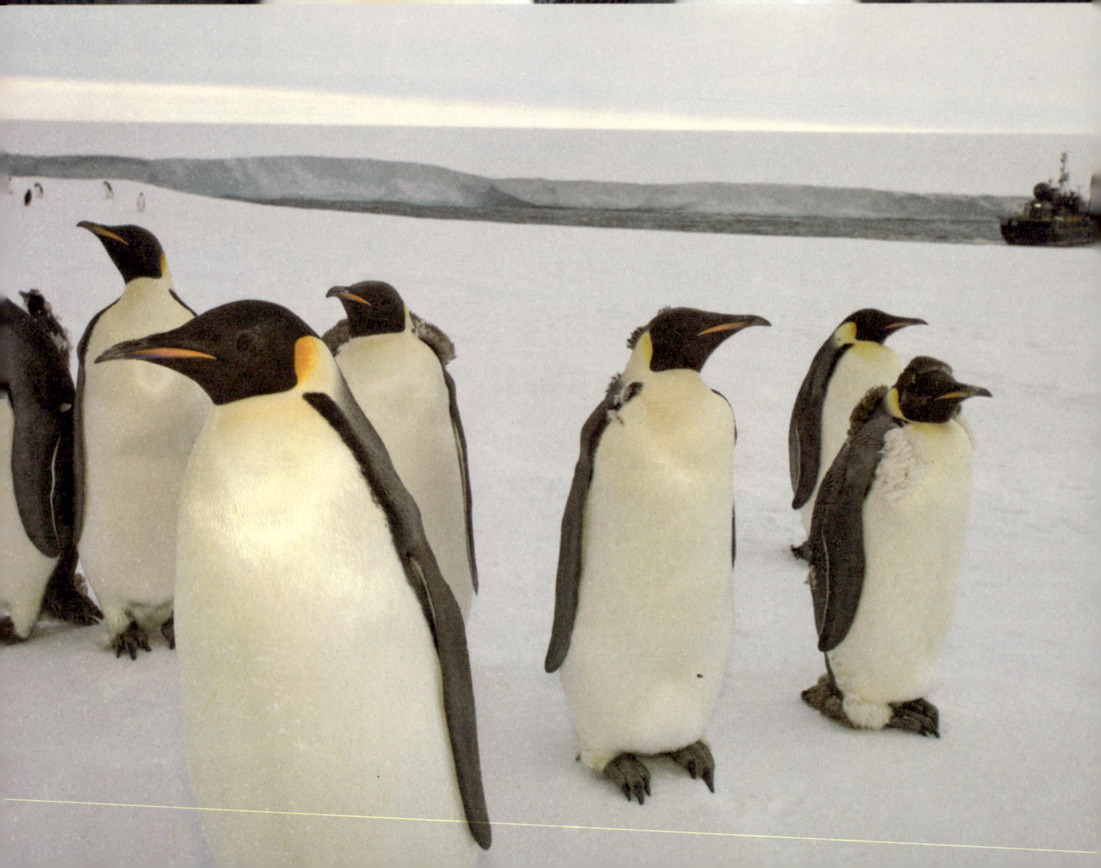

HOBART-WELLINGTON
43.15.94' S
149.22.94' E

Na costa de Hobart, belíssima como de costume, tivemos uma calorosa despedida da pequena tripulação restante do Bob Barker e dos tripulantes que desembarcaram do Steve Irwin. Os golfinhos também vieram nos dizer adeus, como se nos desejassem sorte nessa jornada a Wellington.

As primeiras horas de navegação me trouxeram aquela típica sensação de tranquilidade. Como adoro voltar ao mar! Fotografei alguns pássaros que nos acompanharam durante o percurso. E retomei meus plantões na ponte de comando, ao lado da minha nova amiga, a primeira oficial australiana, Zoe.

Pelo acúmulo de nuvens de outono, tivemos noites de visibilidade quase nula. Senti muita falta da lua, que sempre ajuda nas travessias. Por outro lado, o acúmulo de plâncton na superfície das águas dava um verdadeiro show de luzes fosforescentes toda vez que as ondas quebravam no casco do Steve Irwin.

Prestes a chegar à capital neozelandesa, conhecida como *Windy Wellington* por seus fortes ventos, tivemos a sorte de contar com ventos leves no estreito de Cook, somados a uma generosa correnteza que nos levou ao porto uma hora antes do previsto.

À nossa espera, encontramos simpatizantes e membros locais da Sea Shepherd. E, ao lançarmos cordas e nos posicionarmos no porto, fomos recebidos por autênticos maoris que realizaram uma bela cerimônia Powhiri. A maneira tradicional maori de cumprimentar é tocar testa com testa e nariz com nariz. Quem nunca experimentou pode tentar fazer uma ideia de como é interessante chegar tão perto de mais de cinquenta rostos no mesmo dia.

≡

WELLINGTON-ILHA PITCAIRN
41.17.07' S
174.46.81' E

Numa manhã ensolarada, arrumamos o Steve Irwin para receber visitantes num breve *open boat* no porto de Wellington. Depois de uma estadia curta, porém estratégica, zarpamos pelo Pacífico na nossa rota até o Mediterrâneo, contando como primeira parada a remota ilha Pitcairn, com uma população de apenas cinquenta habitantes. Na ilha não há televisão. O telefone funciona via satélite. Os moradores se concentram em trabalhos agrícolas, com uma farta produção de frutas e mel, e também artesanais, para vender aos navegadores corajosos que ousam percorrer a longa distância até lá, partindo da Nova Zelândia ou do Taiti.

Nos primeiros dias de navegação, enfrentamos o mar agitado, com ventos de 35 nós. Recebemos inclusive um pedido de socorro pelo rádio, de um navio com avarias no motor. Felizmente, o problema foi resolvido em poucas horas. Nessas condições, meus plantões a bordo do Steve Irwin exigiam atenção redobrada. Mas à noite era quase impossível não me distrair com as estrelas brilhando no céu.

39.43.38' S
167.06.70' W

Tivemos dois dias de fortes tempestades, com ventos de 60 nós e ondas de até 10 metros. Ficou difícil dormir bem, até porque tive uma desagradável infecção no ouvido direito, então nem podia trabalhar tanto quanto gostaria. Aproveitei o tempo ocioso para ler livros e ver filmes disponíveis no *lounge* do navio.

Assisti ao clássico *Munity on the Bounty*, sobre a primeira navegação de exploradores ingleses ao Taiti, no século XVIII. No elenco da versão original, de 1962, estrelaram Trevor Howard, Richard Harris e o maravilhoso Marlon Brando. Houve também um *remake* mais recente, com Anthony Hopkins. Fiquei impressionada com o clímax da história, quando toda a tripulação do navio Bounty, revoltada contra o rígido e problemático capitão, o obriga a embarcar num pequeno barco à vela, para retornarem separadamente à Inglaterra. No caminho, eles descobrem a ilha Pitcairn. E alguns tripulantes, com medo de serem punidos por terem deixado o capitão à deriva, preferem não retornar a terras britânicas, optando por permanecer na ilha, mesmo sem o consentimento do primeiro oficial. Propositadamente, provocam um incêndio a bordo do Bounty. Quando o primeiro oficial percebe a situação, tenta de tudo para salvar a embarcação. Em vão. Uma vela cheia de chamas cai de um dos mastros e o atinge fatalmente. Ele morre nos braços da sua amada taitiana, que tem o rosto coberto de lágrimas. Lembrando que se tratava de fatos reais, eu mesma deixei as lágrimas correrem pelo meu rosto.

■

37.17.33' S
158.14.01' W

Gosto muito dos meus plantões com a primeira oficial, Zoe. Sempre colocamos músicas bacanas para tocar e tagarelamos sobre assuntos variados. Nossos desejos. Nossas motivações. Nosso envolvimento com o ativismo ambientalista. Ela deixou sua casa, seu marido, seu cachorro e as coisas que mais ama em terra, para passar meses embarcada no Steve Irwin. Chegamos a um nível de intimidade em que ela já se sentia confortável para desabafar sobre seus problemas com o marido, e eu também me abria completamente sobre os meus.

Conversamos bastante sobre os direitos dos animais. Nessas horas, é sempre bom ter a norte-americana Susan por perto, porque ela é ativista na área há 22 anos. Susan está envolvida em diversos movimentos e organizações em Seattle. Ela mantém, inclusive, seus próprios projetos, divulgando a mensagem de proteção aos animais e agindo para garantir seus direitos. Parte das suas atividades inclui fazer denúncias e resgates em zoológicos de várias cidades dos Estados Unidos.

Conversamos também sobre a oportunidade de visitar a ilha Pitcairn, mais conhecida como a casa dos descendentes do Bounty e outros barcos que o acompanharam desde o Taiti. Na verdade, arqueólogos suspeitam que um grupo de polinésios já habitava o local desde o século XV.

Ao todo, mais de 2 mil livros foram escritos sobre a interessante e polêmica história da ilha.

◆

ILHA PITCAIRN
25.03.25' S
130.07.40' W

Brisa leve. Coqueiros por toda parte. Encontramos as condições perfeitas para a ancoragem, numa tarde aprazível e ensolarada. A vista era estonteante, com uma ampla variedade de cores e texturas. As águas claríssimas permitiam que avistássemos lindos recifes no fundo do mar, mesmo a uma profundidade de 25 metros.

Fizemos contato via rádio para o procedimento de chegada. Dentro de alguns minutos, uma embarcação chamada Moss veio nos acolher. Fomos recebidos com muita fartura e generosidade, presenteados com mamões, jacas, bananas e outros vegetais plantados em Pitcairn. Nicola, nossa cozinheira desde que Laura desembarcou na Austrália, ofereceu em troca enlatados e produtos possivelmente úteis aos locais.

Além do policial responsável pela entrada dos tripulantes na ilha, vieram a bordo alguns nativos curiosos. Ao me verem fotografando, dois homens me contaram que, antigamente, precisavam esperar seis meses para verem reveladas as fotos tiradas com suas câmeras. Era o intervalo em que um barco neozelandês passava pela ilha, trazendo suprimentos. Perguntei se eles, quando recebiam as fotos, ainda se lembravam do que tinham fotografado, seis meses antes... Eles riram, alegres, encantados com os milagres da tecnologia digital. Agora é fácil. Clicou, a imagem aparece na telinha.

Conheci moradores que nunca deixaram a ilha, desde que nasceram. Outros que passaram um período na Nova Zelândia, geralmente para estudar, e decidiram voltar. Fiquei impressionada com o pouco que essas pessoas precisam para sobreviver, o que me fez refletir sobre os excessos desnecessários que criamos para nós mesmos, nas grandes cidades.

Tocada por essa experiência tão especial, a tripulação do Steve Irwin se despediu de Pitcairn ao pôr do sol, renovada e inspirada para seguir viagem rumo ao Mediterrâneo.

III

ILHA PITCAIRN-CANAL DO PANAMÁ
15.01.58' S
119.24.85' W

Minha amiga Zoe e eu preparamos um livro para ser presenteado aos doadores dispostos a nos ajudar em Nova York, onde vamos promover um evento de arrecadação de fundos para a Sea Shepherd. Incluí as fotos mais impactantes da operação Waltzing Matilda. Cada tripulante escreveu uma breve mensagem sobre sua experiência a bordo. Na impressão do material, reaproveitamos cartas náuticas antigas, que não podem mais ser usadas para a navegação, o que conferiu um *look* bem original à publicação.

08.25.35' S
111.34.29' W

Com a chegada de abril, celebramos o dia de Páscoa no Steve Irwin!
Ovinhos de chocolate foram espalhados por todo o navio. Cada tripulante teve que buscar o seu, o que levou algumas horas, tendo em vista os 62 metros de comprimento da nossa temporária casa flutuante. Encontrei o meu debaixo da mesa do computador coletivo, onde normalmente guardo os álbuns de fotos.
O bar do Steve Irwin foi aberto, para mais um momento em família dessa grande irmandade que é a nossa tripulação.

01.45.07' S
97.59.97' W

Numa calma e rotineira manhã de plantão, avistamos um objeto de cor escura, com pássaros voando ao redor, flutuando a poucos metros do Steve Irwin. Decidimos mudar o rumo e verificar de perto o que era. Quando nos aproximamos, vimos uma boia quadrada, feita de plástico PVC e bambu, com cerca de dois metros de largura e três de comprimento. No topo da boia, havia um transmissor via satélite. E, no fundo, uma rede de pesca com doze metros de profundidade. Coletamos para dentro do navio a rede e o pesado transmissor, com custo estimado em torno de 10 mil dólares pelos nossos tripulantes mais entendidos no assunto. Na rede, havia um filhote de tubarão morto, de aproximadamente um metro e meio. Lançamos o filhote morto de volta ao mar. E um dos nossos engenheiros levou o transmissor até a sala de máquinas, para ser aberto e desmontado, anulando a transmissão de possíveis sinais para barcos de pesca.

00.07.19' N
94.17.72' W

Na travessia da Linha do Equador, respeitamos o rito de passagem que transforma *pollywogs*, os novatos no mar, em *shell backs*, veteranos no universo das navegações. Como veterana, ajudei o meu amado capitão Locky a fazer as honras da ocasião. Erwin representou o papel de Davy Jones; Lary de Henchman e eu de Amphitrite. Os novatos Leon e Brent tentaram escapar da cerimônia, escondidos pelo navio. Mas naturalmente foram encontrados e devidamente integrados às festividades. Ninguém pode escapar às exigências do Rei Netuno!

Cumprindo a tradição, os iniciados tiveram os olhos vendados durante o ritual, que envolveu um mergulho fétido numa piscina de lixo orgânico, sem falar nos quilos de farinha e suco verde despejados sobre suas cabeças. Logo em seguida, lançamos a mangueira sobre os *pollywogs*, que foram prestar reverência a Netuno (muito bem representado por Locky) na proa do navio.

Para finalizar, cada iniciado imprimiu o formato de sua orelha num certificado oficial, antes de tomar uma dose de rum misturado com algum suco misterioso, que fazia todo mundo sair dali com a cara meio torta. Nesse momento de celebração, tivemos uma parada de uma hora para mergulhar em alto-mar. E terminamos esse dia tão especial com um delicioso churrasco de cachorro quente de soja, ao som de tradicionais canções de marinheiro.

01.32.39' N
91.26.08' W

Acordei às 6h30 da manhã, com uma chamada da ponte de comando, avisando que havia baleias, golfinhos, tubarões e pássaros tropicais dando um verdadeiro show durante a nossa passagem pela Ilha do Lobo, uma incrível formação vulcânica pertencente a Galápagos. Rapidamente me vesti, peguei a câmera e fui correndo para a proa. Fiquei emocionada por conseguir escutar os sons e as vibrações que cada uma dessas criaturas emitia, especialmente as baleias cachalote e os tubarões de Galápagos, mesmo com a distância que nos separava.

Pela ocasião do aniversário da Zoe, preparamos um cartão coletivo com assinaturas de toda a tripulação. Por nutrir um carinho especial pela nossa primeira oficial, decidi providenciar também um presente pessoal para ela: um livro e uma montagem de fotos desde o dia em que ela embarcou no Steve Irwin. Nicola serviu um jantar tipicamente mediterrâneo, com *homus*, beterraba, cenoura, pepino e delícias afins. De sobremesa, um bolo de laranja com sementes e cobertura caramelizada. O preferido da Zoe.

Por falar em aniversário, fiz as contas e percebi que Locky e eu estávamos prestes a completar sete meses a bordo do Steve Irwin. Me senti feliz em olhar para trás e ter a dimensão do enorme aprendizado que acumulei nesse tempo de navegação, sem falar nas experiências realmente mágicas em contato com animais e paisagens de tirar o fôlego. Por outro lado, começava a me sentir cansada, com vontade de retornar com Locky para o nosso Papaya, em mais uma viagem a dois pelos mares do mundo. No Steve Irwin, dividíamos o mesmo camarote, mas pouco nos víamos na correria do dia a dia. Às vezes tinha a impressão de que Locky estava se afastando de mim, a pretexto das responsabilidades cada vez maiores que a Organização confiava a ele, agora no posto de capitão do navio. Outras vezes eu achava que isso era coisa da minha cabeça. E que o melhor que eu tinha a fazer seria continuar investindo no meu trabalho e no meu compromisso com o ativismo em nome da vida nos oceanos.

CANAL DO PANAMÁ
08.48.47' N
79.32.72' W

Na chegada à América Central, a temperatura se manteve elevada, passando dos 30 graus. O que é bem desconfortável, já que não temos ar condicionado no Steve Irwin.

Ancoramos inicialmente na ilha vulcânica de Taboga, de apenas 4 km de largura, que fica a 20 km de distância da Cidade do Panamá. Depois dos trâmites necessários para a entrada no país, aportamos na ilha Flamenco, perto de Balboa, onde Nicola e eu desembarcamos para comprinhas rápidas num supermercado local. Na mesma noite, um piloto subiu a bordo para nos conduzir ao longo do Canal do Panamá, numa travessia que durou quase vinte horas.

Ao final do canal, navegando em mares próximos à Jamaica, fizemos um churrasco no convés com tema jamaicano. A tripulação se animou, vestindo roupas com as cores da bandeira do país e curtindo um som às alturas.

NOVA JERSEY-NOVA YORK
36.02.84' N
72.28.39' W

Com o mar agitado e os tripulantes recolhidos em seus camarotes, passamos pela Flórida e subimos ladeando a costa leste dos Estados Unidos até Nova Jersey. Ali permanecemos por alguns dias, aguardando vaga no porto de Nova York. Enquanto isso, montamos um *open boat* que rendeu à Sea Shepherd mais de 6 mil dólares em doações diretas, além de computadores, cordas, equipamentos de navegação e até um conjunto de instrumentos, incluindo uma guitarra elétrica e um *set* completo de bateria.

Em seguida, navegamos até o píer de Chelsea, em Nova York, onde conseguimos desembarcar para desfrutar de merecidos momentos de lazer e cultura. Meu sogro veio do Canadá para se encontrar comigo e com Locky. Aproveitamos para conferir as excelentes opções gastronômicas locais. Elegi o bistrô francês Balthazar como meu restaurante favorito na cidade. Nem mesmo do outro lado do oceano consigo dispensar minha preferência especial pela *cuisine française*.

Além do tradicional *open boat*, a Sea Shepherd realizou em Nova York um evento em Chinatown, para arrecadar fundos para a operação Blue Rage. Fotos da campanha na Antártida foram colocadas em exposição e à venda. Quadros e obras de arte feitas pela tripulação também foram leiloadas. O resultado superou as expectativas da Organização. Mais de 200 mil dólares em arrecadações.

NOVA YORK–ESTREITO DE GIBRALTAR
39.45.27' N
58.22.26' W

Passando pela bela Estátua da Liberdade, a tripulação do Steve Irwin se despediu de Nova York com um sentimento de gratidão pelo apoio e pelas doações recebidas durante a estadia. Também me alegrei por esse acolhimento tão generoso por parte dos nova-iorquinos. Mas, na hora da partida, me entristeci porque minha amiga Zoe desembarcou na cidade. Já sentia saudades do jeito maluquinho da querida Zo Zab. E torcia para que ela não demorasse a embarcar conosco novamente.

39.17.70' N
31.17.17' W

Ao cruzar o Atlântico, rumo ao Mediterrâneo, passamos pelo arquipélago de Açores, território oficialmente português, mas situado a meio caminho entre América do Norte e Europa. Avistamos belas espécies de pássaros marinhos, como a chamada andorinha do Ártico e vários tipos de petréis. Golfinhos também surfaram à proa do navio, por pelo menos vinte minutos. Lamentei o fato de que já era tarde, quase noite, então não foi fácil fotografar a vista para a formosa ilha das Flores. Me contentei em apenas admirar as sinuosas montanhas e outras belezas naturais desta e de outras ilhas vizinhas, como a ilha Terceira, a ilha Graciosa e a ilha de São Jorge.

◻

36.07.49' N
10.41.07' W

À medida que nos aproximávamos da divisa entre Europa e África, o mar parecia mais calmo. Uma chuva fina refrescava o convés do Steve Irwin.
Chegou o dia primeiro de maio, aniversário da minha mãe. Como estávamos em alto-mar, não consegui falar com ela. A conversa via satélite é sempre complicada, com um sinal de péssima qualidade. Mas escrevi um *e-mail*, para não deixar a data passar em branco.
Na ausência da Zoe, tenho conversado bastante com o técnico neozelandês Bevin, que trabalha no helicóptero como assistente do Chris, desde a campanha da Antártida. Ele às vezes aparece para me fazer companhia nos meus plantões noturnos, e é capaz de tagarelar por horas sem parar. Todos adoram o jeito dele, cheio de estatísticas e comparações, sem se intimidar em expor detalhes da sua vida pessoal. Toda a tripulação já conhece suas histórias. Que ele cresceu numa cidade pacata do interior, até entrar para as forças armadas. Que ele teve herpes na boca na época de escola, por culpa do seu irmão. Que ele teve uma namorada em Bournemouth por cinco anos, mas o namoro não deu certo. Bevin me contou até sobre a sua primeira vez, com uma *stripper*. E sobre como

prefere se relacionar com mulheres mais velhas, porque são mais estáveis e maduras. Histórias que sempre me fazem rir e me entretêm, nos momentos do plantão em que o tempo parece custar a passar.

ESTREITO DE GIBRALTAR
35.54.54' N
05.33.89' W

Chegando ao ponto de encontro entre águas atlânticas e mediterrâneas, vimos o fluxo de cargueiros aumentar, exigindo atenção redobrada na ponte de comando. Navios de todos os tamanhos passavam por nós, às vezes a uma distância inferior a uma milha náutica. Mesmo assim, baleias e golfinhos ainda apareciam todos os dias, e era normal que os tripulantes no convés interrompessem seus afazeres para admirar o show protagonizado por esses fabulosos seres marinhos.

Para cruzarmos o Estreito de Gibraltar, que divide terras espanholas e marroquinas a uma distância de menos de 15 km, precisamos desligar a música e nos concentrar ao máximo no intenso tráfego náutico. Ao longo da travessia, um estranho inflável de cor preta passou por nós em alta velocidade. Uma hora depois, um navio de segurança nos perguntou se tínhamos visto alguma embarcação suspeita, ao que respondemos informando a passagem do inflável. Alguns tripulantes levantaram a hipótese de que o bote estaria levando drogas à Espanha.

Recebi notícias da Zoe por *e-mail*. Sentia saudades dessa amizade sólida, que consegui construir a bordo do Steve Irwin. Ela disse ter dormido por dois dias seguidos, logo depois de desembarcar. E que, pouco a pouco, reaprendia a conviver com o marido, que ficou em terra cuidando da casa na ausência dela. A Zoe tem um coração enorme. Seu jeitinho serelepe conquistou toda a tripulação. Além de ser uma pessoa doce, ela é trabalhadora e dedicada. Merece uma vida iluminada, cheia de amor e paz.

CANNES

Foram sessenta dias de travessia desde Hobart até Cannes.

Ancoramos na charmosa cidade costeira francesa, em pleno festival de cinema. Turistas de diferentes nacionalidades perambulavam pelas ruas com câmeras nas mãos, em busca de agitos ou de celebridades da sétima arte. Algumas estavam presentes numa festa a que fomos convidados, num barco a motor chamado Oasis. Grandes empresários, atores famosos e até a rainha da Jordânia compareceram ao evento, que se tornou uma oportunidade estratégica para divulgarmos os propósitos da campanha da Sea Shepherd em proteção ao atum no Mediterrâneo.

Dessa vez, foi minha sogra quem veio se encontrar comigo e com Locky. Por coincidência, ela estava em Cannes a trabalho. Foi ótimo revê-la e contar a ela sobre as novidades e aventuras que vivemos, durante um saboroso café da manhã à *la française*.

Alguns veículos de comunicação franceses e internacionais aproveitaram a ocasião para entrevistar o capitão Paul. Eu mesma colaborei com uma matéria para a *Vanity Fair* da Itália, país escolhido como ponto de encerramento da operação Blue Rage.

Fizemos uma rápida passagem por Toulon para reabastecer o navio, antes de irmos para a Ilha de Malta, onde Paul subiu a bordo para assumir o leme do Steve Irwin, e para darmos início, oficialmente, à campanha do atum, no dia primeiro de junho de 2010.

ILHA DE MALTA
35.53.71' N
14.30.89' E

Paixão à primeira vista. Essa foi a impressão provocada em mim pela Ilha de Malta, a maior das cinco ilhas que compõem a República de Malta, localizada entre o sul da Itália e o norte da África, no meio do Mediterrâneo. Paixão pela sua arquitetura fascinante. E pelas lindas cores que o pôr do sol projeta sobre a capital Valetta, num espetáculo impactante.

Ao chegar, entrei em contato com a Ritiane, que conheci através de amigos em comum do Greenpeace. Junto com outras dez pessoas, ela faz parte de uma Organização que presta assistência a refugiados africanos que navegam até Malta em condições precárias, movidos pelo desespero e pelo sonho de uma vida melhor na Europa. Muitos não têm sequer o que comer, então dependem de doações e do trabalho de pessoas como a Ritiane, para dar início a uma nova vida enquanto imigrantes.

Minha nova amiga me levou a um campo de refugiados em Hal Far, a 17 km de Valetta. Ela veio me buscar no navio de carro, acompanhada pela fundadora da ONG e por um somaliano que chegou a Malta há cinco anos, como refugiado, e conseguiu conquistar um trabalho e uma vida estável, depois de passar por momentos de sufoco, como acontece à maioria daqueles que fazem esta arriscada escolha.

Minha passagem pelos dois complexos que compõem o campo teve de ser rápida, porque eu não havia solicitado ao governo maltês a autorização prévia exigida para esse tipo de visita. À entrada, deixei uma cópia do meu passaporte com um agente extremamente rude, que deixou claro que eu e minha câmera fotográfica não éramos bem-vindas para documentar nada por ali.

Ainda assim, não resisti. Fotografei e entrevistei alguns dos homens que encontrei no campo, nessa repartição reservada apenas a refugiados do sexo masculino. Os complexos que visitei se organizavam em tendas, cada qual acolhendo 25 residentes e contêineres, onde viviam aqueles que haviam acabado de sair da prisão. Ritiane explicou que as mulheres se concentram em outro local e é triste constatar que muitas delas chegam à ilha grávidas ou anêmicas. Em média, cada refugiado recebe do governo maltês pouco mais de 4 euros por dia, o que torna difícil investir em possibilidades de uma vida para além dos campos.

Ritiane me levou também a um evento em Floriana, a poucos quilômetros da capital. Um festival anual de música popular ao ar livre, chamado Ghana, num parque repleto de barraquinhas vendendo comidas e bebidas típicas. Além de bandas maltesas, também se apresentaram músicos de países próximos, como Egito, Bósnia e Tunísia. Papo vai, papo vem, qual não foi minha surpresa quando minha nova amiga me disse que teve um caso seríssimo com Mário, numa campanha do Greenpeace na Itália. O mesmo Mário que partiu o meu coração, partiu o dela também. Quase caí para trás quando ela me contou. Acabei contando também da minha história com ele, claro, o que a deixou igualmente chocada. Por sorte, tivemos muitos outros assuntos melhores para conversar. Engajadíssima, Ritiane me ajudou a refletir sobre a importância do ativismo humanitário, para além do ativismo ambientalista. Recentemente, soube que está namorando um refugiado africano.

Além de desfrutar da sorte de viajar um pouco em terra, na companhia de uma guia tão atenciosa quanto Ritiane, também precisei dedicar boa parte do meu tempo na Ilha de Malta ao trabalho em prol da operação Blue Rage, que estava apenas começando.

Participei de uma excursão à baía de Saint Paul, para investigar e fotografar barcos de pesca e fazendas de atum na região, em busca de possíveis irregularidades. Fui acompanhada pelo nosso especialista na criação de atum no Mediterrâneo, Romain Chabrol, que permanece embarcado no Steve Irwin. E também por câmeras franceses que estão a bordo do navio no momento.

Procuramos um barco local para nos levar o mais próximo possível de uma fazenda de atum suspeita. Não foi tarefa fácil. Havia muita movimentação na baía, por ser feriado na cidade, com um agitado trânsito de barcos turísticos. Caminhamos por alguns quilômetros, na esperança de encontrar uma embarcação disponível, sem sucesso.

De repente, vi uma mulher levando as cordas de um pequeno barco a motor para atá-lo numa doca. Perguntei se o barco era privado. Ela respondeu que sim. Que o marido e ela costumam levar mergulhadores às redondezas da ilha. Solicitei que nos levasse a uma fazenda de atum ali perto, justificando que queríamos fazer uma reportagem sobre as atividades pesqueiras na região. Ela me pediu que aguardasse. Pegou o telefone e ligou para o marido. Falou que precisaríamos esperar por ele, para termos uma resposta mais concreta. Esperamos então que ele chegasse. E novamente falamos a ele do nosso interesse em visitar a tal fazenda. O marido, enfim, afirmou que poderiam nos levar até lá.

Embarcamos, satisfeitos, no pequeno barco movido a um motor de 200 cavalos. Porém, no meio do caminho, o motor parou de funcionar. Ficamos à deriva. Senti um frio na espinha. Minha primeira reação foi procurar um modo de pedir socorro. Para o alívio de todos, o dono do barco percebeu que a corda de segurança do motor havia soltado, o que faz o motor parar instantaneamente. Bastou reativá-la, e logo estávamos aptos a prosseguir. E a conferir de perto a grande fazenda de atum que deveríamos verificar e documentar.

De volta ao navio, organizamos o material registrado junto ao Romain, para ser estudado nas investigações da operação Blue Rage.

ILHA DE MALTA-COSTA DA LÍBIA
35.37.77' N
14.33.30' E

Deixamos a magnífica ilha de Malta com destino à costa da Líbia, região norte-africana nunca antes explorada por ativistas ambientalistas.

No caminho, avistamos diversas fazendas de atum. E pescadores que pareciam bastante agitados com a nossa presença. Nos aproximamos com o Steve Irwin, para verificar de perto as condições de legalidade das atividades. Junto com Chris, sobrevoei de helicóptero os múltiplos círculos marítimos usados para manter os peixes cercados em criadouros. Documentei impressionantes imagens aéreas, sobretudo da reação defensiva dos barcos pesqueiros, que instantaneamente formaram um triângulo ao redor das fazendas e redes de pesca, com o intuito de protegê-las.

Em outro ponto da travessia, entre a Tunísia e a ilha italiana da Sicília, avistamos novas fazendas e redes de pesca. Tantas, que era difícil distinguir quais seriam legais e quais seriam ilegais. Portanto, tivemos que observar cuidadosamente os barcos pelos quais passávamos e checar com Romain se o número de registro de cada um constava na lista de embarcações autorizadas a pescar na região, dentro das cotas internacionalmente estabelecidas. Minha tarefa específica consistiu em fotografar e anotar os nomes e números de identificação dos barcos, passando as informações em seguida para o nosso especialista.

Já perto da costa da Líbia, participei de outra ação, fotografando do alto do helicóptero uma embarcação denominada Misurata 96, que não constava nos registros de autorização para a pesca. A bordo do inflável Delta, nossos mergulhadores se aproximaram da fazenda próxima ao barco de pesca, prontos para cortar as redes que mantêm os peixes aprisionados e submersos. Para a decepção de toda a tripulação do Steve Irwin, porém, não havia um só peixe dentro das redes.

A ansiedade e a frustração a bordo começaram a crescer, já que fazia algumas semanas que gastávamos combustível em ações sem muitos resultados concretos. Cogitamos uma parada estratégica na capital Trípoli, para reabastecer o navio. Mas desistimos da ideia, por sabermos que a Líbia não mantém uma postura amigável às atividades da Sea Shepherd.

Nossa ansiedade cresceu ainda mais quando, ao longo da navegação, avistamos ao mar uma tartaruga que parecia estar em sofrimento. Ela nadava com bastante dificuldade, presa a um saco plástico que limitava seus movimentos. O Steve Irwin reduziu a velocidade, para que dois mergulhadores se jogassem na água e nadassem até a tartaruga. Conseguiram segurá-la e retirar o saco plástico que a envolvia. Apesar de parecer exausta, ela nadou animadamente em liberdade, numa cena que emocionou a todos os tripulantes que tiveram a chance de testemunhá-la.

Em comemoração a este belo acontecimento, o capitão Paul ancorou o navio e liberou a tripulação para um mergulho em alto-mar. A melhor maneira de se refrescar do calor norte-africano de 35 graus que nos assolava.

✕

COSTA DA LÍBIA (2)
33.34.22' N
13.26.05' E

Se eu fosse uma pessoa supersticiosa, diria que aquela tartaruga era uma espécie de sinal enviado pelos deuses, ou pelo deus Netuno, ou quem quer que seja. Algo para nos incentivar a seguir adiante. Isso porque logo depois de libertá-la, nos engajamos na nossa ação primeira ação direta de sucesso, libertando atuns de duas fazendas irregulares, ligadas aos barcos Cesare Rustico e Rosaria Tuna. E realmente foi motivador para toda a tripulação assistir àquele ágil cardume prateado, nadando rumo à imensidão azul do Mediterrâneo. Senti um forte orgulho por ter participado ativamente da ação, e da minuciosa investigação que a precedeu, ciente da importância da luta pela preservação da vida nos mares.

Neste momento, seguimos em busca da próxima fazenda de atum suspeita. Com a ajuda do helicóptero, avistamos quatro embarcações. Um navio de guerra, dois barcos de pesca operando com redes de arrasto e outro que carrega uma fazenda de atum acoplada à sua popa. Verificamos, porém, que nesta fazenda não há peixes.

O capitão Paul decide então retornar à posição da nossa última ação direta bem-sucedida, visando libertar mais cardumes. Lá chegando, constatamos a presença de quatro embarcações. Duas delas já conhecidas por nós, por sua condição irregular: o Cesare Rustico e o Misurata 96. As outras duas, ainda desconhecidas: o Tagreft e o Rabbah 1060, este último originário da Líbia e registrado em Trípoli.

Com os mergulhadores a bordo, o inflável Delta é colocado na água e segue diretamente para uma fazenda cheia de atuns. O navio Misurata 96 reage, lançando fogos sinalizadores, e as demais embarcações se posicionam de modo a rodear o Steve Irwin, numa formação visivelmente intimidadora. Com a tripulação ameaçada, Paul decide abortar a missão. Sobretudo depois de constatar que um navio de guerra maltês foi notificado para apoiar as embarcações que nos ameaçaram.

Diante da hostilidade dos mares líbios, o capitão Paul decide rumar para a Grécia, numa fase de finalização dessa que foi a primeira campanha da Sea Shepherd em defesa do peixe atum.

À noite, depois do jantar, os tripulantes procuram alívio para os últimos momentos de aflição. Alguns se unem a Paul numa animada mesa de pôquer, no *lounge* do Steve Irwin. Outros preferem aproveitar o bom tempo para se refrescar na pequena piscina improvisada na popa do navio, numa divertida competição para ver quem consegue passar mais tempo embaixo d'água. Uma vez que muita gente a bordo conta com uma vasta experiência em mergulho, já era de se esperar que a disputa fosse acirrada. Depois de duas horas de emocionantes embates, o grande vencedor é o chefe dos marinheiros James, com o admirável tempo recorde de 4 minutos e 13 segundos. Uau!

◼

EGINA
37.41.40' N
23.26.40' E

Na chegada à Grécia, fico bastante impressionada com a nossa passagem pelo Canal de Corinto, que liga o Golfo de Corinto ao Mar Egeu, construído entre 1881 e 1891. O canal tem 8 metros de profundidade e apenas de 25 de largura, o que torna a travessia desafiadora para navios como o Steve

Irwin, cuja largura mede 20 metros. Percorremos mais de 6 km espremidos entre dois muros de pedra, com cerca de 70 metros de altura.

Após a travessia, ancoramos na singela ilha de Egina, onde podemos desfrutar de algumas horas livres. Pego uma carona no Delta para pisar em terra firme e jantar num restaurante local. A culinária grega me encanta, especialmente as entradas e saladas, preparadas com iogurte e temperos mediterrâneos. É possível avistar veados e cabras andando livremente pela ilha, que tem lindas paisagens e águas cristalinas.

Nessa fase de encerramento da operação Blue Rage, preparo DVDs com imagens da campanha para presentear a tripulação. São quase 700 fotos e mais de 100 vídeos. Junto com os câmeras Simeon e Vanya, também reunimos imagens para compor um documentário.

Paul Watson desembarca na Grécia, deixando Locky no comando do navio, na travessia de volta à França. Chegando lá, somos nós que vamos desembarcar, depois de dez longos e intensos meses morando no Steve Irwin.

✠

HOBART (4)
42.07.34' S
148.37.27' E

Parece que foi ontem. Mas faz sete meses que Locky e eu estivemos pela última vez na acolhedora cidade australiana de Hobart, onde os simpatizantes da Sea Shepherd são tão entusiasmados que nos fazem sentir praticamente como heróis. Principalmente o Locky. Ele foi promovido a capitão e vem ganhando uma importância cada vez maior dentro da Organização. Paul confiou a ele, inclusive, a participação nos procedimentos de compra de um novo barco para a ONG. Um navio trimarã, chamado inicialmente de Gojira, e depois rebatizado de Brigitte Bardot, seguindo a tradição da Sea Shepherd de homenagear ambientalistas ao nomear suas embarcações. Ativista pelos direitos dos animais, a atriz é uma forte apoiadora da Organização, chegando inclusive a fazer generosas doações em dinheiro. Ou seja, a homenagem a ela é mais do que justa.

Desde o término da operação Blue Rage, em junho de 2010, Locky e eu passamos alguns meses em terra, envolvidos em trabalhos, mas também desfrutando de um merecido tempo de férias, para passear e retomar contatos com amigos e familiares. Visitamos, por exemplo, minha querida amiga Zoe e seu marido, em Melbourne. Hoje, dia 4 de dezembro, estamos de volta a Hobart para embarcar numa nova missão. A operação No Compromise renova os esforços da Sea Shepherd de retornar a cada ano à Antártida, para atuar contra os navios que insistem em desrespeitar os acordos internacionais de preservação das baleias, numa nova temporada de caça predatória em pleno santuário baleeiro.

Depois de passarmos uma semana no Gojira, fazendo a travessia de Fremantle a Hobart, Locky e eu nos encontramos com as tripulações dos outros navios da Organização, o Steve Irwin e o Bob Barker. Nesse momento, sinto uma energia forte e positiva, realmente otimista com o início de mais uma campanha pela vida das baleias, que esperamos ser definitiva.

Minha única tristeza é encarar o fato de que passarei os próximos três meses distante do Locky. Serei a fotógrafa chefe a bordo do Steve Irwin, que funcionará como uma espécie de navio-mãe, preparado para fornecer suprimentos e apoio às outras duas embarcações. E Locky será o capitão do Gojira, contando com a parceria da Zoe como primeira oficial, na primeira missão do trimarã a serviço da Sea Shepherd. Ao mesmo tempo em que ele não pode fugir às responsabilidades de um capitão, também não posso fugir à tarefa de produzir o melhor material fotográfico possível. Para isso, é de grande valia contar com o inflável e o helicóptero do Steve Irwin.

Para me consolar, tento manter em mente que nossa separação atual é temporária, além de necessária. Mas me entristeço, principalmente porque nossa relação passa por um momento delicado. Depois de mais de três anos juntos, Locky quer muito ter filhos. Mas não me sinto preparada para isso. Ainda quero viajar mais. E depois me estabelecer em terra, quem sabe na França, para estudar cinema e investir na minha carreira. Já ele detesta a ideia de morar na França. Insiste para que moremos no Canadá. Em nome do nosso casamento, concordei em dividir com ele o projeto de uma vida em território canadense.

Depois de uma romântica noite de despedida, digo até logo ao meu amado e novamente embarco no Steve Irwin, com destino inicial à Nova Zelândia, antes de partirmos para o Oceano Austral.

WELLINGTON-ILHAS AUCKLAND
42.38.13' S
174.01.31' E

Estou impressionada pela rapidez com que o tempo passou nesses dias. Permanecemos em Wellington por quase uma semana, para reabastecer o navio e o helicóptero. Agora partirmos para o Polo Sul, com destino às misteriosas Ilhas Auckland, para fazer uma transferência de combustível ao Gojira.

Somos três brasileiros a bordo. Tenho falado mais português de que de costume. Já conhecia o segundo oficial Gunter, da campanha do atum. E fico feliz que, em breve, sua esposa Roberta também fará parte da nossa tripulação, para ajudar a *chef* Laura na cozinha. Aos pouco me aproximo do Luís Emanuel, primeiro oficial do navio. Estou dividindo o camarote com ele, o que a princípio me pareceu estranho, mas tem funcionado melhor do que eu esperava. Além de discreto e respeitador, ele também é casado e bastante flexível. Se preciso de privacidade para trocar de roupa, ou algo do tipo, peço licença a ele. E vice-versa. Temos nos entendido muito bem com os códigos de convivência que criamos.

Troco *e-mails* com o Locky diariamente. Fico sabendo das novidades a bordo do Gojira e dos desafios envolvidos no trabalho de capitão. Matamos as saudades como podemos, falando com frequência das nossas próximas férias a dois. E alimentamos o sonho de construir uma casinha no pedaço de terra que o avô dele nos presenteou, no Canadá.

◆

ILHAS AUCKLAND
50.41.66' S
166.29.16' E

Ancoramos num recanto paradisíaco de natureza selvagem, no arquipélago conhecido como Ilhas Auckland, que curiosamente não são habitadas por ninguém — além de focas, albatrozes, baleias e outros animais encantadores. Distraída, fotografando a farta vida marinha e terrestre, tomo um baita susto quando um mandrião tenta me atacar. Como sei que esse pássaro é predador de pinguins, por um momento sinto medo de me machucar. Mas acabo dando risada dessa situação inusitada.

Fazemos treinamentos com o inflável e com o canhão d'água. E cumprimos a meta de abastecer o Gojira, prontos para seguir viagem rumo ao Polo Sul.

62.08.20' S
155.38.10' W

Este ano, as temperaturas na Antártida parecem mais baixas do que no ano passado.

Diante da beleza dos *icebergs* e das magníficas baleias que nos acompanham ao longo de todo o trajeto, me sinto completamente fascinada. A cada vez, é como se os visse pela primeira vez.

62.49.20' S
152.13.92' W

Passamos o Natal a bordo, com uma ceia típica e o tradicional amigo oculto de presentes reaproveitados ou improvisados. Mas é com a chegada do *réveillon* que recebemos o nosso presente mais esperado. Encontramos dois navios arpoadores japoneses na área mais oriental do santuário baleeiro, no limite da barreira de gelo.

No último dia do ano de 2010, o Bob Barker avista o navio Yushin Maru II, numa região próxima à entrada do Mar de Ross, e dá início a uma perseguição para impedir que o barco adversário dê prosseguimento à caça baleeira. Algumas horas mais tarde, é a vez de o Steve Irwin identificar outro arpoador, o Yushin Maru I.

Nesse mesmo dia, seguindo orientações do capitão Paul, marcamos um ponto de encontro para os três navios da Organização. Nós, do Steve Irwin, navegamos até um local relativamente protegido e permanecemos à deriva, aguardando os demais. Ao alterar o curso, rumando ao ponto de encontro, o Bob Barker passa de perseguidor a perseguido pelo

Yushin Maru II. Em pouco tempo, nos damos conta de que o mesmo acontece conosco, que passamos a ser seguidos pelo Yushin Maru I. Durante o encontro dos três navios da Sea Shepherd, os dois navios baleeiros se mantêm à espreita. Num voo de helicóptero pelas redondezas, o Yushin Maru III também é avistado nas proximidades. Festejamos o fato de que os três arpoadores se concentram ao nosso redor, sem contar com o apoio do navio-fábrica. Enquanto durarem as perseguições, nesse inacreditável jogo de esconde-esconde em águas austrais, sabemos que a atividade de caça está interrompida.

No primeiro dia de 2011, arriscamos uma nova estratégia. Colocamos os navios em marcha, como se quiséssemos nos dispersar. Num momento combinado, partimos os três navios juntos contra o Yushin Maru II, dando início a uma caçada épica, que contou com o apoio de dois botes e um helicóptero. Em fuga, o Yushin Maru II decide atravessar camadas espessas de gelo, tentando nos fazer desistir de persegui-lo. A tática consegue afastar o Gojira e o Bob Barker. Mas o Steve Irwin, embora não seja um navio quebra-gelo, continua a perseguição em velocidade máxima, numa mistura de coragem e loucura. A tripulação se excita com tamanha injeção de adrenalina. Uma coisa é certa: durante o tempo em que os baleeiros estão ocupados em fugir, nenhuma baleia é sacrificada.

=

Hoje não quero escrever sobre baleias nem *icebergs* nem navios japoneses. Não me interessa em que posição GPS estamos. Não me interessa que dia é hoje. Hoje é dia de desabafar.

"Babs, o Locky está te traindo com a Zoe. Quis ser legal em te avisar."

Essas palavras acabam de me chegar por um *e-mail* anônimo. E não saem da minha cabeça, como um maldito mantra que se repete a cada minuto. "O Locky está te traindo com a Zoe." Leio e releio. Mas custo a acreditar. Então preciso reler outra vez. E outra vez. Como isso é possível, se ele me escreve *e-mails* cheios de carinho e amor todos os dias?

Estou sozinha na sala de mídia do Steve Irwin. Deveria estar editando algumas fotos. "O Locky está te traindo com a Zoe." Obviamente não consigo trabalhar. Até que não aguento mais. Encaminho o *e-mail* para ele, escrevendo apenas uma pergunta: "O que está acontecendo?"

Poucas horas depois, chega a resposta. A partir daí, começo a lidar com a dor mais aguda que já sofri, em pleno Oceano Austral, sob o céu cinzento e os ventos gélidos. Locky é o meu grande amor. A minha família. O meu companheiro de mar e vida. As lágrimas encharcam o meu rosto, ainda incrédulo. Levanto dali e me afasto do computador, num misto de mágoa e dificuldade de compreender.

Passo uma semana sem conseguir comer. O estômago embrulhado. Sinto dor por dentro e por fora. Acho difícil demais digerir essa dor, confinada num navio com 42 tripulantes. Tudo o que posso fazer é mergulhar de cabeça no trabalho. E não me faltam elogios, palavras de incentivo e também palavras de apoio pelo momento que estou passando. Como costuma acontecer a qualquer pessoa traída, até mesmo na Antártida, parece que fui a última a saber.

Quando crio coragem para checar de novo a minha caixa de *e-mails*, abro uma longa mensagem dele e me sinto nauseada, prestes a vomitar de tristeza e desgosto. Só consigo ler fragmentos: "Não foi nada sério, amor. Eu estava sentindo falta de sexo. Eu te amo e você sabe disso" [...] "Zoe e eu não estamos mais juntos. Desculpa por tudo isso. Sei que errei gravemente, colocando em risco o nosso casamento. Mas não foi nada importante." Diante do meu silêncio, chegam novas mensagens: "Há dias você não me responde. Estou muito preocupado com você. Está tudo bem?" Até que, finalmente, chega a pior de todas, que faz o embrulho no estômago voltar forte assim que começo a ler: "Amor, eu queria pedir para você não comentar com ninguém sobre o que aconteceu. Muito menos com o pessoal do *Whale Wars*. Você sabe que estou aqui como capitão. E isso não seria bom para mim. Nem para a gente, né?"

Depois de quase quatro anos é duro constatar que esse homem, que eu achei que conhecia, está mais preocupado com a opinião da equipe do Animal Planet do que com o fim do nosso casamento. Esse homem não é mais aquele que conheci no Rainbow Warrior, por quem me apaixonei e que me convidou para construir um futuro sólido ao lado dele. O novo Locky é praticamente uma celebridade de *reality show* na Austrália, graças ao sucesso do *Whale Wars*. Junto com a visibilidade do seu trabalho na Sea Shepherd, cresceu também a sua arrogância e o seu narcisismo.

Com o coração aos pedaços, tenho refletido muito. Não canso de me perguntar desde quando a traição estaria acontecendo. Também me ocorrem perguntas paranoicas, como numa espécie de autotortura: e se eles estiverem transando agora mesmo, enquanto eu me afundo em lágrimas?

Angustiada, escrevo um *e-mail* para a Zoe, perguntando por que ela fez isso comigo. A resposta não tarda: "Nada foi planejado, Babs. Sinto muito." Eu já sabia que ela não valorizava o seu casamento. Todos sabiam, aliás, que ela teve um caso com o Leon, durante a operação Blue Rage, e passou a noite de Natal transando com a Cat, durante a operação No Compromise. Cheguei a pensar que ela tinha um casamento aberto. Mas tive certeza que não, quando o marido dela me telefonou, perguntando detalhes sobre o caso com o Locky. Embora soubesse que ela era infiel, eu achava, ingenuamente, que a Zoe era minha amiga. Jamais imaginei que pudesse ser infiel comigo.

Sem conseguir raciocinar, escrevo para o Locky, anunciando o nosso divórcio. A resposta também chega em poucos segundos. Ele escreve que lamenta muito por perder uma mulher incrível como eu e que tem orgulho por ter sido casado comigo durante os últimos anos. Me sinto ainda mais arrasada ao perceber que ele aceitou meu pedido de divórcio sem fazer qualquer esforço para me encontrar pessoalmente ou para tentar me explicar essa situação tão humilhante. Ele simplesmente aceitou.

Ainda temos dois meses de campanha pela frente. Faço das tripas coração para erguer a cabeça e seguir trabalhando. Tenho encontrado algum consolo nas incríveis canções da banda islandesa Sigur Rós, companheira inseparável nesses tempos melancólicos.

As novas mensagens do Locky deixam transparecer seu lado mais calculista e pragmático. Pergunta como quero resolver a papelada do divórcio. Aonde pretendo ir depois de desembarcar na Austrália. Coisas do tipo. Mas também abrem espaço para palavras afetuosas: "Fique bem. Sei que você é uma mulher forte. Espero não cometer esse erro novamente. Perdi uma pessoa que nunca mais vou conseguir encontrar igual."

▬

Em fevereiro, quando a operação No Compromise está prestes a acabar, o Steve Irwin recebe pelo rádio um pedido de socorro. O veleiro norueguês Berserk ameaça naufragar, com três pessoas a bordo. Os viajantes são jovens que se metem em aventuras inconsequentes e filmam suas peripécias para um programa de televisão. Eles cometeram a loucura de velejar até a Antártida, sem o devido preparo e planejamento para enfrentar as condições de navegação extremamente hostis que encontramos por aqui. O triste resultado é que, após a mensagem de *mayday*, não escutamos mais nenhum contato do Berserk.

Autoridades norueguesas, neozelandesas e norte-americanas articulam um esforço coordenado de buscas, envolvendo diferentes embarcações. A tripulação do Steve Irwin suspende todas as atividades para participar das buscas. Os mesmos binóculos que usávamos para avistar os navios japoneses, agora nos ajudam a procurar o que, na verdade, nenhum de nós quer encontrar: corpos humanos ou destroços do Berserk.

Dia 25 de fevereiro de 2011, temos a infelicidade de achar o bote salva-vidas do veleiro, vazio e furado, com apenas algumas caixas de água potável dentro. Como nenhum sinal do barco foi encontrado, a dedução mais lógica é que as pessoas tenham usado o inflável para tentar salvar suas vidas, após o naufrágio. Quatro dias depois, as buscas são concluídas e os três tripulantes considerados mortos.

A bordo do Steve Irwin, todos ficam muito abatidos com a notícia. A volta para casa, este ano, tem um clima de luto. Eu, que já estava mal, tenho todos os motivos para me sentir pior. Porém, por incrível que pareça, não é isso que acontece.

A morte desses jovens, que tinham praticamente a minha idade, sucumbindo às mesmas ameaças austrais às quais sobrevivi até agora, me provoca um pensamento inevitável: poderia ter sido eu. Esse sentimento me faz redimensionar a minha dor pela traição. Pelo menos ainda tenho a chance de um recomeço. Pelo menos ainda me resta a vida, com todas as possibilidades que o futuro me reserva.

■

SKORAFOSSUR · TÓRSHAVN ·

CAP 07

KLAKSVÍK

É o princípio do verão europeu, no ano de 2011, e está prestes a começar a alta temporada de caça baleeira nas Ilhas Féroe, um arquipélago dinamarquês situado entre a Escócia e a Islândia. Milhares de baleias-piloto se aproximam da costa feroesa durante o ano todo, mas essa época oferece as condições climáticas mais favoráveis às caçadas. A população local aproveita para repetir o ritual que tornou o arquipélago famoso no mundo inteiro: um massacre tão violento que pinta as águas das praias de vermelho.

Apaixonados por pesca, muitos feroeses possuem seus próprios barcos e dedicam a esse *hobby* grande parte das suas horas livres. Saem para pescar sozinhos ou em comboios. Quando avistam um grupo de baleias-piloto, entram em contato pelo rádio com os colegas mais próximos, para darem início ao ritual. Ferramentas de caça à mão, procuram encurralar as baleias com os barcos, para fazer com que fiquem encalhadas à beira da praia. No caminho, fazem barulhos para desorientá-las, usando também punhais, facas, lanças, arpões, o que for necessário. A matança pode durar horas, dependendo da resistência de cada animal às punhaladas. As baleias mortas são levadas por cordas até a areia, onde são enfileiradas e expostas, antes de terem sua carne cortada e distribuída entre os locais.

Estou hospedada no *bed & breakfast* de John Hansen e sua esposa, em Klaksvík, a segunda maior cidade do arquipélago. Os gentis anfitriões insistem em me convidar para jantar. E se orgulham em anunciar que vão preparar um prato tipicamente feroês: a carne de uma baleia caçada pelo próprio John.

— Sinto prazer em ver o mar ensanguentado. Fica uma sensação de poder e vitória nas mãos — explica ele. — Meus antepassados faziam isso, meu avô e meu pai também. A caça faz parte da nossa história.

John discorre longamente sobre a sua satisfação de ver o oceano conquistado pelas mãos dos homens. Conta também como aprendeu a caçar e a cortar a carne das baleias adequadamente. Em silêncio, me esforço para tentar compreender as motivações que levam um senhor bem-educado a gostar de matar. Não só a gostar de matar, mas a aplaudir o resultado sangrento de uma carnificina, que acontece todos os anos com o consentimento das autoridades locais. As novas gerações são criadas de modo a considerar as matanças normais. Mais do que normais: são valorizadas e apreciadas pela grande maioria dos feroeses, independentemente da idade.

Compreendo perfeitamente que caçar baleias tenha sido importante para os povos que habitavam as ilhas séculos atrás, que extraíam dessa atividade um meio de subsistência. Mas nos dias de hoje, com tantas opções alimentícias, sobretudo numa região de altos índices de desenvolvimento, acesso à informação e a bens materiais, acho difícil entender por que insistem em cultivar uma tradição tão nociva às condições ambientais do planeta no século XXI. Como Paul Watson costuma dizer, se a vida nos oceanos acabar, a nossa vida acaba. Não é possível que os moradores das Ilhas Féroe sejam incapazes de se conscientizar disso. Como se essa ameaça ecológica não fosse motivo suficiente para interromper as caçadas, sabemos ainda que a carne de baleia comercializada na região contém metais pesados, prejudiciais à saúde de quem a consome. Os próprios feroeses sabem, por exemplo, que ela não deve ser ingerida por mulheres grávidas, pois é capaz de deformar um feto em formação. Mesmo assim, muitos moradores teimam em comer a carne com regularidade. Outros evitam comê-la, mas gostam de participar das matanças. Gostam de sujar as mãos de sangue de baleia, como seus antepassados faziam.

Incomodada, me ajeito na cadeira, sentada à mesa ao lado do Tim, um ativista norte-americano que me acompanha nesse trabalho. Obviamente, não podemos revelar que trabalhamos para a Sea Shepherd. Até porque as organizações ambientalistas não são nem um pouco bem-vindas por aqui. John admite nutrir um verdadeiro ódio pelo Greenpeace. Mas alguns de seus comentários me revelam que, na realidade, ele se refere a ações da Sea Shepherd. Muitos feroeses maldizem ambas as ONGs, sem se importar em reconhecer qualquer diferença entre elas. O que importa é que as duas ameaçam um legado cultural que se mantém vivo há mais de mil anos, desde os primeiros assentamentos nórdicos nas ilhas.

Antes de chegarmos à sala de jantar, Tim e eu já estávamos nervosos, cochichando sobre o desafio que nos aguardava.

— E se eu gostar da carne de baleia? — perguntou ele, ansioso. — Vou me sentir culpado pelo resto da vida.

— Não devemos nos preocupar com isso, Tim — procurei tranquilizá-lo. — Vamos ter que ser fortes.

Perturbada pelo discurso sanguinário do John, respiro fundo e decido dar um pulo na cozinha, para oferecer ajuda à esposa dele, Jacobina. Ela é uma simpática dona de casa, que não fala uma palavra de inglês, mas mantém o sorriso no rosto, enquanto termina de preparar o jantar. Carne de baleia, acompanhada por batatas e cenouras cozidas. O processo de preparo é lento. É preciso cozinhar a carne por duas horas, no leite ou na água, depois assá-la ao forno por mais duas. Nossa cozinheira se alegra com a minha presença e me oferece um pequeno pedaço de carne, para que eu deguste, antes de arrumar a comida nas travessas. Tento relutar. Agradeço, fingindo cerimônia. Diante da insistência dela, acabo cedendo. Mas no instante em que aquele naco de baleia morta se espalha pela minha boca, sou invadida por uma enorme angústia. Quando Jacobina se vira de costas, aproveito para cuspir o pedaço de carne numa lata de lixo aberta, ao meu lado.

Retorno à mesa, ao lado do Tim e de dois europeus também hospedados na casa do John. Ao longo de toda a refeição, a conversa gira em torno da matança baleeira e do valor inestimável dessa tradição milenar para a cultura feroesa. Muda, me inclino em direção à travessa de cenoura, procurando encher o prato com qualquer outra coisa que não seja baleia. Ainda assim, para não dar bandeira, escolho também o menor filé da bandeja para me servir. A carne me parece realmente intragável. O cheiro e o sabor são muito fortes. Tem gosto de fígado podre. Tento não transparecer que estou emocionalmente abalada, sentindo horror e tristeza. Tenho a impressão de que sou capaz de vomitar a qualquer momento. Ali na mesa mesmo. Não posso esmorecer. Preciso engolir. A carne desce pesada, sufocante, como um nó na minha garganta.

A tortura parece não ter fim. Até que John revela uma informação que faz todo o sacrifício valer a pena. Daqui a três dias pode haver uma caçada em outra parte da ilha. Discretamente, lanço para Tim um olhar de cumplicidade. Conseguimos um dado crucial para transmitir aos navios da Sea Shepherd, já posicionados nas proximidades da capital Tórshavn, preparados para entrar em ação e impedir o massacre este ano. Ainda não sabemos o local exato da caçada. Vamos passar mais alguns dias no *bed & breakfast* do John, até descobrirmos.

Comemos a carne de uma baleia, em nome do esforço para salvar muitas outras. Tim e eu precisamos manter isso em mente, para conseguirmos fazer o luto dessa experiência tão marcante para nós.

Desde o início de julho, estou atuando numa arriscada investigação para a Sea Shepherd nas Ilhas Féroe. O lado mais difícil da missão é que meus companheiros e eu trabalhamos disfarçados, procurando nos aproximar dos moradores para descobrir detalhes como as datas e os locais onde acontecerão as caçadas. Em qualquer lugar onde vamos, em bares, passeios de pesca ou mesmo na nossa hospedaria, carrego uma câmera acoplada à minha roupa, que tem o formato de um pequeno botão preto e redondo. Evidentemente, isso me obriga a usar, o tempo todo, camisas de botões pretos. Um detalhe tão sutil que não desperta a desconfiança de ninguém. Antes de vestir a camisa, descosturo um dos botões e posiciono a câmera à altura do peito, conseguindo assim captar imagens de grande valia para a Organização. A cada duas horas de filmagens, preciso ir a um lugar reservado, como um banheiro, para verificar quanto espaço ainda me resta, e se é necessário trocar o cartão de memória. Periodicamente, o material é reunido num HD e entregue à equipe do Animal Planet, deixado em horário marcado no banheiro público de um *shopping*. As imagens serão usadas numa temporada especial da série *Whale Wars*, chamada *Viking Shores*.

Em 1986, Paul Watson liderou uma primeira incursão da Sea Shepherd às Ilhas Féroe. Na tentativa de impedir a matança, ele entrou em confronto direto com os baleeiros, e chegou perto de ser preso pela polícia local. Agora, 25 anos depois, ele está de volta, para o desgosto da população que, em grande parte, o considera um terrorista dos mares. O principal objetivo da operação Ferocious Islands é identificar a iminência de qualquer movimento de caça baleeira e rapidamente entrar em ação com os navios, de modo a impedir que os barcos pesqueiros consigam acuar as baleias na costa para matá-las. Oficialmente, a caça às baleias-piloto não é proibida pela Comissão Baleeira Internacional, como é a caça às baleias azuis, sei e fin, assim como toda e qualquer caça dentro dos santuários baleeiros índico e antártico. Enquanto não são protegidas, espécies como as baleias minke e cachalotes já engrossam a lista das espécies ameaçadas de extinção. A Sea Shepherd luta para reparar a omissão por parte da Comissão, que acaba cedendo ao *lobby* político de países que lucram com a indústria baleeira, e permite que diversas espécies corram um sério risco de desaparecer.

Nossas estratégias investigativas para nos infiltrarmos entre os locais, em terra, são tão sofisticadas que precisamos criar uma história fictícia, que justificasse nossa presença ali. Em vez de Barbara, respondo pelo meu segundo nome, Vitória. E interpreto o papel de uma personagem brasileira que acabou de se divorciar de quem ela achava que seria o homem da sua vida, pois descobriu uma dupla traição: seu marido tinha um caso com sua melhor amiga. Qualquer semelhança com fatos reais não é mera coincidência. Até a minha profissão de fotojornalista é a mesma da personagem. Só que, para Vitória, essa viagem às Ilhas Féroe teria o objetivo de ajudá-la a superar seu sofrimento, numa cura emocional, ao lado do tio Richard.

O papel de Richard é encenado por Scott, outro ativista norte-americano envolvido na missão, que também tem Richard como nome composto, registrado no passaporte e em outros documentos oficiais. O mesmo Scott que conheci na minha primeira campanha à Antártida pela Sea Shepherd, policial aposentado que trabalhava investigando crimes ambientais. Desde a operação Waltzing Matilda, já nos dávamos muito bem. Tive a alegria de sorteá-lo como amigo oculto de Natal. E também de entrevistá-lo para o blogue da Sea Shepherd. Na atual operação Ferocius Islands, estabelecemos uma parceria bastante afinada, como fortes aliados.

Na ficção que sustentamos, Richard era casado com a tia de Vitória. Mas essa tia, tragicamente, faleceu de câncer de mama, deixando-o viúvo. No auge da sua dor, o tio Richard teria proposto à sobrinha Vitória que buscassem a superação juntos, numa viagem a um lugar elencado pela revista *National Geographic* entre os mais bonitos do planeta.

Um divórcio e uma morte trágica são dois assuntos que costumam deixar qualquer interlocutor constrangido, numa conversa. Assim nos preservamos de sermos bombardeados por perguntas que nos obriguem a dar mais detalhes das nossas vidas pessoais.

Pelo intervalo de uma semana, Scott precisou se afastar da missão para resolver questões da sua vida pessoal. Ou melhor, o tio Richard precisou viajar às pressas para finalizar um trabalho nos Estados Unidos. Para que Vitória não ficasse sozinha, um amigo da família, apaixonado por ela há alguns anos, veio lhe fazer companhia nesse breve período, na esperança de conseguir uma aproximação amorosa. É aí que entra o papel do Tim. Na vida real, ele mora na Filadélfia com a esposa e dois filhos. E acredita tanto na importância dessa investigação, que deixou a família para se dedicar a ela. Tim já trabalhou pela Sea Shepherd numa missão em proteção aos golfinhos em Taiji, no Japão. Passava longas horas buscando informações sobre a captura e comercialização desses animais a zoológicos e parques aquáticos pelo mundo.

Todos os dias, acordamos às sete da manhã, torcendo para que os mares fiquem agitados, impedindo qualquer possibilidade de caça baleeira. Entramos em contato com o Steve Irwin, para nos alinhar à investigação em mar conduzida por eles, e traçamos juntos um plano diário. Nosso trabalho consiste numa vigília permanente. Quando não estamos conversando com moradores, estamos com binóculos em punho, tentando avistar embarcações suspeitas à beira das praias. Lemos jornais e sites locais, procurando notícias sobre as caçadas. Alguns contêm apenas informações em dinamarquês ou em feroês, idioma nórdico falado nas ilhas. Tentamos decifrar aquelas que nos parecem mais relevantes, buscando as traduções pela internet ou pedindo a ajuda de outros ativistas envolvidos na missão.

A presença dos barcos da Sea Shepherd nas redondezas já foi notada. Por isso, todo cuidado é pouco para nós, que convivemos diretamente com baleeiros. Criei uma conta nova de *e-mail*. E procuro ser extremamente cautelosa, mantendo uma comunicação codificada inclusive durante os telefonemas aos navios da ONG. A caça às baleias, que aqui é chamada de *grinding* (em português, "trituração" ou "moagem"), é referida por nós como o "piquenique". Em vez de pronunciarmos o nome do Paul Watson, *persona non grata* em todo o território das Ilhas Féroe, o apelidamos de *Doctor William*. Quanto ao Peter Hammarstedt, que comanda a operação desde o Steve Irwin, o chamamos de *Doctor's son*, o filho do Doutor William.

Ao conhecer pessoas novas, evito tocar diretamente no tema das caçadas. Peço dicas para um passeio turístico, por exemplo, ou tento algum outro tipo de abordagem. Viver disfarçada não é nada fácil. Sofri mudanças por dentro e por fora. Uso um novo corte de cabelo. Modifiquei até o meu modo de falar. As aulas de teatro que fiz na adolescência tiveram enfim uma utilidade prática.

TÓRSHAVN

Antes de o Scott partir para os Estados Unidos, demos início a uma importante ação da operação Ferocious Islands: percorrer as Ilhas Féroe de norte a sul, implantando mais de dez câmeras ocultas ao redor de praias onde os massacres costumam ocorrer. São câmeras capazes de tirar uma foto por minuto, alimentadas por pequenos painéis solares. Em cada uma, colamos um adesivo com as palavras "observação de pássaros" em feroês, para despistar qualquer curioso que as possa encontrar.

Inicialmente, Scott e eu passamos alguns dias na capital Tórshavn, onde conversamos com vários pescadores e navegadores no porto. Apesar de ser a capital, Tórshavn tem apenas 19 mil habitantes. Dá a impressão de uma cidade pequena, onde todos se conhecem.

Tudo custa caríssimo. Temos dificuldades para encontrar acomodações com preços compatíveis com o nosso orçamento. Uma diária simples em hotel custa cerca de 1.300 coroas dinamarquesas, o que corresponde a 250 dólares por pessoa. Um jantar para duas pessoas, mesmo que não seja nada sofisticado, nos custa, em média, 100 dólares. Muitas vezes comemos pizza ou batatas fritas. As opções vegetarianas são escassas em restaurantes, mas felizmente o supermercado tem opções para todos os gostos. Nosso maior desafio tem sido garantir alojamento, alimentação, combustível e aluguel do carro para nos mantermos trabalhando por um mês, com apenas 13 mil dólares em caixa. Ainda precisei acrescentar um casaco à nossa seletiva lista de compras, porque, mesmo após o início do verão, temos enfrentado dias frios, nublados e de chuva fina.

Circulando pelo porto, nos acercamos de um barco chamado Blastein, que oferece passeios de caça, e pagamos para embarcar num deles, a fim de interagir com possíveis baleeiros. Os passeios não se destinam exatamente à caça de baleias, mas de diferentes espécies de peixes e pássaros, como os adoráveis papagaios-do-mar, típicos da região. Durante a minha estadia na capital, vi à venda um cartão-postal das Ilhas Féroe que estampava a impressionante foto de um caçador com as costas repletas de papagaios-do-mar mortos e empilhados. Meus olhos instantaneamente se encheram d'água, tamanha a minha dificuldade de entender essa loucura. Outros postais, logicamente, ostentavam imagens da carnificina baleeira. Por sorte, pude comprar alguns que mostravam apenas belas paisagens de montanhas, cachoeiras e praias sem os rastros de sangue de baleias.

Como o sol só costuma aparecer dois meses por ano, os feroeses cultivam o hábito de socializar em espaços fechados, como bares. Scott e eu passamos a frequentar esses locais, sempre cautelosos para limitar nosso consumo de álcool, claro. Num desses bares, chamado Sirkus, conhecemos um animado grupo de jovens com idades entre 20 e 30 anos, que logo se enturmaram conosco, fazendo chacota do nosso ritmo lento com a cerveja:

— Como conseguem beber tanto, Richard? Deve ser para aguentar o frio! — brincou um deles, sarcástico.

— Vitória, imagine como é viver debaixo de chuva, sem sol, dez meses por ano... É por isso que em várias ilhas existe um sério problema de controle do alcoolismo.

Sem que tocássemos no assunto, o grupo espontaneamente começou a falar da Sea Shepherd (que eles chamam de Greenpeace) de maneira bastante debochada, gargalhando sobre como os ativistas podem achar "fofas" criaturas selvagens como as baleias.

— O mar está cheio delas! Por que não vão se preocupar com os problemas dos seus próprios países? Deixem que a gente cuida do que é nosso. Se as baleias passam por aqui, e esse mar é nosso, ninguém tem que se meter com o que fazemos ou não com essas "fofuras".

Numa outra noite, retornamos ao mesmo bar e reencontramos o grupo, que gentilmente nos acolheu para bebermos juntos. Eddie, um dos mais extrovertidos, voltou a zombar dos ambientalistas, narrando a frase que disse à noiva alemã, Cindy, no dia em que se conheceram:

— Oi, meu nome é Eddie, não sou vegetariano e caço baleias!

Cindy é vegetariana, mas é a favor da tradição da caça baleeira. Na verdade, todas as pessoas com que conversamos se posicionaram a favor da matança. Exceto um navegador alemão, que estava a caminho da Islândia. Ele falou que adora a Dinamarca, mas não vê razão para que todos os anos se promova tamanho massacre.

Em outra noite no bar Sirkus, onde retornamos algumas vezes, nos encontramos por coincidência com Deborah Basset, voluntária norte-americana da Sea Shepherd. Animadíssima, ela me reconheceu e veio gritando, de braços abertos, na minha direção:

— Babs! Que bom te ver por aqui!

Para a minha surpresa e o meu desespero, ela não sabia que a minha missão em Tórshavn exigia que eu trabalhasse disfarçada. Tive que a ignorar, depois de dizer, friamente:

— Você deve estar me confundindo com alguém. Meu nome é Vitória. Com licença.

Por sorte, Eddie e seus amigos não estavam por perto.

OYNDARFJORDUR

No nosso passeio de barco na capital, Scott e eu conhecemos um morador local, que topou nos ajudar a encontrar acomodação ao norte das ilhas. Ele nos passou o contato do Oli, dono de uma antiga casa de família em Oyndarfjordur, construída em 1876.

Chegando à cidade, marcamos um encontro num pub com o Oli, interessados em alugar a casa por uns dias. Em pouco tempo de conversa, ele se sentiu à vontade para nos confiar suas fortes opiniões, por exemplo, a favor da matança de golfinhos, já que o óleo extraído do animal é capaz de curar o pigarro e a gripe.

— Fede bastante, mas funciona que é uma beleza.

— Sim, imagino. Mas quem gostaria de esfregar um óleo fedorento no nariz ou no peito? — comentou o tio Richard, irônico. E os dois riram um bocado.

Inevitavelmente, caímos no tema da caça baleeira. Até hoje não entendi se eles sempre falam sobre isso entre si ou se falam conosco porque somos estrangeiros. Oli discorreu sobre o maravilhoso sabor da carne de baleia, afirmando que sua parte favorita é a gordura que envolve os ossos do animal.

Não me contive e perguntei:

— E quanto à sua saúde? Você não fica preocupado? Provei carne de baleia na semana passada, mas depois preferi não comer mais. Eu li sobre casos de câncer e doenças neurológicas que podem estar associados à presença de mercúrio na carne. Nos anos 1960, no Japão, famílias inteiras sofreram sérios danos por ingerirem carne contaminada...

— É verdade, tem essa questão do mercúrio — Oli admitiu. — Mas é tão deliciosa! E eu como pouca carne. Então, não tem problema.

SUDUROY

Depois de uma passagem rápida pela capital, Scott e eu seguimos viagem rumo a Suduroy, no extremo sul do arquipélago. No trajeto, precisamos embarcar com o carro alugado num *ferry boat*, para uma travessia de duas horas, passando pelas ilhas de Sandoy, Skúvoy, Stóra Dímun e

Litla Dímun. Apesar de o *ferry* ser bastante estável, chovia sem parar, então sentimos o barco mexer bastante. A viagem foi relativamente tranquila, mas a meteorologia, mais uma vez, não se mostrou nada amigável. O que é bom para as baleias.

Visitamos todas as praias de Suduroy, uma por uma. Prestamos especial atenção àquelas onde sabíamos que aconteceram matanças anteriores: Trongisvágur, Oravik, Vagur, Famjir e, principalmente, Hvalba. Instalamos uma câmera oculta nessa última, que apelidamos de "blablá", porque, definitivamente, não conseguíamos pronunciar o nome desse lugar. No caminho até lá, passamos por um túnel muito estreito, que devia medir uns 4 metros de largura, num trecho da estrada em mão dupla, com tanto nevoeiro que não conseguíamos enxergar um palmo à nossa frente. Durante toda a travessia do túnel, que durou cerca de 3 minutos, ficamos apavorados com a possibilidade de um carro em alta velocidade vir na mão contrária e se chocar contra o nosso. Pura adrenalina!

Ao chegarmos em Hvalba, caminhamos pela praia e passamos por alguns pescadores. Puxamos assunto, dizendo que éramos amantes dos pássaros e estávamos em busca deles, mas não conseguíamos os avistar por causa do tempo ruim. Um dos pescadores respondeu, e o restante gargalhou com o comentário:

— Aqui o tempo está sempre ruim. E a verdade é que temos visto menos pássaros ao longo dos últimos anos nesta região.

Soltamos também nossas risadas amarelas, antes de seguirmos adiante na caminhada. Minhas mãos congelavam à ventania que potencializava o frio de 5 graus em Hvalba. Ainda subimos ao ponto mais alto da colina, para observar a praia com os nossos binóculos. E enfim nos convencemos de que ali não haveria uma caça baleeira tão cedo. Não com aquelas condições climáticas.

Decidimos retornar à estação do *ferry boat*. Mas no caminho, deparamos, ao acaso, com um bar totalmente isolado. Ao redor, nada além de terrenos baldios e casas longínquas.

O bar propriamente dito ficava no subsolo. Descemos dois lances de escada e avistamos um senhor sozinho, com seus 60 anos de idade, tomando uma cerveja. Papo vai, papo vem, contamos que estávamos em Féroe a turismo, pela primeira vez, e que fizemos um passeio de pesca muito agradável. Tio Richard expressava empolgação pela cultura da pesca local, enquanto eu segurava com afinco uma xícara de café, aliviada pela chance de aquecer minhas mãos. Nosso interlocutor, Ben, era um navegador aposentado, que trabalhou anos num dos famosos cargueiros Mersk. A conversa começou a ficar interessante quando ele mesmo lamentou a escassez de várias espécies ameaçadas de extinção, como pássaros e baleias que já não aparecem por ali com a mesma frequência. É claro que, como outros feroeses, ele também mencionou a tradição local de comer carne de baleia. E admitiu consumir, às vezes.

Pegamos o *ferry* das 18h30, último horário. De volta a Tórshavn, estávamos famintos. Jantamos num restaurante japonês, um dos poucos que servem bons pratos vegetarianos, como sushis de vegetais.

Mais tarde, recebemos um *e-mail* do Doutor William, informando que o Steve Irwin foi detido pela corte escocesa, devido a um processo envolvendo uma disputa com pescadores de atum em Malta. Os advogados da Organização viajaram para as Ilhas Shetland, onde o navio está apreendido, para tentar liberá-lo das acusações. Diante desse contratempo, o Brigitte Bardot tomou a frente da operação Ferocious Islands.

CÂMERAS	
ILHAS	PRAIAS
Suduroy	Hvalba
Sandoy	Sadur
Streymoy	Tjornuvik
Eysturoy	Funningsfordur
	Fuglafjordur
	Nordragota
Vágar	Sandavágur
	Midvagur
...	...

TÓRSHAVN (2)

Decidimos retornar ao porto de Tórshavn, para observar a reação dos feroeses à chegada oficial do Brigitte Bardot à capital. A presença da Sea Shepherd, e especialmente de Paul Watson, já era alardeada pelos jornais locais, e recebida com apreensão por grande parte da população. Scott e eu tivemos que assistir a toda a movimentação à distância, para que os nossos novos conhecidos não notassem a nossa conexão com a ONG.

Foi duro rever alguns colegas ao longe, sem poder me aproximar para um abraço apertado e um desabafo sobre as angústias que temos vivido em Féroe. Por outro lado, eu não queria mesmo me encontrar com Locky, atual capitão do Bardot. Semanas antes, tinha recebido um *e-mail* dele, se dizendo orgulhoso do meu desenvolvimento profissional dentro e fora da Sea Shepherd. Achei melhor ignorar. Ainda não estou pronta para entrar na fase de sermos apenas bons amigos.

Desde que nos separamos, em janeiro de 2011, passei os últimos meses entre a Austrália, o Brasil e a França, proferindo conferências e palestras, e organizando exposições das minhas fotos. Primeiro em Paris, numa exibição coletiva no Jardin des Plantes, com curadoria da *National Geographic*, e na Galerie W de Montmatre. Depois em Cannes, durante o festival de cinema, com exposições simultâneas num *loft* e na filial local da Galerie W. E finalmente em Mônaco, na Semana do Meio Ambiente, conhecida como Monacology, com a ilustre presença do Príncipe Albert II.

Em maio, Locky aproveitou uma passagem com o Bardot por Cannes para me encontrar, enquanto a minha exposição estava em cartaz por lá. Marcamos num café, para dar início à papelada da separação. O mesmo advogado que pretendíamos contratar para providenciar o meu visto para morarmos no Canadá, acabou providenciando o nosso divórcio. Durante toda a conversa, Locky se manteve de óculos escuros, chorando e evitando qualquer contato de olhos nos olhos. Não quis dizer nada sobre a traição, o que só fez crescer a minha dor. Mesmo sabendo que estávamos separados, ainda restava em mim uma expectativa cega. Uma ponta de esperança de que ele resolvesse protestar, esbravejar, se recusar a assinar os papéis. No entanto, apesar de aparentar muita tristeza, ele não parecia disposto a lutar pelo nosso casamento.

Algum tempo depois, tive mais uma grande decepção, quando descobri que Locky vendeu o Papaya sem sequer me comunicar que pretendia fazer isso. Vendeu a nossa casa. E ainda pediu aos integrantes da Sea Shepherd que não me contassem. Provavelmente com medo de ter que dividir comigo qualquer quantia em dinheiro. Juntou numa caixa todas as minhas roupas e pertences que restavam no veleiro, e despachou pelo correio para o meu endereço em Paris. Assim como conheci o Locky com pouco mais do que a roupa do corpo, chegando ao Rainbow Warrior sem a minha bagagem extraviada, também me despedi dele levando praticamente nada. A não ser, claro, o sonho morto de um amor malogrado e alguns anos de experiências que sempre farão parte da minha memória, de quem eu sou.

Machucada por essas lembranças, me senti aliviada pela sorte de não ter avistado Locky no porto de Tórshavn. Enquanto a tripulação desembarcava, jornalistas e cinegrafistas se aproximavam, ávidos por uma entrevista. Richard propôs que fôssemos embora. Concordei prontamente.

Tínhamos muito trabalho a fazer. Então procuramos um novo lugar para almoçar e tentar interagir com os feroeses. Percebemos um certo movimento numa pequena pizzaria, no qual não tínhamos reparado ainda. O dono era um tunisiano e estava abrindo o estabelecimento naquele mesmo dia. Então, para a nossa alegria, oferecia degustações grátis aos primeiros visitantes. O local era simples, com apenas duas mesas. Mas por incrível que pareça, servia a melhor pizza que provamos desde que pisamos nas ilhas. E olha que provamos muitas.

Aproveitamos a conversa sobre a abertura do restaurante para desviar o assunto para a gastronomia local e, enfim, para as caçadas. Um amigo do dono que estava ali perto, indiano e casado com uma feroesa, começou a tecer uma descrição do quanto é mágico entrar num barco e sair para caçar baleias. Eu procurava conter as várias perguntas que pipocavam na minha mente, para que o meu interesse não soasse suspeito. Me limitei a afirmar que essa prática não é nada comum na minha cultura, por isso gostaria de conhecer mais sobre o tema, de repente até participar de uma caçada...

Mas fui logo interrompida:

— Não. Nem turistas, muito menos mulheres, podem participar. Mas posso te contar que, somente por estar na praia de Gota durante uma caçada, ganhei mais de 50 kg de carne de presente. Tive uma baita sorte!

— E a carne é boa? — continuei, dando corda para a conversa. — Soube que é contaminada.

— Não é nada. Isso é um mito criado pelo Greenpeace. Precisamos de vitamina, de gordura. Isso ajuda a nos tornarmos mais *vikings*, já que não somos daqui.

LEYNAR

Na cidade de Leynar, a meia hora de carro de Tórshavn, marquei um encontro com Jakob, um artista plástico que conheci na capital. Achei que seria interessante entrevistá-lo, no papel de uma jornalista brasileira pretensamente interessada em suas esculturas.

A entrevista iniciou com perguntas sobre seu talento e suas habilidades em trabalhar com madeira, até que encontrei uma brecha para perguntar sobre a cultura local e a matança baleeira.

Jakob se declarou completamente a favor das caçadas. Argumentou que essa prática nutre famílias inteiras. E que não era a Organização de um "gordo velho barbudo" que iria acabar com a tradição deles.

Grande parte das esculturas, pinturas e outras obras de arte espalhadas pelas Ilhas Féroe fazem referência à caça. Residências privadas e lugares públicos são decorados com ossos de baleia. Scott e eu visitamos um museu que exibia uma ampla variedade de ferramentas usadas nos massacres ao longo dos séculos. Visitamos também uma usina onde os corpos das baleias eram mutilados e suas partes processadas. O cheiro enjoativo de óleo de baleia empesteava o local.

KLAKSVÍK (2)

Agora que Scott está nos Estados Unidos, dou prosseguimento às investigações junto com Tim, em Klaksvík. A cidade é bonita, com belas paisagens naturais. Mas, estranhamente, há poucas cores. Às vezes, me dá a impressão de uma cidade fantasma. Conversando com um morador, descubro que há um sério problema de casamentos incestuosos entre a pequena população de 4 mil habitantes, o que explicaria o grande número de pessoas com deficiências físicas ou mentais que encontramos pelas ruas. Uma situação que Scott e eu já havíamos reparado, e inicialmente atribuímos ao consumo excessivo de metais pesados pela ingestão da carne de baleia.

Tenho aprendido cada vez mais sobre os pássaros da região e lido bastante sobre o processo de captura das baleias. O interesse popular na atividade é tamanho, que existe até um sistema de rastreamento via satélite para auxiliar na caça.

Quando sintonizamos alguma rádio local, é cada vez mais comum escutarmos as palavras "Sea Shepherd", "Paul Watson" e "Brigitte Bardot", em meio a um emaranhado incompreensível de vocábulos em feroês. Somos o assunto do momento.

Num dia aparentemente pacato, levamos um grande susto. Percebemos a movimentação de pessoas indo e vindo, barulhos próximos a uma praia das redondezas, e rapidamente telefonamos para o Bardot, para saber se também observam alguma anormalidade. Felizmente, é apenas uma partida de handebol.

Até agora, John Hansen tem sido o nosso melhor contato em Klaksvík, na casa onde ele viveu os últimos quarenta anos, e se orgulha de a ter convertido num *bed & breakfast* há dois anos. Depois de um quarto de século trabalhando em navios cargueiros, ele agora atua como guarda de trânsito, multando carros mal estacionados pela cidade. Passar oito horas diárias multando os carros das pessoas não me soa uma ocupação muito agradável, mas ele parece não se incomodar em manter como profissão a tarefa de acabar com o dia dos outros.

Em Klaksvík, não vemos muita atividade acontecendo, com tanta chuva e nevoeiro. Para variar um pouco, Tim e eu decidimos dar uma passada nos dois únicos bares da cidade, o Maverick e o Kopkstovan.

No Maverick, conversamos com o *barman* e com um pescador que trabalha em fazendas de salmão, uma indústria poderosa por aqui. Chegamos a tocar no tema principal. Trocamos contatos e o pescador promete me avisar quando souber de uma próxima caçada. Mas não faz grandes revelações.

O Kopkstovan chama mais atenção pela engraçada decoração pirata, com desenhos de ilhas e de um mapa que leva linhas pontilhadas até um tesouro, com uma caveira ao lado. No interior, muita gente bebe e conversa pelas mesas, enquanto uma tevê se mantém sintonizada no noticiário. Pedimos duas tulipas de Black Sheep, uma marca de cerveja inglesa bastante popular por aqui, que aprendemos a apreciar. Alguns curiosos me perguntam sobre a minha origem e o que me traz a Klaksvík.

Quase no fim da noite, um senhor nos convida à sua mesa, dizendo:

— Eu adoro a natureza.

Achamos que seria uma boa deixa para iniciarmos uma conversa. Mas infelizmente o sujeito está completamente bêbado. Após descobrir a minha nacionalidade, passa horas falando do romance que viveu com uma carioca de Copacabana. Até que sai do bar carregado pelos amigos. Chegamos à conclusão que é hora de sairmos também. E fechamos a noite numa lanchonete, com a pizza nossa de cada dia.

Em mais uma das nossas idas ao movimentado bar pirata, os frequentadores nos olham de maneira esquisita. Talvez tenham descoberto que trabalhamos para a Sea Shepherd. Uma ou outra pessoa chega a nos perguntar se somos membros do Greenpeace. Tentando atenuar a tensão criada, decidimos participar de uma noite de *quiz* coletivo, sentados à mesa do Otto e do Paul, nossos mais novos colegas de bar baleeiros. Como as perguntas são todas em feroês, contamos com a gentileza do Otto em traduzi-las para o inglês. Num dado momento, pergunta-se os nomes das ilhas e vilarejos de Féroe que começam com a letra S. Com um monte de opções na ponta da língua, dos lugares que visitamos durante a investigação, acho melhor ficar quieta. Fico só imaginando como os nossos companheiros de mesa poderiam reagir:

"Uau, Dona Vitória, você só conhece nomes de locais onde acontece o *grinding*? Que baita coincidência! Vamos para a delegacia. Senhorita espiã, sua missão acaba agora, atrás das grades."

TÓRSHAVN (3)

Depois que Scott retorna dos Estados Unidos e reassume a parceria comigo no lugar do Tim, retornamos a Tórshavn para acompanhar o Festival de Cultura nacional, que dura quatro dias. Estamos hospedados no subsolo da casa do Oli, o mesmo que nos alugou a casa da sua família em Oyndarfjordur. Com os festejos, a capital ganha novos ares. As ruas, normalmente frias, ficam irreconhecíveis, todas decoradas com lâmpadas coloridas. Há painéis, competições, concertos de música ao ar livre. Moradores se caracterizam com vestes típicas, inclusive as crianças.

Recebemos a notícia de que acaba de chegar de Paris uma van da Sea Shepherd, com imagens fortes do massacre baleeiro coladas na área externa do veículo. A ideia é aproveitar a visibilidade do festival para suscitar questionamentos sobre a continuidade dessa sangrenta tradição, convidando os feroeses a dialogar sobre o assunto com ativistas de plantão. Porém, logo descobrimos que alguns materiais foram confiscados pela polícia feroesa, como caixas de som, microfones, megafones e pôsteres. Um câmera da equipe do canal Animal Planet está acompanhando toda a ação. E os ativistas também são acompanhados pela única viatura de polícia local, que agora os fiscaliza 24 horas por dia.

Fotografo o evento, esperando conhecer mais feroeses, possíveis baleeiros. Vemos bebês por todos os lados. Tio Richard não se furta a emitir mais um dos seus comentários ácidos:

— O último inverno deve ter sido difícil por aqui.

Caímos na risada.

Cruzeiros do mundo inteiro atracam no porto. Uma pequena orquestra toca praticamente a tarde toda. Segundo a mídia local, mais de 5 mil turistas chegam para prestigiar o festival.

A van da Sea Shepherd se estabelece próxima à saída de um *boat racing*, uma competição de barcos a remo. Prefiro não me aproximar para evitar problemas. Entre os ativistas envolvidos na ação, reconheço Deborah Basset, que me abordou no bar Sirkus sem saber que eu trabalhava infiltrada. Eles cortam um dobrado abordando transeuntes feroeses, que muitas vezes se limitam a reagir às abordagens com um olhar mal-encarado. Vários estrangeiros, entretanto, se mostram chocados com as informações sobre os massacres, confessando nunca terem ouvido falar de tamanha carnificina.

Na bilheteria do *boat racing*, puxo assunto com um homem que veste uma camiseta de arrepiar, com uma mensagem curta e grossa: *Fuck Paul Watson*.

— Oi, tudo bem? O que está acontecendo por aqui? — pergunto, me fazendo de desentendida.

— Hoje não mataremos baleias, garota. Hoje só teremos o *boat racing* — responde ele, de modo ríspido, aparentemente suspeitando da minha ligação com a Sea Shepherd.

Ainda assim, ouso fotografá-lo. Não é sempre que se cruza com um sujeito vestindo uma camiseta dessas. O instante do clique é tenso. Ele me encara de um jeito estranho, como ninguém nunca me encarou. Não me deixo intimidar, mas sinto o peso desse olhar invasivo. Sinto raiva e nervosismo. Acima de tudo, sinto o quanto Paul Watson é odiado por aqui. O que também serve para nós, ativistas que trabalhamos com ele em defesa das baleias.

Scott e eu deixamos a área do *boat racing* para nos encontrar com outro baleeiro que odeia ambientalistas. Eddie, nosso jovem companheiro do Sirkus. Ele nos leva à casa do amigo Francis, onde acontece uma grande festa.

Ao abrir a porta e perceber que somos estrangeiros, um membro da família do Francis logo nos pergunta:

— Sea Shepherd? Não, né?

— Não, não... — respondemos sorrindo, ao entrar.

Todos estão vestidos a caráter, com trajes típicos feroeses. Há um *buffet* fartíssimo, com carne de baleia preparada de diversas maneiras, além de peixes e carne seca de cabra (que, segundo Scott, fede a cadáver humano). Me sirvo de pão e legumes ao vapor. Mas Eddie insiste que eu pegue também um pouco de carne de baleia. Procuro convencê-lo do contrário, contando que já provei e não gostei.

Cindy, a noiva alemã do Eddie, resolve contar uma história:

— Eddie e eu caminhávamos pelo porto esses dias, e ele me apontou um incrível barco futurista. Ficamos fascinados. Nos aproximamos do barco, para observá-lo de perto e descobrir sua origem.

— Sea... Sea... Sea Shepherd? Ah, não, Cindy. Que merda! — Eddie entra na conversa.

— Nós dois ficamos desapontados — ela continua. — Esses caras são radicais demais. Extremistas dos oceanos.

— Sabe, Vitória, eles chamam a campanha atual de Ferocious Islands — diz Eddie. — Como se fôssemos o quê? Animais ferozes?

Ele mantém a postura de defender a importância do *grinding*:

— Essa atividade sempre fez parte da minha vida e continuará fazendo. Sou um nacionalista. Defendo os direitos das nossas ilhas perante à Dinamarca. Tudo que diz respeito à cultura tradicional de Féroe deve ser preservado.

Com uma risadinha sacana, Francis comenta que, mesmo defendendo os direitos das ilhas, é preciso reconhecer o valor do continente e dos bens que chegam da Dinamarca. Carros arrojados, marcas modernas, produtos que não podem crescer no solo feroês.

Eddie mantém seu posicionamento.

Apimentando a discussão, me atrevo a perguntar ao grupo sobre a caça aos adoráveis papagaios-do-mar:

— Vocês não acham cruel a forma de matá-los? Capturados em redes, depois estrangulados...

— Ah, Vitória. É a lei da sobrevivência, ué! — responde um dos amigos do Eddie. — Você vai abrir uma ONG igual à Sea Shepherd, para defender os pobres passarinhos? Você precisa provar a carne do papagaio-do-mar! Preparada ao forno fica um espetáculo. Será que tem aí para provar?

Todos caem na gargalhada, inclusive o tio Richard.

Nos despedimos do Eddie, da Cindy, do Francis e dos demais feroeses em seus trajes de festa.

Incansáveis, Scott e eu ainda decidimos dar uma passada no Sirkus, onde conversamos com um pescador, interessado em nos dar algumas lições de vida:

— Para ser considerado um homem de verdade aqui em Féroe, você precisa seguir três etapas. Primeira: você tem que ter um barco com equipamentos, anzol, redes e arpão. Com isso você provém comida. Baleias, pássaros, peixes. Segunda: você precisa ter ovelhas. E para ter ovelhas, você precisa ter uma fazenda, e nela, claro, uma casa. Terceira: depois de conquistar as duas primeiras etapas, você está preparado para ter mulher e filhos. Esse é o verdadeiro homem de Féroe.

Nos encontramos também com David, um novo amigo islandês, e sentamos juntos a uma mesa aconchegante, no terceiro andar, com poltronas confortáveis e almofadas coloridas. Conversamos sob a luz morna, interrompidos a cada dez minutos por um bêbado que vem nos perguntar sobre a Sea Shepherd e sobre nossa opinião quanto à caça baleeira. O problema é que parte da tripulação do Brigitte Bardot, que não trabalha disfarçada como nós, ocupa o segundo andar do Sirkus neste exato momento, exaltando os ânimos dos feroeses mais excitados pelo álcool. Um deles vem falar diretamente comigo, em tom desafiador:

— Matar baleias é como matar galinhas. Você come galinhas?

Antes de a noite terminar, percebo que David dá sinais evidentes de interesse por mim. Peço ao tio Richard que, por favor, não me deixe a sós com ele. Me envolver afetivamente por aqui é a última coisa que eu quero. Não só pelos riscos envolvidos nesse trabalho investigativo. Mas porque me parece impossível gostar de alguém que considere normal e aceitável a carnificina baleeira feroesa.

Mesmo sem corresponder ao interesse de David, fico feliz quando ele me apresenta a outro islandês, seu amigo tatuador Fjolnir, em outra noite no Sirkus. Fjolnir é uma figura. Cabelos lisos e negros quase até a cintura, calça e jaqueta de couro, maleta completa de adereços e agulhas para tatuagens.

De início, achei que se tratava de mais um baleeiro. Mas quando perguntei o que um islandês como ele fazia nas Ilhas Féroe, ele abriu seu coração:

— Vitória, estou aqui por amor. Conheci uma garota feroesa que não me deixa dormir. Não consigo parar de pensar nela. Tivemos uma bela história juntos. Mas com a distância entre as ilhas, ficou complicado. Então resolvi me estabelecer aqui, por enquanto. Vamos ver como as coisas fluem entre nós.

Gostei da história de amor do Fjolnir. Pesquisei o trabalho dele na internet. E decidi pedir para ele me tatuar um grande mapa-múndi retrô nas costas. Faz tempo que quero me presentear com uma nova tatuagem. O fim iminente da operação Ferocious Islands me parece o momento ideal. Richard também tem vontade de deixar uma marca dessa experiência na pele. E escolhe o desenho de uma mulher que se transforma em árvore.

Tentando me preparar para uma sessão de três horas de agulhadas, tomo duas doses de uísque antes de criar coragem. Fjolnir me pergunta que tipo de música eu gostaria de ouvir, mostrando a sua seleção. Mas antes que eu responda, ele recomenda com veemência a fase mais antiga da sua conterrânea Björk, que acaba sendo a opção mais bacana que eu poderia imaginar para esse momento. Enquanto trabalha, o tatuador apaixonado não perde a oportunidade de desabafar sobre sua história de amor, me pedindo conselhos. Seguro a onda como posso. Não é nada fácil dar conselhos entre uma agulhada e outra.

Malas prontas, tatuagens muito bem-feitas, chega o último dia da Vitória e do tio Richard nas Ilhas Féroe. Me despeço do Scott no voo que nos deixa em Copenhagen, com um forte abraço de agradecimento por essa preciosa parceria. Durante todo o período em que permanecemos em terras feroesas, não houve nenhuma matança baleeira. Pego a conexão de volta ao meu lar atual, em Paris, com a sensação de missão cumprida. Uma sensação que, infelizmente, não dura muito. Porque dias depois da nossa partida, recebo um *e-mail* do Scott comentando que, assim que a Sea Shepherd deixou as ilhas, aconteceu uma caçada. E o mar voltou a se tingir de vermelho em Féroe.

⚓

Paris

Sempre falei para o Locky que queria morar na França, um sonho que não pude dividir com ele. Assim que nos separamos, fiz questão de o realizar.

Nesse período, reencontrei Anne Pisteur, minha antiga professora na Alliance Française, numa das temporadas que passei na Cidade Luz para visitar amigos. Com ela aprendi a interpretar o melhor de Prévert e Rimbaud. A escutar e entender Barbara, Brel, Aznavour e outros clássicos franceses. Apesar da diferença de idades entre nós, já que Anne tem cinquenta e poucos anos, nos tornamos grandes amigas.

Mantínhamos o hábito de caminhar juntas às margens do Sena ou entre as ruelas parisienses. Em sua casa, nos reuníamos para ler poesia e conversar sobre a vida, e Anne gostava de cozinhar algo especial para nós. Eu costumava levar uma *baguette* e uma garrafa de vinho, mas sempre acabávamos tomando duas. A casa dela é repleta de plantas, cartazes, pinturas, objetos e máscaras africanas. Embora tenha nascido na Suíça, Anne passou parte da infância na África, pois seu pai trabalhava na ONU. Desse período, herdou uma intensa paixão pelo continente africano. Certa vez, fomos a um fantástico festival de música afro no Parc de la Villette. Ela conhecia a todos. E dançava sem parar.

Eu estava tão encantada com a minha vida em Paris, que não pensava em retornar ao Brasil tão cedo. Tinha algumas economias, que me permitiriam permanecer na França por um ano, mas eu ainda precisava renovar o meu visto. Até que chega o dia em que não é mais possível fazer uma renovação. Preciso voltar à minha terra natal. Mas não é fácil deixar essa cidade pela qual aprendi a sentir gratidão, onde me reergui emocional e profissionalmente, fortalecendo minha autoconfiança e encontrando um pouco de paz.

Inconsolável, começo a me despedir dos amigos, inclusive de um simpático grupo de franceses do qual me aproximei, por termos em comum uma profunda admiração pela cultura indígena. Há tempos que eles planejam conhecer a Amazônia. E aproveitam esse momento de despedida para me perguntar se quero os acompanhar numa viagem que farão ao Acre, visitando diferentes aldeias, a convite de um líder indígena que conheceram num evento em Paris.

A proposta me cai como uma luva, no exato instante em que procuro atividades para me envolver no Brasil. Aceito prontamente, animada com o projeto de documentar o cotidiano de povos indígenas amazônicos.

TRIBO KUNTANAWA

Além de mim, nosso grupo de viajantes é composto por Naziha, Samanta e David. Trago comigo uma rede, que me serve de cama, um pequeno cobertor, uma toalha de secagem rápida, poucas peças de roupa e o desejo de me conectar com a primeira tribo indígena que terei o prazer de conhecer. A tribo Kuntanawa habita terras amazônicas próximas à fronteira do Brasil com o Peru.

Pego um voo do Rio de Janeiro a Brasília, depois outro a Cruzeiro do Sul, no Acre, e de lá fazemos duas viagens de barco e uma caminhada até o nosso destino final. O tempo na Amazônia é outro. É como se não existissem relógios.

Levamos para a aldeia farinha, feijão, arroz e macarrão. No meu *kit* pessoal, trago barrinhas de cereal e frutas desidratadas. O líder espiritual da tribo, Haru Kuntanawa, causa uma ótima impressão a todos nós. Ele nos apresenta a sua mulher, seu filho e seu pai, que me chama a atenção pela curiosa indumentária, com um grande cocar na cabeça e uma camiseta Puma no corpo. Percebo que outro integrante da família também veste uma bermuda Adidas, ao lado de adornos típicos indígenas. E que todos calçam sandálias Havaianas. Com a convivência, vejo que são pessoas de carne e osso, que não vêm mal algum em miscigenar sua cultura tradicional com adereços úteis da civilização.

Entre os Kuntanawa, que acumulam um vasto conhecimento ancestral de plantas medicinais, temos a oportunidade de beber *ayahuasca*, durante um ritual ao redor da sumaúma sagrada, conduzido por Haru. A sumaúma é a maior árvore da floresta tropical, podendo atingir 40 metros de altura. Ela protege o ecossistema ao seu redor, e tem grande importância para os índios.

Partilhamos a bebida em pequenas doses, o que me permite tomar dois goles, e sentamos em círculo em torno da grande árvore. Todos em silêncio, concentrados, esperamos pela mensagem espiritual que começa a se anunciar. A princípio, quero documentar a experiência com a filmadora. Só que o meu corpo, lentamente, me pede para deixar a câmera de lado e apenas vivenciar as sensações que me tomam aos poucos.

Primeiro, vivo um momento de horror. Sou assaltada pela visão em caleidoscópio de um índio norte-americano, com um enorme cocar, gargalhando de mim com ironia. Como se pudesse me dominar. Fazer comigo o que quisesse. Entro em desespero.

A angústia se atenua à medida que respiro fundo, encarando o tronco da árvore, onde vejo um cavalo com cara de cachorro, que me encara de volta. Parece olhar para dentro de mim. De início, a imagem tem formas de uma pintura rupestre. Depois, tenho a impressão de que é um filme em 3D, e que a qualquer instante o animal poderá saltar para cima de mim e me devorar inteira.

Confusa, continuo imersa num turbilhão de sensações e emoções, até o momento em que finco os dedos das duas mãos na terra, como raízes. Sinto o cheiro da Amazônia. Da natureza selvagem. E consigo relaxar completamente, experimentando uma intensa gratidão por estar aqui e agora.

Duas horas depois, quando consigo recuperar parcialmente o controle sobre o meu corpo, percebo que algumas pessoas na roda se movimentam. Preciso urinar, mas não consigo me levantar. Nem consigo lembrar onde posso urinar. Tenho a impressão de que meia hora se passa e eu continuo parada, pensando na vontade de fazer xixi. Até que finalmente me coloco de pé, como se não houvesse gravidade. Encontro um matinho discreto para me aliviar, ao som dos pássaros e dos bichinhos da floresta.

De volta à roda, vejo que alguns ainda se encontram imersos em suas viagens íntimas. Pouco a pouco, todos começam a se levantar. Tem início um cântico e um banho de ervas, abençoando a tribo e o nosso grupo.

Só depois que acaba o ritual, lembro onde fica o banheiro. Um ambiente simples, fechado com porta, onde há um buraco no chão com muitas moscas. Papel higiênico aqui vale ouro. Cada um leva o seu.

Durante o tempo de convivência com os Kuntanawa, acompanho o cotidiano da tribo, documentando as belezas e os desafios da vida que levam, em fotos e vídeos. Acabo conhecendo índios de outras aldeias, e decido visitá-las também, o que me faz postergar o prazo de um mês que havia previsto para a viagem.

Em obediência à formalidade local, minha visita só pode ocorrer se for autorizada pelo líder da tribo. Felizmente, recebo a autorização do Ibã Sales, líder de uma aldeia Huni Kuin, e do Benki, líder de uma aldeia Ashsanika, para conhecer e documentar ambas as tribos.

TRIBO HUNI KUIN

Meu encontro com os Huni Kuin — termo que significa "povo verdadeiro", no idioma kaxinawá — é muito bonito.

Levo como presente alguns quilos de comida, comprados entre um vilarejo e outro que atravessei na viagem. Mas me chama atenção a simplicidade das pessoas, que não me pedem nada nem parecem interessadas em trocas. Pelo contrário: são elas que me oferecem o presente de experiências marcantes, durante todo o tempo que passo na aldeia.

O líder Ibã me transmite muita tranquilidade. Ele é uma enciclopédia viva da cultura Huni Kuin. A cada conversa que temos, ele me ensina um cântico, uma dança, o modo como fazem fogo ou outros métodos tradicionais de sobrevivência transmitidos de geração a geração. Certo dia, Ibã me convida para uma caminhada na floresta, que nos entretém por cerca de uma hora. Ele me mostra diferentes plantas amazônicas, explicando as funções medicinais de cada uma, contra dor de dente, dor de barriga ou infecções. Fascinada com tamanha sabedoria, lamento minha ignorância sobre a maior floresta tropical do planeta. Menina de cidade grande, me encanto com a chance de pisar descalça no tapete de folhas da mata, e deixo de lado as botas que trouxe na mala para andar pela selva. Só que, tomada por tamanho deslumbramento, não me dou conta de que os mosquitos e outros insetos sedentos de sangue humano resolvem se esbaldar com a carne nova no pedaço. Recebo tantas picadas na planta e na sola dos pés, que os dois ficam extremamente inchados e doloridos, o que me impossibilita de caminhar e dormir por quase três dias. Para aliviar a dor e a irresistível coceira, Ibã prepara um banho com plantas medicinais. Mas encontro maior alívio ao ficar de molho, deitada num barco com os pés na água fresca do igarapé, sonhando com um balde cheio de cubos de gelo. De tudo que aprendi nesse instrutivo passeio com o líder dos Huni Kuin, a lição mais prática foi: não se esqueça das botas na próxima vez.

Outro momento forte que vivo na aldeia é o encontro com Maria, uma linda menina de 14 anos. Faço uma entrevista com ela e gravo o som doce da sua voz entoando seu cântico espiritual favorito. Rapidamente compartilhamos um laço de amizade. Até que, para a minha surpresa, ela me pede um favor. O único favor que um Huni Kuin já me pediu. Maria quer que eu lhe dê uma pílula do dia seguinte.

Sem saber como reagir, peço desculpas por não poder a ajudar. Pergunto se ela não pode ter acesso a um médico, em alguma localidade vizinha com maior infraestrutura. Mas ela responde que não haverá qualquer barco livre nos próximos dias, para levá-la à cidade.

— Quer que eu converse com os seus pais? — proponho, preocupada.

— Não, eles não podem nem desconfiar. Eu vou resolver. Por favor, não conte a ninguém.

Atordoada, me entrego às reflexões sobre o que acontecerá a essa menina na aldeia. Mas o mínimo que posso fazer é respeitar sua vontade de guardar segredo. Pelo menos por enquanto.

A história da Maria torna ainda mais difícil o momento de dizer adeus aos Huni Kuin, que me acolheram com muita generosidade. Antes de partir, decido deixar algumas roupas de presente para as meninas da aldeia, que se encantaram com as cores e os paetês das minhas batas. Em troca, elas me oferecem colares e pulseiras de miçangas. Uma delicadeza sem tamanho.

Recolho a minha rede, arrumo a mochila e distribuo abraços afetuosos antes de seguir para as terras da tribo Ashaninka, minha última parada na Amazônia.

⚓

TRIBO ASHANINKA

A caminho da aldeia Ashaninka, ocorre um imprevisto no motor do barco que me conduz, e precisamos passar a noite numa comunidade ribeirinha, na casa da Rosa, irmã do barqueiro. Mesmo humilde, a família é incrivelmente receptiva. Rosa nos serve um prato de feijão e farinha como jantar. Dormimos num espaço de aproximadamente 40 metros quadrados, com cerca de quinze redes espalhadas. Pela manhã, com o motor consertado, seguimos viagem por seis horas, até adentrarmos o território Ashaninka.

Entre as vinte aldeias que visitei, a Ashaninka parece ter a estrutura mais bem organizada. Eles mantêm um apiário, um viveiro de tartarugas e um eficiente sistema de pesca. As cabanas são maiores. O povo é bonito e exibe vestes fabulosas. Embora as mulheres e crianças sejam bastante tímidas, todos me recebem com simpatia. Mas preciso pagar pelas minhas diárias de hospedagem, um preço estipulado pelo líder Benki.

Entre os Ashaninka, tenho a chance de provar a caiçuma, uma bebida feita de mandioca cozida e fermentada com a saliva de quem a prepara. Apesar da sua função tradicional ser ritualística, percebo que ela é consumida em excesso por alguns jovens da aldeia, com o intuito de se embriagarem. Vários deles amanhecem exaustos no dia seguinte ao consumo abusivo, com sintomas claros do que, em bom português, chamamos de ressaca. Confesso que essa cena me parece deprimente, de modo que a caiçuma não está entre as descobertas mais instigantes que acumulei na Amazônia.

Na reta final da viagem, recupero as memórias desse precioso tempo de imersão nas raízes indígenas do nosso povo brasileiro. Dormindo em redes. Comendo com as mãos. Aprendendo e registrando histórias de pessoas que têm muito a nos ensinar. Depois de tanto tempo fora do Brasil, não consigo imaginar uma forma mais bonita de retornar ao meu país.

No decorrer da estadia, acabei me separando dos franceses. Cada um deles teve um problema de saúde. Naziha no ouvido, Samanta na perna, David no intestino. Nosso convívio na floresta amazônica não funcionou tão bem quanto em Paris. Honestamente, me senti muito mais à vontade entre os índios. Mesmo assim, ofereci cordialmente a minha casa no Rio para hospedar meus companheiros de viagem, antes que retornassem à França.

Nas minhas navegações, descobri que, no mar, não é possível se esconder de si mesmo. Na Amazônia, descobri que a floresta tem uma qualidade semelhante. Isolados na imensidão da mata, nos damos conta da nossa pequenez. E a floresta revela quem realmente somos.

RIO DE JANEIRO

Pouco tempo depois de voltar ao Rio, tenho a alegria de reencontrar Ibã. Ele veio à cidade para partilhar seus conhecimentos da cultura Huni Kuin com uma antropóloga e outros especialistas, a fim de publicar um livro sobre o assunto em breve. Acho estranho vê-lo de calça jeans e sapatos. Mas gosto da oportunidade de abraçá-lo e conversar um pouco mais com ele, ainda tocada pela hospitalidade com que fui acolhida na sua aldeia.

Outros reencontros, com amigos que não via há muito tempo, também trazem alegria à minha estadia por aqui. Mas a verdade é que prevalece a impressão de que não pertenço mais a este lugar. Me sinto uma estrangeira na minha própria cidade.

Faço um esforço para descobrir novas motivações, especialmente no campo profissional. Trabalho por um tempo como repórter do *Fantástico*, produzindo e dirigindo videorreportagens para o canal *web* da Rede Globo. Levo minhas fotos a exposições em Fernando de Noronha e São Paulo. Dou palestras e entrevistas sobre minhas experiências de navegação pelos sete mares. Uma palestra no TED, em 2012. Uma entrevista no programa *Encontro com Fátima Bernardes*, no mesmo ano. Presto serviços de fotografia, jornalismo, entretenimento e publicidade. Mas, apesar de tudo isso, sinto que alguma coisa está faltando.

Até que, um dia, recebo um *e-mail* da Suzan, diretamente de Friday Harbour, nos Estados Unidos, onde fica a atual sede internacional da Sea Shepherd. Com o coração em sobressaltos, leio a mensagem, que me convida a participar de uma nova missão nas Ilhas Féroe, três anos depois da operação Ferocious Islands. Desta vez, nada de disfarces. A proposta é que eu trabalhe como fotógrafa, cinegrafista e jornalista, escrevendo relatórios diários para a operação Grindstop, entre julho e agosto de 2014. A campanha contará com o apoio de celebridades como a atriz Pamela Anderson, o ator Ross McCall e outros artistas de renome, que se dispuseram a contribuir com a luta da Sea Shepherd contra a matança baleeira nas praias feroesas.

Eufórica, aceito imediatamente.

E logo começam a fervilhar mil perguntas na minha cabeça. Como será esse retorno às ilhas, após a exibição da série *Viking Shores* pelo Animal Planet? Serei reconhecida pelas pessoas com quem convivi disfarçada? Terão descoberto as identidades secretas da Vitória e do tio Richard?

RIO DE JANEIRO–TÓRSHAVN

Pego quatro aviões para traçar uma rota que mais parece uma volta ao mundo. No último trecho, entre Copenhagen e Tórshavn, começo a sentir aquele frio na barriga. Ao entrar na aeronave, tomo o meu lugar à janela, como sempre, e torço para que o assento ao lado permaneça vazio. Torço, principalmente, para que não se sente ali alguém capaz de me reconhecer. Fecho os olhos, procurando relaxar, mentalizando esse desejo, como numa oração. Anunciado o início dos procedimentos para a decolagem, abro os olhos lentamente e percebo que farei o voo sem ninguém no assento ao lado. Ufa!

No entanto, avisto um senhor de bigode, na terceira cadeira da minha fileira, que me deixa inquieta. Esse rosto me parece muito familiar. As lembranças se tornam mais vivas aos poucos. Quando nossos olhares se cruzam, tenho certeza. É um dos pescadores com quem conversei em Féroe, na pele da Vitória. Tomamos uma cerveja e falamos sobre a matança baleeira, como fiz com tantos outros interlocutores feroeses.

Ele me lança um sorriso. Eu retribuo. Mas por dentro estou em ebulição, totalmente paranoica. Será um sorriso gentil, de reconhecimento? Será um sorriso cortês, para uma estranha qualquer? Ou será um sorriso sarcástico, do tipo "dessa vez você não me escapa"?

Faço um esforço para deixar de lado esses pensamentos, que não vão me ajudar em nada no meu trabalho. Com o avião no ar, me levanto para ir ao banheiro. Lavo o rosto, me encaro no espelho e tomo coragem para cumprir essa nova missão, como Barbara Veiga, de cara lavada.

⚓

TÓRSHAVN (4)

Chegando a Tórshavn, sou recebida pelas voluntárias Rose e Valentina, que já estão trabalhando na campanha em terra há um mês. Ambas são ativistas apaixonadas pela defesa dos direitos dos animais. A sul-africana Rose lidera um projeto para tratar de cães que sofrem abandono ou maus-tratos. A dinamarquesa Valentina implantou uma dieta vegana em sua casa para o marido, os filhos, o cachorro e o papagaio.

Nada parece ter mudado na capital de Féroe. O que parece diferente é a atuação da Sea Shepherd na luta contra a matança baleeira. Além dos barcos, agora a ONG conta com *drones* e casas alugadas em vários pontos das ilhas, para que os ativistas façam vigílias diárias e simultâneas em diversas praias.

Depois de algumas semanas de trabalho, fotografando, filmando e escrevendo relatórios, já consigo transitar pelas ruas livre da preocupação de ser reconhecida. Retorno ao bar Sirkus, onde fiz a tatuagem do mapa-múndi, e a outros locais pelas ilhas, como o túnel estreito que Scott e eu atravessamos de carro, temendo por nossas vidas. Quantas memórias!

Por falar em memórias, visito também os barcos que fazem parte da operação Grindstop, entre eles o Brigitte Bardot. Tenho uma entrevista marcada com Ross McCall, que está a bordo do trimarã, portanto não posso escapar ao destino de pisar no lugar onde fui traída, três anos e meio depois.

Ao embarcar, sinto um calafrio. Observo cabine por cabine, cômodo por cômodo, imaginando os locais exatos onde a cena que mais me atormentava deve ter se repetido diversas vezes. Procurando me recompor, conduzo a entrevista com todo o profissionalismo. Ao final, já estou mais calma. E o que resta é um sentimento de libertação do sofrimento que a separação me causou.

Para Jessie, capitã que participou de outras campanhas da ONG e agora dirige um dos infláveis, retornar ao Bardot também é um ato de superação. Naquele mesmo barco, ela teve desentendimentos sérios com Locky, até o ponto em que, segundo Jessie, ele a expulsou da campanha.

Apesar de impressionante, essa história não me parece difícil de acreditar. Mas nesse momento, prefiro não remoer o fato de que Locky se converteu numa pessoa diferente depois de ganhar cada vez mais poder dentro da Organização, assim como outros ativistas que conheci. Embora tenha excluído Locky e Zoe dos meus contatos e redes sociais, temos muitos amigos em comum, então precisei atravessar um árduo processo ao longo dos anos para deixar de sofrer a cada notícia que recebia sobre eles. Descobri, por exemplo, que Locky comprou um novo barco para morar junto com a Zoe, com quem agora ele tem dois filhos. Curiosamente, ele batizou o barco de Adélie, o mesmo nome que, na Antártida, me disse ter escolhido para a nossa primeira filha.

Quanto a mim, percebi que, às vezes, é preciso simplesmente aceitar as coisas como elas são. Me sinto enfim cicatrizada, pronta para seguir adiante com meus sonhos e projetos. A operação Grindstop é mais um sucesso da Sea Shepherd. Nenhuma caçada acontece durante a vigilância da ONG em Féroe. Mas nossa missão nunca vai terminar. Pelo menos até o dia em que todo o planeta se conscientize do valor da vida, não só a vida humana, mas de qualquer forma de vida necessária para o equilíbrio das espécies.

Por outro lado, há ativistas que lutam pela vida de outras espécies com tanto afinco que acabam se esquecendo do valor da vida humana. Do valor do diálogo. Chegam a afirmar que o planeta seria um lugar melhor sem os humanos. Esquecendo que os humanos somos nós, seres capazes de se sensibilizar com novas oportunidades de aprendizagem e transformação.

Não sei se estou no lugar certo, com as pessoas certas. Começo a achar que nenhum lugar, ou nenhuma pessoa, é totalmente certo ou errado. O importante é o que cada um consegue fazer com o presente de todos os dias, que é a sorte de estarmos vivos.

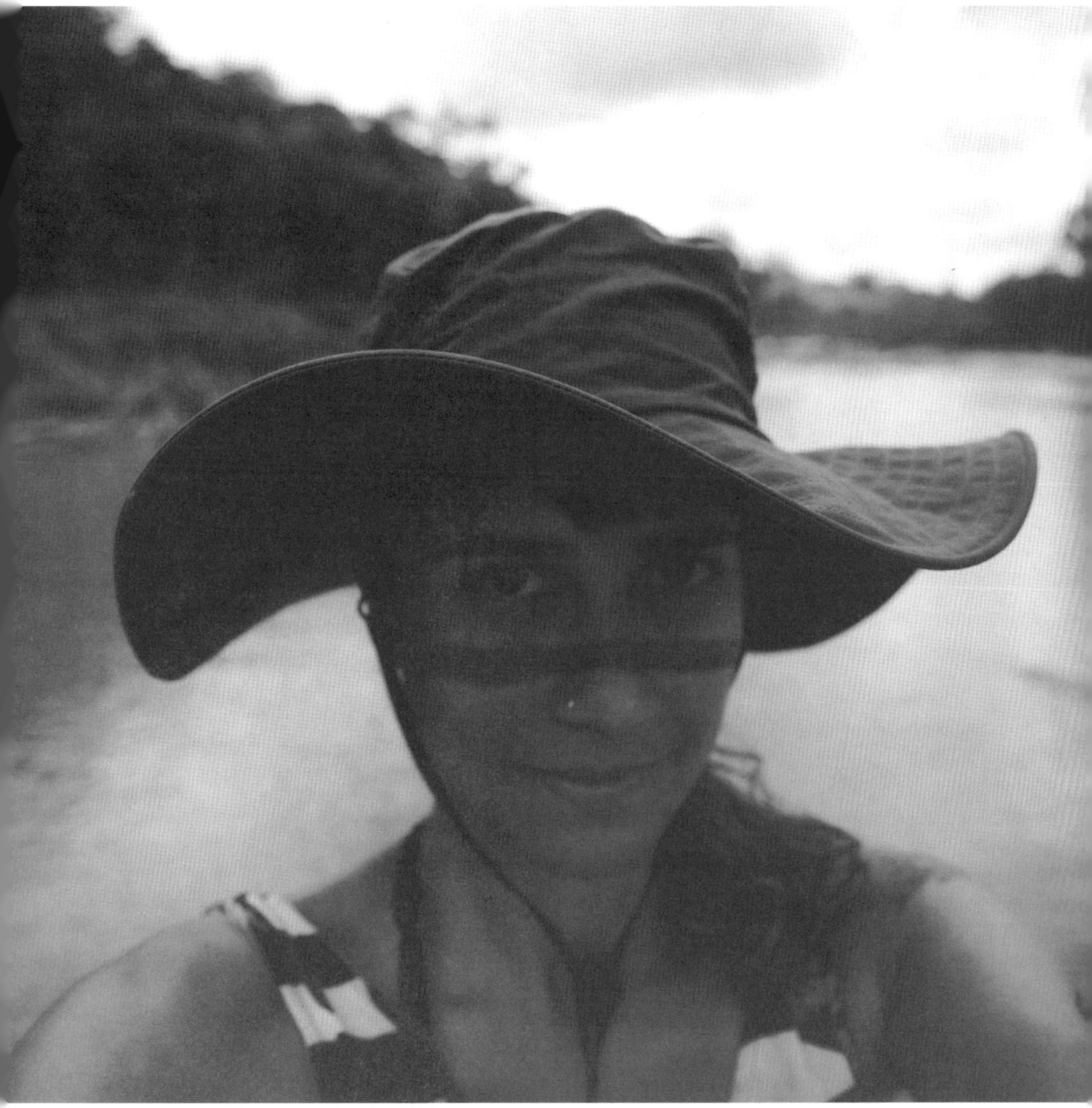

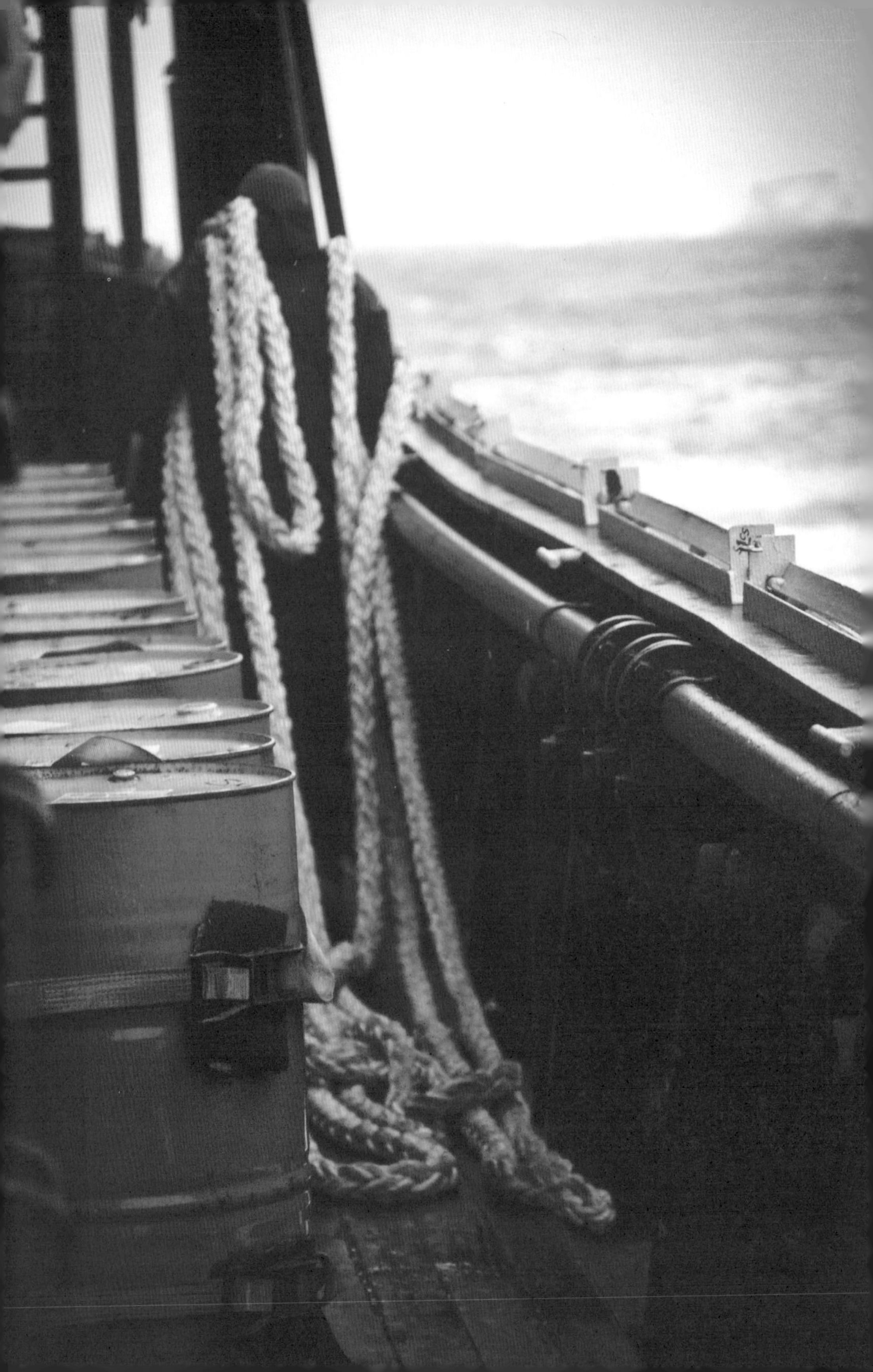

AGRADECIMENTOS

Termino de escrever este livro na Espanha, ao lado da cidade costeira de Finisterra, onde os antigos romanos acreditavam ser o fim do mundo. E sou tomada por um intenso sentimento de agradecimento às pessoas que ficaram ou apenas passaram pela minha vida ao longo dos anos.

Pessoas que me ensinaram alguma lição importante. Ou aquelas que, mesmo distantes, torceram por mim a cada aventura vivida.

Nunca tive qualquer incidente grave em alto-mar. De modo geral, fui muito feliz durante os sete anos em que naveguei pelos sete mares. Não que eu ignorasse os riscos envolvidos. Não foi nada fácil navegar pelo inóspito Oceano Austral ou escapar de piratas no Golfo de Áden. Mas todas as travessias que fiz me trouxeram aprendizados, amadurecimento e fortalecimento espiritual.

A Suzana Amado e Claudio Rothmuller, por terem acreditado no meu projeto, assim como a queridíssima Lucia Riff e sua agência literária.

Aos parceiros profissionais incríveis que tanto me ensinaram e confiaram em mim no Greenpeace, na Sea Shepherd e em outras organizações socioambientais em que trabalhei no Brasil e no exterior.

Tia Neuza, que apesar de ser hoje mais uma estrelinha no céu, foi uma pessoa muito importante durante minha adolescência. A madrinha Fátima, que sinto vibrar verdadeiramente com a minha felicidade.

Larissa, que há mais de 20 anos é minha amiga e guarda até hoje todos os meus postais enviados pelo mundo.

Os presentes da época de escola: Dália, Andreza, Marcele, Laura e Thaís, que sempre me acompanharam, e nunca se importaram com a distância entre nós ou o estilo de vida que escolhi levar durante esses anos. Minha amiga de infância Stephanie e sua família.

Bruno Correia, outro amigo do Pedro II, hoje radicado em Berlim. Isabela Correia, a irmã do coração. O parceiríssimo: Thiago Vasquez!

Minha antiga vizinha no Rio de Janeiro, Rosana, pelas longas conversas, histórias lidas em voz alta e o feijãozinho preparado por ela.

A Fabiana Brando, pelas profundas e esclarecedoras sessões de terapia, no meu retorno ao Brasil, me ajudando a trazer a melhor versão de mim mesma.

Martin Iglesias e família em São Paulo, cidade que me acolheu nos últimos anos.

Aos amigos jornalistas Giselle Paulino, Andréa de Lima e Haroldo Castro, que entre discussões sobre nossas viagens ao redor do mundo e saborosos jantares, me incentivaram a seguir firme e forte com o sonho de publicar este livro.

Lorena Barbier, minha *soeur du coeur*, colega de profissão da época da TV Globo e irmã de alma. A minha gauchinha, Patrícia, amiga que me ajudou a fazer duas mudanças no Rio de Janeiro e sempre me deu força. Aos adoráveis Maristella e Edu.

Rosana Pussenti, que conseguiu me fortalecer com suas palavras e sua sincera amizade, mesmo à distância, na Austrália.

Aos meus professores com quem mantive laços desde a época de estudante de jornalismo, que acompanharam momentos cruciais de luta e dedicação. Obrigada, professor e amigo, João Martins.

Zeca, André, Glaucia e Pati Glow, amigos músicos que me trouxeram sons, cores e leveza nos tempos difíceis. A doçura de Nana, Jordanna e a pequena Gaia.

Paula Sacchetta, mulher forte que admiro e quero sempre por perto.

Jeff Sher, que sempre defendeu meu livro, mesmo lá de São Francisco.

Pedro Matallo e Bebel de Barros, pelos pitacos no livro.

Também Bruno Singulani, que fez o mesmo lá da Suíça.

Laura Uplinger, Gilberto e Mauricio Chichitossi: pela conexão linda!

Meus vizinhos incríveis Jo Machado e Renato Salles, pelos deliciosos jantares tão saborosos e papos inspiradores no seu aconchegante apartamento em São Paulo.

Ao amigo filósofo Stephen Bennett, que também me incentivou nesse projeto, ora da Austrália, ora da Espanha.

Ao escocês Charles Watson, que me abriu novos horizontes e me inspirou profundamente na concepção deste livro. Aos colegas do curso Processo Criativo, que também viraram amigos. Salve, Lucas Melo e família!

Carol Soares e Franklin Costa, meus nômades preferidos.

A todos que acreditaram no meu trabalho e me acolheram em suas casas, veleiros e seus *motorhomes* ao redor do mundo. Quem respeita o meu amor pelo Planeta, os animais, os sagrados indígenas, pessoas de todas as raças, cores, identidade de gênero ou orientação sexual.

Vocês, meus amigos, são a minha família!

Conheça outros títulos da editora em:
www.editoraseoman.com.br